ずっとのおうちを探して

世界で一番古い動物保護施設〈バタシー〉の物語

A Home of Their Own
The Heart-Warming 150-year History of
Battersea Dogs & Cats Home

ギャリー・ジェンキンス 著
永島憲江 訳

国書刊行会

1865年に出された、〈迷い犬&飢えに苦しむ犬のためのホーム〉 年次報告書の扉より

「人間が同情を抱く対象から動物を除外し、人間は動物に借りと恩義は返さなくてもよいとしている、そんな道徳というものが、わたしには理解できない」

ジョン・バウリング卿〔1792－1872、イギリスの外交官、著述家〕

「老水夫行」より
いちばんよく祈る者は　いちばんよく愛する者
大きいものも小さいものも　あらゆる生き物を愛する者
われらをいつくしむ偉大な神が
すべてを創り　すべてを愛されたのだから

コールリッジ〔サミュエル・テイラー、1772－1834、イギリスの詩人、批評家〕

「犬」
上目づかいで飼い主の目をのぞきこんでくる
喜び、癒し、救いの存在
富める者の用心棒、貧しき者の友
さいごまで忠実な、唯一の生き物

ジョージ・クラブ〔1754－1833、イギリスの詩人、聖職者、医師〕

ずっとのおうちを探して

プロローグ

一八六〇年の冬は、数十年に一度の寒さだった。一八一四年の、夏至の日までずっと雪が残っていた、ひどく冷えこんだイギリスを思わせる寒さで、「ある地区では約十五センチの厚さの氷が見つかった」という。刺すように冷たい風と厚く積もった霜が、とりわけ首都ロンドンで暮らす一〇〇万もの貧しい人びとやホームレスたちの生活を、いっそう耐えがたいものにしていた。一八六〇年十二月、ロンドン市内の救貧院はパンク寸前だった。「苦境をうったえる声は非常に多く、九五二三七人が救済金を受け取った」と『モーニング・ポスト』紙は伝え、あまり恵まれないロンドン市民が現在置かれている状況は「国家的な不名誉」であると付け加えた。

しかし、首都に住む迷える魂のすべてが、そのような厳しい試練に耐えていたわけではなかった。その十二月、『ベルファスト・ニュースレター』紙のロンドン特派員が、刺すような冷たさをものともせず出向いたのは、ホロウェイのセント・ジェームズ・ロードからわきにそれたホリングワース・ストリートだった。そこにあったのは、首都ロンドンに設立された、これまでになく珍しい、ある保護施設である。わき道からそれた馬屋にまぎれていて、人目につかないところに建てられたその施設をなかなか見つけられなかった。そこで記者は、ひとりの「わんぱくな少年」の力を借りなければならなかった。少年が記者に指さしたのは

「ある開けた場所で、そこに半分作業場で、半分馬屋になっている建物を見つけた。建物には大きな文字で〈迷い犬&飢えに苦しむ犬のためのホーム〉と記された、色あざやかな看板がかかっていた」。

記者は、そのホームが数週間前にオープンしたとき、好意的な記事を書いていた。「このような女性が存在するとはとても信じられない。彼女はこれまでペットの犬を飼ったことはないが、忠実で愛情あふれ、献身的というこの生き物の性質をよくわかっている。そしてこの生き物が飢えで苦しみながら死を迎えないように、できるかぎりのことをしようとしていた」と、この施設を支持する内容を書いたのだった。

この事業に対する記者の第一印象は、よいものだった。ホームに着くと、管理人のジェームズ・パヴィットに出迎えられた。パヴィットは「木靴をはいた、きちんとした身なりの男性」で、「辻馬車を洗う仕事をしていた」。そして、記者を寒い外から「きちんとタイル張りされ、石炭が明るく燃えているストーブが戸口から離れたところにある、細長い馬車置き場のなか」へと案内した。

パヴィットが犬好きであることは、すぐにわかった。

この建物にいたのは、つぎのような犬たちだけである。まずは大きな白黒の番犬。できることならわたしのふくらはぎを食料にしたいようだった(実際に何度か試していた)。それから、さえない姿のロットワイラー(目がひとつだけで、尻尾がない)。そして、もじゃもじゃのスコッチテリアは、世話係の姿を見ると大喜びし、満足げに尻尾をさかんにふったので、後ろ足の裏側がきれいになっただろう、と思われる。

ホームにいるすべての捨て犬たちは、隣接した建物で暮らしていた。「ここでわたしは、およそ四十匹の不幸な子犬たちと出会った。どの犬種の犬も、〝野良犬〟と呼ばれていた。見知らぬ人物の訪問は、自分たちの生活の一大イベントだとでも言いたげに、子犬たちはキャンキャンと鳴き、うなり声をあげ、鼻先を犬小屋の柵のすきまから押しあててきた」と、記者は書いている。

建物の間取りはシンプルながら、居心地よいものだった。「建物全体をつらぬく通路があり、部屋は四つの四角に区切られていた。区切られた場所の両側には、東洋ではディヴァンと呼ぶ寝椅子が置かれ、わらで覆われていた。そして、犬たちのベッドがその下にあった」と、『ベルファスト・ニュースレター』紙の記者は続けている。

設備は簡素でも、清潔が保たれ、きちんと組織が運営されていることに記者は感銘を受けた。献金箱が「壁に釘で取り付けられていて、『この慈善事業への寄付を』と金色の文字で書かれていた」。さらにそこには、「イェイツ牧師」が書いた「施設運営にあたっての規則」一覧表があったと、記事で紹介された。施設の創設者について、記者がまちがったのは、これだけではない。

記者は当然のことながら、この施設の創設のアイデアを出したという人物である地元の女性「ティールビー夫人」に興味を持ち、「このご婦人についての奇妙な話を耳にした」こともあって、彼女に会ってみたいと思っていた。みなと同じく、どうやらこの記者も、彼女は「独立して暮らせる収入のある未亡人」だと考えていたようである。記者はそのうえ、施設の創設資金の出所は「創設者の個人的な財産」だと信じこんでいた。その日、その女性がホームにいる様子はなかった。

ジェームズ・パヴィットは、謎めいた雇い主に関してはなにも明かしてくれなかった。かわりに、彼が世話する保護した「迷い犬の問い合わせ数が驚くほど」であることを熱っぽく語った。「ご婦人や紳士方が十五人……自分たちの犬を探しにやって来た」と言う。パヴィットの仕事は迷い犬の世話と、新しい飼い主への譲渡（リホーム）を監督することだったので、犬たちがその施設にどういった経緯でやって来たのかは、関係のない話だった。「犬たちがどうやってここへ来たかなんて、わかりません――とにかく、自分は見たことないんです」と、パヴィットは語っている。そして「犬のことをかわいそうだと思ったひとたちが、ティールビーさんのところへつれて来て、家の戸口に置いていくんです」と説明している。

パヴィットが機転のきく人物であり、自分の雇い主を守ろうとしていたのは明らかだった。記者が核心に迫りかけたところで、管理人は「半ポンド〔現在の約三十ポンド〕」で「獰猛《どうもう》なマスチフ」を一頭引きとらないか、とすすめてきた。記者はそれを断り、口実を作って施設を立ち去った。

この記者による好意的な見解を述べた長い記事は、ホロウェイの施設についての最初の記録となるのだが、記者はこの事業に関して一点だけ、非難している。「しかしながら、ほかの多くのひとと同じく、わたしはこの保護施設が犬しか保護しないことについて、どうしても抗議したい。犬と同じくらいの切迫した状況にいる猫たちにも、権利があるのだ」。記者はこう書いたものの、ホームの未来の姿に関しては、自信をもって予想していた。「善意あふれるこの創設者の名前は、まちがいなく後世までずっと伝えられるだろう」。

記者に先見の明があったことは、やがて証明された。一五〇年後の二〇一〇年、ホロウェイから約十キロの地で、別の名称になり仕事を引き継いでいるこの施設で、メアリー・ティールビーの名は強く生き続けている。いまこの施設では、猫も受け入れている。〈迷い犬&飢えに苦しむ犬のためのホーム〉は、現在〔二〇一〇年時点〕、世界で一番古くて有名な動物保護施設〈バタシー・ドッグズ&キャッツ・ホーム〉〔二〇一八年からホームの正式名称は〈バタシー〉に変更〕として知られている。

一八六〇年十月、最初にその扉を開けてから、「犬や猫がどのような状態でも、またどのような理由があっても、引きとりを拒否しない」という創設者の誓いのもと、迷ったり、虐待を受けたり、飼育放棄されたりした何百万というペットたちが保護されてきた。世界中の何百という動物保護施設が、同じような理想のもとで建てられていった。現在では、「バタシー」という言葉は、「思いやりと希望」の代名詞となっている。しかしこのホームが、最初の創設記念日、そのうえ一五〇周年の創設記念日を迎えられるなど、とうてい考えられない時代もあった。

ホームは、イギリス社会や、ペット飼育に対する社会の姿勢をそのまま映す鏡となってきた。ヴィクトリア朝のロンドンに住む多くのひとは、都市の薄汚れた通りをいつもうろついていた迷い犬や野良犬に、時間をさき、注意を払うことはほとんどなかった。このような風潮のなか、報道機関の多くは、「保護施設は、感傷的で大金のかかるおろかな行為だ」とこきおろし――もっとひどいことも書いた。ある記者は、施設を「人類の愚かさ」の記念碑と呼んだ。創設初期の頃、ホームは、経済的危機、不真面目なスタッフ、立ち退きの脅し、絶間ない鳴き声に腹を立てた隣人たちが起こした訴訟、といった問題に悩まされていた。

ホームが生き残っただけではなく、成功したことは、小さな奇跡だった。それでもその奇跡が起きたのである。ホームはほかの危機も切り抜けてきた――たとえば狂犬病の蔓延《まんえん》、第一次世界大戦につづく世界大恐慌、ロンドン大空襲。多くの動物保護施設ができても、やがて姿を消していった。そして草分けである〈バタシー・ドッグズ＆キャッツ・ホーム〉は、いまでも生き残っている。

これは、あるたぐいまれな施設についての物語である。見方によっては、過去一五〇年のあいだに、猫や犬の扱い方がどのように進化したか、そしてつねによいことばかりではなかったことについて語っている。また別の見方では、イギリスの国の宝となる慈善団体が、一般の人びとや、王室からの支援をもとに拡大し、発展していった過程の記録でもある。一番重要なのは、すばらしい登場人物たちの物語となっていることである。登場するのは犬と猫、そして、先見の明をもって〈バタシー・ドッグズ＆キャッツ・ホーム〉を創設し、現在でもホームの「創設者・不屈の恩人」として語られている、謎めいたメアリー・ティールビー夫人である。

第1章◆謎の「トゥルルルビー夫人」

Chapter One

一八六一年、北部ロンドンのイズリントンで行われた国勢調査は、少し誤解を招くがとてもおもしろい記録になっている。たとえば、フィンスベリーのヴィクトリア・ロード二十番に住む五人の住人のひとり、メアリー・ティールビーを「五十九歳、既婚」だと記録しているが、これはすべてを物語っていない。

メアリーの年齢については正確である。その年の十二月で、六十歳になるところだった。しかし、彼女の婚姻関係の有無については不正確だ。メアリー・ティールビーが二十八年前に結婚した夫のロバートは、引退した材木商人で、ロンドンから約三二〇キロ離れたイングランド北東部の町ハルでひとり暮らしをしていた。道徳に関してきわめて厳格だった時代には珍しく、ふたりは別居していたのである。

法制上の正確さはさておき、この国勢調査の一番ひどいまちがいは、メアリー・ティールビーに関する記述のところに「無職」と記したことだった。これはあまりにも事実からかけ離れている。一八六一年には、メアリー・ティールビーは、彼女の晩年を捧げることになるある使命に全身全霊で取りくんでいた。弟のエドワードと少数の友人とともに、メアリー・ティールビーは休む間もなく活動し、ヴィクトリア朝のロンドンで最初の、迷い犬と捨て犬のためのホームを設立しようとしていたのである。

十九世紀末のイギリスの歴史は、非常に優秀な女性活動家の物語であふれている。たとえば、看護師の先駆者であるフローレンス・ナイチンゲール、ジャマイカ出身でクレオールの看護師メアリー・シーコール、世界初の動物実験に反対する団体を創設したフランシス・パワーズ・コッブ、〈ナショナル・トラスト〉の共同創設者で、恵まれないひとのための公園やオープン・スペース〔野外活動や景観などのため、建造物が禁止・制限されている野原など〕の確保のために運動したオクタヴィア・ヒルなどである。おそらくメアリー・ティールビーは、このような女性のなかで一番知られていないだろう。彼女はまちがいなく、もっとも謎に満ちた人物である。『オックスフォード英国人名事典』ですら、彼女のことを「若い頃のことはいっさい不明の人物」と記している。しかし、色あせることのない彼女の遺産からすると、メアリー・ティールビーは、彼女よりも有名な同時代の女性活動家たちと同じくらいすばらしい人物である。そろそろ、真の姿を知るときだろう。

　メアリー・ティールビーは、一八〇一年十二月三十日にハンティンドン〔イングランド中東部、かつてのハンティンドンシャー州で、現在はケンブリッジシャー州の町〕で、父エドワードと母メアリーのあいだに、メアリー・ベイツとして生まれた。国勢調査の記録によると、彼女の父親は「薬剤師」で、地元のひとたちに薬を調剤していた。ハンティンドンで二軒しかなかった薬屋のうちの一軒が父親の店で、町の中心広場の市場に店をかまえていた。店からは、一家が通っていた地元のオール・セインツ・アンド・セントジョンズ教会が見えた。メアリーは三人きょうだいの一番上で、弟のエドワードは一八〇四年二月に、そして末の弟のジョンは一八〇五年十月に生まれた。四番目のきょうだいのヘンリーは、一八〇七年の六月、まだ幼いときに亡くなった。ベイツ家の三人きょうだいは、メアリーが八歳のときにオール・セインツ・アンド・セントジョンズ教会で洗礼を受けた。

　農作業、毎週土曜日の市場、キツネ狩り、競馬が周期的にくり返し行われるのが、ハンティンドンでの暮らしだった。ハンティンドンシャー州の州都だったので、町には町長、上級議員、それにふたりの下院議員がいたし、一年で一番大きい催しは、毎年三月二十五日に開催されるハンティンドン祭り。つまり、そこは典型的なイギリスの田舎の町だった。

ベイツ家の子どものなかで家族の期待を集めていたのは、エドワードだった。アッピンガム・スクール〔イングランド中部東の町の私立寄宿学校〕、ケンブリッジ大学のクレア・カレッジで教育を受け、文学修士の学位を得ると、聖職者の道に進んだ。それと比べると、若い頃のメアリーは、ごく平穏な日々を送っていたようである。それも彼女が二十代後半に、ヨークシャー州のハル出身で二十八歳の材木商人、ロバート・チャップマン・ティールビーと出会うまでの話だった。

ロバートは、はたから見れば、結婚相手としてじつにふさわしい独身男性だった。同じくロバートという名前の父親は材木商人で、一八〇〇年に会社〈ティールビー&カンパニー〉を設立していた。会社はロシアとスカンディナヴィア半島から材木を輸入し、遠く離れたランカシャー州、リンカンシャー州、イングランド中部のミッドランド地方にまで事業を展開していた。ひとりっ子だったロバート・ティールビー青年は、父親の跡継ぎだった。地元ハルの大物実業家として有力な人物であり、巡回裁判で判事を務める立場にあった。メアリーとロバートは、一八二九年の十二月三十日に結婚した。

オール・セインツ・アンド・セントジョンズ教会で行われた式は、おめでたいものだったと思われる。その日がメアリーの二十八歳の誕生日だっただけでなく、式を執り行った聖職者は弟のエドワードだったのだ。それがエドワードの執り行った初めての結婚式だったのは、ほぼまちがいない。その年の三月に礼拝堂付き牧師か執事に叙階されたばかりだったエドワードは、おそらくこの特別な機会のために、式の数週間前の十一月に、イーリー〔イングランド東部ケンブリッジシャー州の町、十一世紀に建てられた大聖堂で有名〕の大主教から司祭に叙階されていた。人生の後半に見せたメアリーの熱意から察するに、おそらくメアリーのほうが弟エドワードをせっついたのだろう。

結婚証明書によると、結婚の証人はエドワード・ベイツと一家の友人、エリザベス・スミスとなっている。証明書からはエドワードにとって、ヨークシャー地方の「ティールビー」という名前は、普段なら教区記録には記さない聞きなれない名前だったことがわかる。エドワードは、新たに結婚したふたりの名前を「トゥルルビー夫妻」と記録してしまっている。

メアリーは、ロバートとともにハルの町へ移った。そして、〈ティールビー&カンパニー〉が本社と会計課をおいていた船着場地区、ギャリソンサイドの近所のチャールズ・ストリートに、ふたりの使用人を雇い家をかまえた。

ロバート・ティールビーとの交際と婚約が、メアリーにとってロマンティックなできごとだったとしたら、ハルにやって来たことで、ひどく幻滅したかもしれない。ハルは騒々しい港町で、タールや加工されたばかりの材木のにおい、荷車の立てるガラガラという音やきわどい言葉などが通りに満ちていた。田舎の町のハンティンドンと比べると、ハルでの暮らしは順調に進まなかった。

メアリーが嫁した家には、あやしげな過去があった。義理の両親は離婚していた。夫ロバートの父親である老ロバート・ティールビーは、妻メアリーとの婚姻関係を一八一二年に終わらせていて、その事情のせいで人間関係が緊密な地域社会にスキャンダルを引きおこしていた。老ロバート・ティールビーは、牧師の娘のメアリー・クロスと一七八五年にハルで結婚し、ふたりの唯一の子どもであるロバートは一八〇一年に生まれた。一八一二年の春、六十歳のとき、老ティールビーは二十七年間の結婚生活の後に、婚姻の無効宣告を申し立てた。その根拠は、妻メアリーが婚姻時に未成年だったことを彼が知らされていなかった、というものだった。

こうして、老ティールビーの有利にことは進んだ。判事は、妻メアリーは「当時二十一歳になっておらず」、父親の許可なく結婚していたので、この婚姻は「偽り」のものであり、よって「法的に完全に無効」との判決を下した。判事は有罪を証明する供述において、メアリー・クロスは過去二十五年間におよんで妻メアリー・ティールビーのふりをしていた、と理路整然と述べた。この離婚の理由はかなりうさん臭く、残酷で、老ロバートに都合のいいものだったので、老ロバート・ティールビーを妻と一刻も早く離婚させるため、彼の弁護士たちが画策したものにちがいなかった。彼が急いだ理由は、すぐにわかった。

婚姻の無効宣告という「でっちあげ」だけでは、妻メアリーに対する侮辱は足りない、とでもいうように、老ティールビーが一八一二年の四月、離婚から三週間もたたないうちに再婚するのを、メアリーはただ黙って見ているしかなかった。

老ロバート・ティールビーの新しい妻は、エリザベス・ダウソンという夫より三十歳若い地元の女性で、ティールビー家と同じくハルの町のスカルコーツ地区で生まれ育った、非常に有能な人物だったようである。エリザベスはすぐに一家の事業で重要な役目を果たすようになった。

ティールビー家に溶けこむのは、われらがメアリー・ベイツにとって、きっとたいへんだったにちがいない。夫のロバートは、夫婦の家の近所のウエスト・ストリートに住む自分の母親とずっと親しくし、そのいっぽうで継母といっしょに仕事をしていた。二人の母のあいだに緊張関係があったとしたら、メアリー・ベイツがハルにいたあいだは、強まるだけだっただろう。

一八三八年の一月、老ロバート・ティールビーは八十七歳で死亡した。その八年後の一八四六年、最初の妻メアリーがその後を追った。興味深いのは、死亡証明書には「メアリー・ティールビー、ロバート・ティールビーの未亡人」として記載されていることである。老ロバートの仕事の権利を引き継ぐ人物は明らかだった。その頃には、エリザベス・ティールビーが会社の経理部門を管理していて、会計係のジョン・フィッシャーと仕事を執り行っていた。息子のロバート・ティールビーとともに、三人は困難なご時世のなか、会社の舵《かじ》をとらなければならなかった。

一八四〇年代後半、ハルの町は二つの災難に見舞われた。まず一八四八年、デンマークとの貿易摩擦の結果、イギリス政府はバルト海の港からの船舶の入港を封鎖した。スカンディナヴィア半島との取引で成功を収めていたハルの実業家たちにとって、これは大きな痛手だった。さらに悪いことに、翌年ハルの町で、イギリス史上最悪のコレラ感染のひとつが起きた。一八四九年八月、最初のコレラ感染者が出て、それから三か月の間に一八六〇人が死亡した。町の住人の四十三人にひとりの割合だった。山積みとなった死体に対処するため、ある時点で巨大な埋葬用の穴が掘られた。港湾地区とスカルコーツ地区でも病気が大流行し、ティールビー家の事業は、人員と財政の両方の面で確実に打撃を受けた。一八四九年、〈ティールビー＆カンパニー〉は、レスターシャー州の材木問屋からの一八一ポンド以上の債権を回収するため、裁判所へ行くはめになり、つらい時代になる感じがした。

会社はどうにか生き残ったが、一八五〇年になると、イギリス政府がふたたびバルト海の港との貿易を停止するおそれがあり、ロバート・ティールビーは最悪の事態を想像した。そして経済封鎖で起こるかもしれない影響を心配し、「貧しい労働者たちに非常に不幸な結果が起きる状況です……これは大げさな表現ではありません」という、外務大臣あての書簡への署名に加わった。

夫ロバートが事業を破産から守ろうと必死になっていたいっぽうで、メアリーは、当時急速に芽生えはじめていた動物福祉という分野に関心を向けていた。メアリーはイギリス初、そして世界初となる、動物福祉のための慈善団体〈王立動物虐待防止協会（ＲＳＰＣＡ）〉の熱心な支援者だった。〈ＲＳＰＣＡ〉は一八二四年創立で、創立メンバーのなかには、ハル選出の下院議員ウィリアム・ウィルバーフォース（一七五九－一八三三、政治家、博愛主義者。一八〇七年に実現した奴隷貿易廃止を長年にわたって主導した）がいた。創立から二十五年たっていた当時、〈ＲＳＰＣＡ〉はウィルバーフォースの選挙区でかなり活発に活動をしていた。

メアリーが一般的な動物福祉と、そして特に〈ＲＳＰＣＡ〉に対して関心を持つようになったのは、ハルとヨークシャー州の〈ＲＳＰＣＡ〉の査察官がかかわった、ぞっとするような裁判沙汰がきっかけだったのかもしれない。この査察官はジョン・ハーディ・ヴァランスといい、以前はブーツ職人をしていた。たとえば一八四八年十一月、ヴァランスは、ジョン・ウェブスターという男が自分の馬を強く叩いていた件を告訴した。そしてウェブスターが「鞭《むち》で馬を残酷に打っていた」のを目撃した、と法廷で証言している。

ヴァランスは、犬を虐待する者をとりわけ熱心に告訴していた。一八四〇年代と五〇年代初期、犬はいまだに町中で荷車を引く役目を負わされていた。ヴァランスや、メアリー・ティールビーもおそらく含まれていた〈RSPCA〉の活動支持者たちの努力にもかかわらず、犬の荷車引きが禁止されたのは一八五四年だった。一八五一年、ハルの〈RSPCA〉メンバーだったホーナー博士は、「この町の犬たちが、荷車引きをさせられている苛酷な状況」に対してなにかできないのかと、町の議会に要求した。町の書記官は、やめさせるための法案を提出するのは「実行不可能」だと判断した。

同じくさかんに行われていたのが、闘犬だった。一八五一年、ロンドンの〈RSPCA〉第二十五回年次総会では、ハルでの闘犬は「違法」との判決を勝ち取ったヴァランスの功績を大きくとりあげた。しかし、ヴァランスは闘犬を完全に根絶させることはできなかった。それから数年後、また別の事件がハルの警察裁判所で取りあげられた。男たちの集団が、組織的な闘犬を行ったとして罰金を科されたのだ。ヴァランスは法廷で、闘いが終わったあとの犬たちが「血まみれで、そのうちの一頭の体はずたずたに引きちぎられていた」のを発見したと述べた。犬の飼い主たちはそれぞれ十シリング〔現在の約四十ポンド〕の罰金を支払った。裁判で動物虐待の罪がいかに軽い処罰ですんでいたかが、よくわかる。〈RSPCA〉とその運動に対して理解がなく、反感を抱くようなひとが、大勢いたのである。

ヴァランスは裁判を起こしたいくつかの件で負け、そのうえ脅迫や襲撃を受けひどい目にあっていた。一八五一年十一月、ヴァランス家の「とっても大事な」飼い犬、キング・チャールズ・スパニエルのジョージが、のどを裂かれているのを発見された。ヴァランスは救おうとしたが、犬は死んでしまい、この「悪魔のような所業の原因」が、自分が〈RSPCA〉のメンバーであることなのは確かだと思った。

少なくとも、ヴァランスはたったひとりで活動していたわけではなかった。一八五一年十月から、〈RSPCA〉の支部はハルの町で活発な活動を行っていた。例によって、初期の〈RSPCA〉のメンバーは男性に限られていたが、メアリー・ティールビーはこの組織の支援者だったにちがいない。それから十年後も、メアリーは〈RSPCA〉のハル支部への寄付を続けていて、一八六二年一月二十四日の『ハル・パケット・アンド・イースト・ライディング・タイムズ』紙は、メアリーが毎年十シリングを「ハル地区の選任された役員」に寄付しているとして名前を記載している。しかしこのときには、寄付はハルから約三二〇キロ離れた場所から送られていた。『ハル・パケット』紙は、〈RSPCA〉の寄付者リストに載っていた彼女のことは「ティールビー夫人（ロンドン在住）」としか記さなかった。

メアリーがロバートと離婚した正確な理由は不明である。わかっているのは、彼女の母親のメアリーが一八五四年七月二十七日に、ノース・ロンドン地区、ホロウェイのヴィクトリア・ロード二十番で死亡したことである。メアリーの家族は、その数年前にハンティンドンからこの住所に移ってきていた。死亡証明書には、死因は「自然死、吐血」とあったが、現在では「胃潰瘍」とされるだろう。母親は七十六歳だった。

母親が長期にわたり、おそらくはつらい病に苦しんでいたとすると、娘のメアリーが看病のためにハルを去ったと考えるのは妥当だろう。メアリーの父親エドワードは当時八十歳で、ヴィクトリア・ロードの家に住んでいて、メアリーは、しばらく父親の世話をするためにロンドンにとどまったのかもしれない。しかし、どうして結局ハルへ戻らなかったのだろう？　もしくは戻れなかったとしても、なぜ、一八六〇年には事実上引退していた夫は、メアリーといっしょに暮らさなかったのだろうか？

一八六〇年八月二十四日の金曜日、『ハル・パケット・アンド・イースト・ライディング・タイムズ』紙は、その年の四月三十日にエリザベス・ティールビーとロバート・チャップマン・ティールビーが「〈ティールビー&カンパニー〉という商号で」続けてきた共同経営を「双方の合意のもとで解消」したことが確認された、という記事を掲載した。家の事業は、ほとんどエリザベス・ティールビーが支配していた。『ハル・パケット』紙は、続けて「前述の事業は……〈ティールビー&カンパニー〉という商号のまま、エリザベス・ティールビーひとりで引き続き行うことを署名した。元の〈ティールビー&カンパニー〉による負債は、エリザベス・ティールビーがすべて引き受け支払う」ことを報告していた。

その当時五十八歳だった夫ロバートは、相当額の退職金を受け取って退職することを予想していたかもしれない。しかしどうやら、引退後の生活は余裕があるものではなかったようだ。一八六一年の国勢調査によると、結婚当時住んでいたチャールズ・ストリートの家ではなく、ストーニー・ストリートの家で未婚の五十二歳の家政婦といっしょに暮らしていると記録されている。その年の七月、ロバートは、唯一の受取人をその家政婦マリア・カートンにした遺言書を作成した。この関係には見た目以上のものがあったのだろうか？　それを知るすべはない。しかし、メアリーとロバートは明らかにもういっしょに住むことはない状態だった。だからこそ、ロバートはメアリーを自分の遺書から外したのだろう。

結婚生活を終えたメアリー・ティールビーのその後の人生を支えたのは、ふたりの男性である。父親、そしてより手厚く支援した弟のエドワードだった。聖職者としての任職式を終えると、エドワード・ベイツはノーサンプトンシャー州〔イングランド中部〕でかなり高い地位に就いた。最初はケルマーシュとオクセンドン〔どちらもノーサンプトンシャー州にある村〕で司祭を、それからクリップストン・グラマー・スクール〔十七世紀にノーサンプトンシャー州に建てられた学校〕で牧師として勤めた。一八五六年、エドワードはマーケット・ハーバラ〔レスターシャー州のハーバラ地区にある商業地区〕近くのクリップストン病院に併設された医学校の教師として、年に一〇〇ポンドの給料をもらうという名誉ある地位をうまく手に入れた。その仕事は、年金と病院の敷地内の住居がついていて、成人男性なら絶対に手放さないような職だった。

ところが一八六〇年になると、エドワードはメアリーと父親と暮らすためにクリップストンを去り、ロンドンへ向かったため、無職となった。一八六一年の国勢調査によると、エドワード・ベイツは「独身の聖職者、教会の職にはついていない」となっている。イギリス国教会の公式聖職者名簿である『クロックフォード』〔一八六〇年発刊、隔年で出される〕にエドワードの名前が載ることは、もうなかった。そのとき五十七歳なので、引退には早すぎると考えられる。そして、エドワードがロンドンに移住したという事実も奇妙である。自分の仕事のキャリアの幸先がよいときに、姉と父親との同居を選んだ動機はなんだったのだろうか？　年老いた父親の世話の手伝いにやって来たのだろうか？

離婚の理由がどんなものだったにしろ、メアリーがロンドンへ移るにあたっては、かなりの勇気が必要だったはずである。ヴィクトリア朝の社会では、離婚は非常にまれなケースだった。メアリーとロバートは婚姻関係を解消したわけではなかったものの、別居というメアリーの決断は、弟の職業を考えればさらに難しかっただろう。メアリーの別居が、もしかしたら、エドワードが職を辞した原因だったのだろうか？メアリーが、自分を未亡人だと周りには言っていたらしい事実から、彼女が実際の婚姻関係の状態を必死で隠そうとしていて、結婚が失敗したのを恥じていたことがわかる。

個人的な問題はともかく、ロンドンで過ごすメアリー・ティールビーは、身を隠したり、自分を哀れんだりしていない。むしろその正反対だった。父親と弟とともに、メアリーはヴィクトリア・ロード二十番の小さなタウンハウス〔隣家と共通の壁でつながった二階建て、または三階建ての家屋〕に住み続けた。彼らには、合わせるとそこそこの収入があったにちがいない。おそらく、父親と弟に年金が支給されていたのだろう。国勢調査の記録によると、この世帯には、料理人とメイドがひとりずついることになっている。

母親の死後から数年の間、メアリーは〈ＲＳＰＣＡ〉や動物福祉へ情熱を向けていた。とりわけ、首都ロンドンで虐待を受けていた犬たちに関心を抱きはじめていて——天職を見つけたのだった。

ロンドンの歴史がはじまったときから、犬たちはこの都市の通りをうろついてきた。首都に住む人間と同じように、犬の暮らしの質は、飼い主の社会的階級に大きく左右された。はるか十二世紀までさかのぼると、犬を飼っている一般市民に対して「貪欲で強暴な犬が…王室の家畜を噛《か》んだ場合」、その飼い主とペットは死刑、という王令が出ている。一三八七年には「ロンドン市内では、犬を放し飼いにしてはならない」と規定されたが、裕福で有力者とのつながりを持った一家の飼い犬の場合は、大目に見てもらえた。

ヴィクトリア朝の初期になると、この格差はさらに明確になった。ヴィクトリア朝のあるジャーナリストは、つぎのように述べている。「貧しい者に対する富の配分は、人間も犬も同じようなものである――数百匹の犬は贅沢な暮らしを送り、数千匹もの犬がひどく劣悪な環境で飼育されている。そして残念ながら、けっして少なくはない数の犬が、どこで食べ物や寝床にありつけるかもわからないのである」。

しかし、ヴィクトリア朝の後期になると、流れが変わりだした。動物の権利に対するヴィクトリア朝の人びとの情熱は、かつて十九世紀初頭に奴隷制廃止を引き起こした、人道主義的な観点から自然に起きたものだった。

農場の動物、とりわけ牛を残虐な行為から守る目的で一八二二年に制定された「マーティン法」〔家畜の虐待と不適当な取り扱い防止条例〕を支援するため、一八二四年に〈動物虐待防止協会（ＳＰＣＡ）〉が設立された。そしてこの協会は、動物好きであることを公言していたヴィクトリア女王〔一八一九－一九〇一、在位一八三七－一九〇一〕が正式に認可したことにより、一八四〇年に〈王立動物虐待防止協会（ＲＳＰＣＡ）〉となった。設立当初は、ひろく物笑いの種となったが、やがて〈Ｒ

ヴィクトリア朝ロンドンで、食べ物をあさって暮らす野良猫たちは、「捕獲され、虐待される」という状況に直面していた。

ＳＰＣＡ〉は急速に力をつけてゆき、ロンドンを拠点に動物査察官たちを雇った。彼らは週にわずか一ギニー〔現在の約六十三ポンド〕の給金で地方をめぐり、動物虐待についての報告を調査していた。ジョン・ハーディ・ヴァランスのような人物が定期的に法廷に持ちこんだ事件は、あらゆる動物、特に犬に対して常習的に行われていた虐待行為に、ヴィクトリア朝社会の目を向けさせるうえで役立った。

　ロンドン市内では、迷い犬は見つけられると撃ち殺されるのが日常茶飯事だった。一八三一年、ひとりの下院議員が下院議会で、ハイド・パークでたった一日のうちに七匹もの犬が銃で撃たれたことに抗議した。この七匹の殺害は、公園管理人たちによって続けられていた活動の一環だった。「女性向けの小型愛玩犬だろうと、大型のニューファンドランド犬だろうと、公園で迷っていたり、うろついていたりするすべての犬は、容赦なく撃たれた」のである。

　首都で周期的に発生していた狂犬病への恐怖のひとつが、犬を処分することにつながっていた。一八三〇年、とりわけひどい狂犬病の大流行が起きたときは、四〇〇人の患者と数人の死者が出た。そして狂犬病が流行したときの最良の救済策は、「通りのすべての野良犬の数を少しずつ減らす」という意見がまとまった。しかし公園管理人にとっては、犬の処分という流れはようやくといった感じだった。下院議会では「残酷でじつに胸が悪くなる」と合意に達したもの、公園管理人は、犬が「鹿を追いかけている」ときは撃ち殺すことができるようになった。それから二十年が過ぎても、ロンドンの通りの自由論者たちは、「犬を保護する必要はまったくない」と考えている頑固なひとたちがまだいる、と感じていた。

一八五四年、国会で、ついに犬の荷車禁止についての討議が行われた。しかし、犬が引く荷車の使用を全面的に賛成する者もいた。彼らは、泥だらけの道で荷車を引っ張る仕事が、犬には「馬と同じくらい向いている」のだと主張した。また、この行為を禁止すると経済に悪影響だと指摘する者までいた。「ロンドン南部の地区だけでも、このような犬の荷車が一六〇〇〇から一八〇〇〇」あるとすると、禁止すれば「多くのひとが生計を立てられなくなる」と、ハードウィック伯爵は激しく非難した。

ハードウィック伯爵のようなひとたちの意見が、やがてメアリー・ティールビーと敵対するようになるのだった。

第2章◆「イズリントンのわれらがレディー」

Chapter Two

はじまりは、一匹の迷い犬との出会いだった。はっきりとわからないが、メアリー・ティールビーがその犬と出会ったのは、イズリントンのキャノンベリー・スクエアに住む裕福な友人、サラ・メージャーの家を訪ねたときのようである。その日メアリーが、メージャー夫人のロンドン市内の立派な邸宅の玄関に入ると、いつもならいっしょにお茶をしていた応接室には案内されず、台所へと通された。そこには、オープン式の台所レンジ〔石炭などを燃やす台の上に直接、鍋などを置いて調理するタイプのレンジ〕のそばに敷いた毛布の上に横たわる、ひどくやせ衰えた一匹の犬がいて、夫人が世話をしていると知った。夫人は、その日の早朝にイズリントンを散歩しているとき、ひとりぼっちでさみしげな犬を見つけていたのだ。毛はぼさぼさでひどい状態だが、看病すればまた元気になると信じて、メアリーはその犬をヴィクトリア・ストリートの自分の家へとつれ帰った。

それから数か月たった頃に書かれたある記事によると、メアリーが呼んだ獣医は、その犬に「三十分ごとに、ティー・スプーン一杯の温かいポートワインをのどに流しこんで飲ませる」ように勧めた。メアリーはそれから毎晩寝ずに、温かいワインを犬に与え続けた。しかし徹夜の看病から三日目、犬は「寿命を迎える」かたちで息を引きとった。その同じ記事には、メアリーは「苦しみぬいた犬の目を閉じるとき、最期をみとれたというもの悲しい満足を感じた」とある。

この歴史的な出会いの詳細はよくわかっていなくても、その後に起きたことははっきりしている。その犬の死は、メアリーにたいへん大きな影響を及ぼした。それから数日から数週間のうちに、メアリーは「犬の救護施設」を建てようと決心したのである。

当初、その救護施設は、メアリーの自宅の食器洗い場〔食器洗い専用の部屋、または台所とつながった食器洗い専用の場〕ではじめるつもりのようだった。イズリントン地区の通りには、ロンドンのほかの地区と同様に、迷い犬や捨て犬が勝手気ままに歩きまわっていた。メアリーはそんな犬たちをつれ帰り、健康を取り戻すために世話をしはじめ、うまくやりとげた。すると人びとが、迷い犬や病気の犬を彼女の家の戸口につれて来るようになり、新しい住まいは、まもなくして集めた犬たちでいっぱいになった。そして近隣の住人たちは、騒音に文句を言いはじめた。「ほんの数匹の犬を受け入れる場合でも、隣人たちを怒らせないですむような場所を探すのは、とてもたいへんだったのを、よく覚えています」と、ホームで長年重要な役割を果たしたメアリーの友人、ジョン・コラムは回想している。

メアリーはこれであきらめるどころか、犬たちを保護できる別の場所を探しはじめた。そしてヴィクトリア・ストリートの自宅の近所、ホリングワース・ストリート十五－十六番に、路地に面している、使われていない馬屋を見つけたのだった。そこは健康によい場所とはとても言えなかった。その通りにあったパブ〈プリンス・アルバート〉は、「あらゆる悪名高い人物が集まっている」ところだと、前月の八月に『ロンドン・デイリー・ニューズ』紙は記事にしている。馬屋も暗くじめじめしていて、防音設備も不十分だった。しかし、メアリーに選択肢はなかった。建物の持ち主チャールズ・マリオットに提案したところ、そこで犬を飼うことを承諾してくれた。こうして弟エドワードとサラ・メージャーの支援を受け、メアリーは建物を〈犬のためのホーム〉にする計画を立てた。

メアリー・ティールビーが取り組んだのは、やっかいな仕事だったということに尽きる。メアリーと家族は、金銭的な余裕があるとはとても言えない状況だった。馬屋を多くの犬のためのホームに改造するには、多額の費用がかかるし、犬たちの世話をする常勤の飼育係もひとりは必要だった。そのうえまわりからは反対されることが予想された。ではいったいどうやって、彼女はこの事業をやりとげたのだろうか。

後で考えてみると、いくつかの大きな力が彼女の味方をしていたのは明らかである。第一の点は、メアリーの思い切った事業が、彼女が生きていた時代のふたつの重要な流れと、完全に合致したものになっていたことである。まず、おもに〈RSPCA〉の活動のおかげで、人びとが動物の権利に関心を持つようになっていた。同じ頃、チャールズ・ダーウィン〔一八〇九－八二、イギリスの博物学者〕は、動物に同情をよせる必要性を強く説いていた。この『種の起源』〔一八五九年刊行〕の著者は、たとえば、犬にはこれまで考えられていたよりも知性がある、と確信していた。そして、ペットの犬たちが、ビーグル号での調査で五年間留守にした後でも自分のことを覚えていた、という例を証拠としてあげている。そのうえ生物の相互依存が重要だと考えていたダーウィンは、多くの人びとに、すべての生物はつながっていると主張していた。このような彼の見解は、広く支持されるようになっていた。

そして第二の点は、メアリーの事業が、犬に対する社会の見方に重要な変化が起きていた頃と、同時期に行われたことだった。歴史上初めて、犬がほんとうの家族の一員と思われるようになっていた。このような風潮は、涙をさそう物語、詩、時事漫画が、犬を「人間の友」という姿で描いたことで、よりいっそ

数々の苦しみをやわらげることができる場所。〈迷い犬&飢えに苦しむ犬のためのホーム〉の初期の入居犬。

う強くなっていた。当時人気のあった詩「宣教師に語ったこと」〔詳細不明〕では、ひとりの貧しい男が、金銭的な理由から飼うことができなくなった愛犬を運河で溺れさせようとしたが、自分が足をすべらせて水に落ちたところをその犬に助けられた、と物語っている。そして「グレイフライアーズ・ボビーの物語」は、一匹のスカイ・テリアを尊い存在にした。ボビーは、飼い主のジョン・グレイが一八五八年にエディンバラで死亡した後、グレイフライアーズ教会にある飼い主の墓を十四年間守り続けたと言われている。ニューカースル・アポン・タイン〔イングランド北部の港湾都市〕で、一八五九年に開かれた世界初のドッグショーは、犬に対する人びとの態度の変化をはっきり示すまた別の機会となった。こうして犬はこれまでとは異なり、家庭のペットとして扱われるようになっていたのである。

メアリー・ティールビーの新しい事業は、第三の点からも非常にタイミングがよかった。人道主義活動や慈善団体の運動に、女性が以前よりも積極的に参加できる時代と同時にはじまっていたからである。そのような女性たちの手本となる存在はすぐに見つけられる。クリミア戦争〔一八五三－五六〕の前線にあった、無秩序で不衛生な野戦病院を改革したフローレンス・ナイチンゲール〔一八二〇－一九一〇、イギリスの看護師。近代看護学を確立〕は、その仕事ぶりから国民から尊敬を集め、「ランプを持ったレディー」と呼ばれていた。イギリスで彼女の仕事を後押しするため慈善団体が設立され、一八五九年には「ナイチンゲール基金」は四五〇〇〇ポンドの自由裁量の資金を得た。その年の夏には、聖トーマス病院内にナイチンゲール看護学校の建造が計画され、一八六〇年七月九日に開校した。

ナイチンゲールが見本になって、ほかの慈善団体の活動も活気づいた。上流階級では、資金調達のバザーやティー・パーティーが流行した。新しい慈善団体がほぼ毎週のように組織され、ロンドンの通りに家畜用かいば桶の設置を求めたり、女性参政権運動の支援をしたりしていた。一八六〇年の夏、女性の慈善団体が、〈貧困救済協会〉（後の〈慈善組織協会〉）〔〈COS〉、一八六九年に結成〕を結成した。これはロンドンを拠点に活動した団体で、「立ち直る見込みのある、貧困状態の一歩手前」の人びとを救い、ちゃんとした生活に戻すのを目的としていた。メアリーは自分の犬の受け入れ施設のことを〈迷い犬&飢えに苦しむ犬のためのホーム〉と呼び、そこは〈動物版の貧困救済協会〉となっていった。彼女が選んだ「ホーム」という言葉で、女性たちはメアリーの訴えに確実に引きつけられた。メアリーは犬の受け入れ施設のことを、「保護施設」、「慈善施設」、「避難所」などのように呼ぶこともできたが、社会歴史学者ヒルダ・キーンの指摘のように、「ホーム」という言葉は、「拘留や監禁される場所というより、家庭的な場所」を思わせたのである。

しかし、おそらくメアリーの最大の強みは、彼女と弟エドワードと、サラ・メージャーがロンドン社交界に持っていた、有力で注目を集める人物たちとの「コネ」だった。とりわけ助けとなった人物のひとりは、レディー・ミリセント・バーバーである。エドワードとメアリーは、ハンティンドン出身の彼女とは、おそらく夫で聖職者だったジョン・ハート・バーバーを通じて知り合ったのだろう。ジョンは以前、ハンティンドン近郊の村リトル・ステュークリーで教区牧師を務めていた。ロンドンでは、バーバー夫妻はハノーヴァー・スクエアの聖ジョージ教会に通っていたと思われる。メアリーの家族と、バーバー夫妻はその教会と強いつながりがあって、バーバー夫妻はそこで一八二六年に結婚していたし、エドワードは一八二九年に叙階されていた。

初代ゴスフォード伯爵の娘だったレディー・ミリセントは、モンタギュー・スクエアに家があり、慈善活動の世界では名が知られた人物だった。彼女が支援していたさまざまな慈善団体のなかには、〈英国外国聖書協会〉〔全世界の人びとが聖書を読めるよう各国語へ翻訳し、低価格で普及することを目的にプロテスタント系宗教団体が設立〕があった。さらに、ロンドンの恵まれない人びとに強い関心をよせ、ある産科医がソーホー・スクエアに設立した〈ロンドン女性病院〉〔一八四三―一九八八、設立当初は女性の性感染症の専門治療院だった〕で指導的立場にあった。この慈善病院は、「階級、財産、品性に関わりなく避けられない女性の疾患を治療する、イギリスおよび諸外国においても最初の施設」と自分たちの立場を表明していた。

レディー・ミリセントは、メアリーとエドワードのために確実に多くの扉を開いてくれた。しかしサラ・メージャーもまた、メアリーに貴族、聖職者、引退した軍人、社交界のレディーなどを紹介してくれた。彼らはみなメアリーの大きな志と熱意に強く心を動かされ、すぐさま協力して十五ポンド〔当時の一ポンドは現在の約六十ポンド〕の寄付を申し出た。メアリーとサラ・メージャーは、率先してひとり一ギニー〔現在の約六十三ポンド〕ずつの寄付をした。するとハンプシャー州のリンドハーストに住むフィリップソン夫妻は四ポンド、リンカンシャー州のレディー・ダカットは一ポンド寄付した。さらに匿名の寄付もあった。「ひとりの犬好き」は一ポンド送ってきたし、ある人物は一シリング六ペンスを自分たちの「老犬ビリーの代理」として送ってきた。

メアリー、サラ、友人のホエイリー夫人は、街頭での募金活動まではじめた。サラとホエイリー夫人はそれぞれ半クラウン〔二・五シリング〕ずつ集めたが、お察しのとおり、メアリーはその倍の五シリングを集めていた。どうやらメアリーという女性には、「いまは無理です」と言いにくかったようである。

しかしメアリーと同僚たちは、おそらく〈RSPCA〉から最大の援助を受けていた。〈RSPCA〉が援助の手を差しのべようと思った理由は明らかではないが、メアリーがこの団体を支持してきたことと関係があったはずだ。理由がなんであれ、一八六〇年十月、当時〈RSPCA〉の事務局長だったミドルトン氏は、ロンドンのペルメル街十二番にある〈RSPCA〉の事務局で、新しいホーム設立の申し込みを受け付けた。さらに必要なときは事務局で、メアリーと、メアリーが作ろうとしていたホームを運営する組織が、〈RSPCA〉と会合を持てるようにした。これは、たいへん重要な同盟関係を結んだことになるとのちに証明されるのだった。

ホームの設立には幅広い支持層が必要だということを、メアリーはよくわかっていた。そこでエドワードの手を借り、メアリーはホーム創設にあたって初の「紹介パンフレット」を書いた。一八六〇年十月二日に公表されたのは、つぎのようなものである。

> ロンドンの通りや郊外の住宅地を歩くと、ひどくやせ衰え、飢え死にしかけている迷い犬を目にしないことはない。
>
> 本協会を設立しようと力を尽くしている女性は、イズリントン地区ひとつだけでも、このような状態

の犬たちを数多く見つけている。そして、ロンドンじゅうにいる忠実な生き物たちをとりまく苦しみをすべて合わせると、きわめて恐ろしいものになるという確信をどうしても抱いてしまうのである。

本協会は、慈悲深い人びとに、このような悲しみを減らす機会を設けることを目標としている。ホームに保護され、つれて来られたどんな価値の犬でも、飼い主から問い合わせがあり、保護にかかった費用が支払われれば、元の飼い主に引きわたされる。しかし、飼い主が見つからない場合、相応の期間の後に売却される。そこで得た資金は、ホーム運営に充てられることになる。本協会の寄付者が自分の犬を見失い、その犬がホームにつれて来られた場合、どの犬も無料で引きわたされる。

ありふれた犬種の犬は、助けとなる犬を必要とする人物が世話をすると約束した場合、だれにでも譲渡される。犬の受けとりのための手順は、広告などの方法で公表されるので、親切で慈悲深い人物は飢えに苦しむ犬たちが受け入れられている場所がわかるだろう。そして、犬の窃盗を阻止するため、盗んだ犬を持ちこんだ者に謝礼はいっさい支払われない。

この紹介パンフレットは、かなり世間の注目を集めた。地元では『イズリントン・ガゼット』紙にこのパンフレットが掲載され、さらにロンドン、スコットランド、アイルランドにいたる地方紙でも記事になった。エドワードはその月の『イングリッシュ・チャーチマン』紙に記事を載せるために尽力している。

世間からの反応で、メアリーは初めての大きな挫折を味わった。好意的な記事を載せた新聞はいくつか

半分が作業場、半分が馬屋。ホロウェイのホリングワース・ストリートにあった最初のホームの入口。

ホームに戻ってきたところ。ホーム設立から約100年後、バタシー・ホームのワゴン車が、最初のホームのあった場所の外、ホリングワース・ストリートにとまっている。

あったが、多くは見下した内容だった。当時もっとも影響力があり、国じゅうで広く読まれていた雑誌『パンチ』誌の記事は、そんな記事の典型だった。「犬という種族に対し思いやりあふれる女性が、〈犬のホーム〉をイズリントンに設立した」と、その記事は書いている。「ところで、〈犬のためのホーム〉というのは、じつに立派な施設ではあるが、イズリントンは、このような建物にはまったく向かない場所だ。そのような施設にもっと似合う場所は、ケニルワース〔イギリス中部ウォリックシャー州の町、廃墟となった城がある〕で見つかるだろう」。こういった嫌味は、腹立たしくても、まだ我慢ができるものだった。

イギリス国内で、そして当時は世界じゅうでいちばん影響力のあった新聞『タイムズ』紙の論調はさらに辛辣《しんらつ》で、受け入れがたいものだった。十月十八日、『タイムズ』紙は、ホームについてふたつの記事を載せている。そのひとつは、その月の初めに載った、ホームの告知記事に対する編集長宛ての手紙だった。「つぎはいったいなにが起こるのでしょうか？　飢えてさまよう子どもたちのことを思えば、慈善活動はもっとよいものに対して確実に行われるべきです！　そしてもちろん、こんなくだらないことの正体をあばくべきです！」と、送り主の「A・N」は息まいていた。しかし、もっとも容赦のない攻撃をしたのは、「〈迷い犬&飢えに苦しむ犬のためのホーム〉」という見出しで掲載された『タイムズ』紙の長い社説だった。

世界史上、すべてのホームレスの人びとにとって、現在はなんとすばらしい時代なのだろう！　仕事や生活状況とは無関係に、住む家がなければ、数多くの慈悲深い人びとが、そんなあなたに家を提供しようと、慈善団体を立ちあげてくれるだろう。

しかしながら、ひとの善意には限界があり、その限界はそのひとの人間性のなかにあるので、ただひたすら感情にうったえればその限界はなくなるのではないか、と考えるひともいるかもしれない。動物が必要以上に苦しめられているとき、人間がそれをなんとかやめさせようとするのは、慈悲深く、正しいことである。よって〈動物虐待防止協会〉の努力は、非常に幸福な結果をともなってきたのだ。

われらが住まうこの偉大な都市ロンドンでは、公共の通りにいる馬が、明らかに馬には不向きな仕事をさせられることはほとんどないだろう。何千もの目がそれに気づくし、首あての下にすり傷ができた馬が仕事をさせられている、といった問題など、なんでも糾弾しようと、何千もの口が待ちかねているのだ。図体の大きな男が乗る小さな荷車を、二匹の犬が猛然と引いてロンドンの通りを走り回る姿を目にするようになってから、それほど年月はたっていない。しかし、この哀れな動物は、本来ならこのようなたぐいの仕事に向くようにできていない。そしてこのような虐待にも、終わりがある。ときおり、警察裁判所の報告書には、皮が目的で猫の皮を生きたままはいだ卑劣な者たちについての記述がある。見つかった犯人は、厳しく罰せられている。国としての欠点がほかにあろうと、動物に関しては、われわれが自分たちを責める点はほとんどない。イングランドは世界で最初の、そしていまでも唯一の、動物の権利を認めている国なのである……。

これまでのところ、すべては順調である。ところが、崇高から滑稽に――理性的に慈善活動を思いつくことから愚かな感傷にふける姿をみごとにさらけだすまで――いたるには、ほんの一歩しかない〔ナポレオン一世の言葉がもと〕……〈犬のためのホーム〉と聞くと、そのような施設の発起人たちや支援者たちは、頭がおかしくなったのかと疑いさえする。しかし、その施設は存在しているのだ。するとわれわれの抱くたったひとつの疑問は、〈動物虐待防止協会〉の事務局が、なぜそのような目的の施設の設立申し込みを承諾したのかである。この新しい団体の事業とは、つまりこういうことだ。

イズリントンにひとりの女性が住んでいて、こう言ってはなんだが、その熱心さのあまり節度を失っている。彼女はロンドンの通りを歩き、非常にやせ衰えた犬を見かけた。それどころか、犬の多くは飢え死にの恐れがある。この明らかに悲惨な状況への対策として打ち出されたのが、〈犬のホーム〉または〈犬のためのホーム〉である。このホームがオス犬用と、メス犬用に分かれているのは、まちがいないだろう。なにしろ、犬だらけのイズリントンに住むレディーが創立したのだから！

ホームについて反対する社説の主旨は、価値のある犬がロンドンの通りをうろついているはずがない、というものだった。

価値のある犬の値段は一シリングから二十シリングまでと、さまざまである。これだけの金額の犬がかなりの長い期間、注意を払われず、ロンドンの通りをうろつくなどあまりないことだ。ロングコートをまとい、冴えたウィットを持ちあわせている大勢の紳士は、犬が受けるあらゆる虐待を「価値のある」犬が受けないよう、細心の注意を払いながらロンドンの通りをぶらぶら歩きまわっている。そんな犬がロンドンの通りにいたら、ちょっとしたお宝である。価値のある犬が、しかもやせ衰えた姿で！ それよりむしろ、ストラスブールで栄養不足が原因の萎縮症に苦しむガチョウ〔フランス北東部の都市、ストラスブール産のガチョウはフォアグラ用に肥育されていた〕や、クリスマス時期にベイカー・ストリートでやせ細った去勢牛などをよっぽど目にするだろう〔どちらもありえない動物の姿として皮肉であげている〕。

この大都市の慈善施設のひとつとして、この〈犬のためのホーム〉が設立されたとすると、犬泥棒のなんともすばらしい一団――巨大なポケット付きの、ヴェルヴェットの狩猟ジャケットを着た男たち――が、ホームに群がるだろう！ ロンドンのすべての「価値ある」犬たちの住んでいる家は、『犬泥棒マニュアル』に注意深く記され、この興味をそそる生き物に対して犬泥棒は狡猾《こうかつ》な罠や計略をしかけ、こうした犬たちが忠誠を誓う年老いた貴族の未亡人や独身男性――自分の犬を守ることを生きがいとしている飼い主――から引き離そうとしている。そのため、これらの新しい慈善施設という不必要なものに、ひとはショックを受けるのである。犬のためのホームがあるなら、通りに落ちてそのままの、五シリング札のためのホームがあってもいいのではないか？

『タイムズ』紙はそのうえ、寄付したひとたちを侮辱するようなことを書いている。寄付者の名前は、ホームのお知らせの横にリスト化されていた。

お察しのとおり、寄付者のほとんどは女性である。しかしそのなかには、ビリーという名前が登場している。まちがいなくこれは、ネズミ捕り〔十九世紀初頭に行われた賭け事の一種で、おもにテリア種の犬が時間内に何匹のネズミを殺せるかを賭けていた〕が非常にうまかった、あの犬の子孫である。ネズミ！　イズリントンには、ネズミは一匹もいないのだろうか？〈ネズミのためのホーム〉はなぜ存在しないのだろうか？　この興味深いネズミという動物の仲間がこうむっているひどく不当な苦しみに対しては、十分な注目はまだ集まっていないのだ。

ホリングワース・ストリートの馬屋で準備がすでに進んでいたとき、メアリーひとりを特に批判したと思われるこの『タイムズ』紙の社説は、彼女にとって手痛い一撃となった。しかし、これまでもメアリーは打たれ強かったし、へこたれはしなかった。計画を押し進め、マリオット氏に土地建物の賃料を支払い、さらに管理人を雇い入れた。ジェームズ・パヴィットという地元の人物で、既婚者で子どもが何人かいて、犬の世話をした経験もあった。パヴィットは、一八六〇年十一月五日から仕事を開始した。

一八六〇年十一月二七日、ホームがオープンした日。メアリーは、ペルメル街の〈ＲＳＰＣＡ〉の会議室で辛抱強くいすに腰かけ、ホームの運営協会の第一回目の会議の議事録をとっていた。『タイムズ』紙の社

新たな場所で。ある画家によるホームのイメージ。最初の世話係ジェームズ・パヴィットと、彼の娘を描いたものと考えられる。

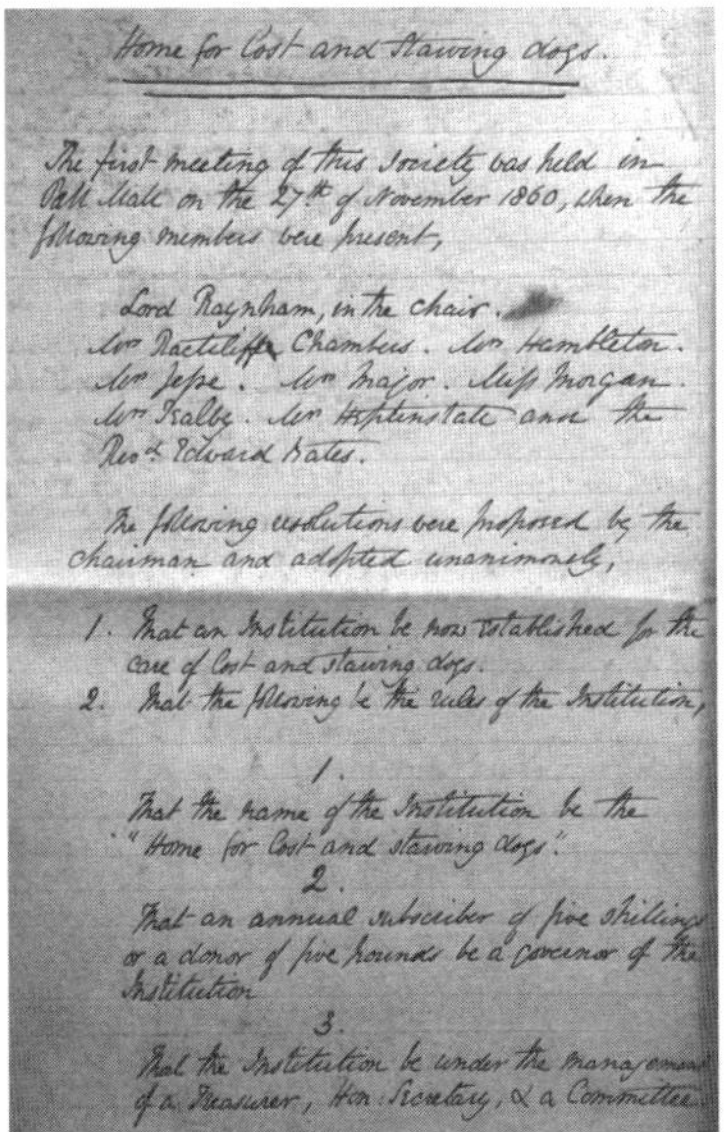

Home for Lost and Starving dogs.

The first meeting of this Society was held in Pall Mall on the 27th of November 1860, when the following members were present,

Lord Raynham, in the chair.
Mr Ratcliffe Chambers. Mr Hambleton.
Mr Jesse. Mr Major. Miss Morgan.
Mr Tealby. Mr Heptinstall and the
Revd Edward Bates.

The following resolutions were proposed by the chairman and adopted unanimously,

1. That an Institution be now established for the care of Lost and starving dogs.
2. That the following be the rules of the Institution,

1.
That the name of the Institution be the "Home for Lost and starving dogs."
2.
That an annual subscriber of five shillings or a donor of five pounds be a governor of the Institution
3.
That the Institution be under the management of a Treasurer, Hon. Secretary, & a Committee.

正確な記録。1860年11月27日付の歴史的な第1回目のホームの委員会の、手書きの議事録。

説が出たわりに（もしくはそのおかげか）、メアリーとエドワードは、著名な下院議員レイナム卿の支援をうまく取りつけることができた。レイナム卿は、この会議の司会を務めることに応じてくれていた。

後にタウンゼンド侯爵位とノーフォークの領地を継承するレイナム卿は、ワーウィックシャー州〔イングランド中部の内陸州〕のタムワース選出の下院議員で、動物好きとして有名だった。ひどい扱いを受けている家畜を街頭の商人から買い取り、ノーフォーク州の自宅で世話をして健康を回復させている、という逸話がいくつも語られていた。そして動物虐待について、国会でかなり急進的な意見を表明していた。『パンチ』誌は、レイナム卿が自分の意見を押し通したらどうなるかを、つぎのように書いている。「ヘイマーケット〔ロンドンのウエスト・エンド近郊の通り〕にあるすべての魚屋は、店をたたまなければならず」、そして「牡蠣《かき》の殻を開けて、無事ですむ者はいないだろう……レイナム卿は、ノアの箱舟のように大きな心の持ち主である。ワンと吠える、メーと鳴く、ブーブーと鳴く、コケコッコーと鳴く、するどくキーッと鳴く、ピーピーとさえずる、コッコッと鳴くすべての生き物は、その大きな心の庇護下《ひごか》におかれるのだ」。

第一回目の会議の議題は、おもに組織を設立するにあたっての正式な手続きに関することで、主要な決議案は、つぎのようになった。

- 本協会は、目下、迷い犬と飢えた犬の世話を目的として創設される。
- つぎの事項は、本協会の規則とする。

1　本協会の名称は〈迷い犬&飢えに苦しむ犬のためのホーム〉とすること。

2　年会費五シリング〔現在の約十五ポンド〕の定期会員、または五ポンド〔現在の約三〇〇ポンド〕の寄付者は、本協会の理事とすること。

3　本協会は、会計係、名誉幹事、委員会のもとで運営されること。

会議ではさらに、年次総会を開催することを決定した。そして支援者のひとりであるジェシー海軍大佐を会計係にすることと、メアリーの弟エドワード・ベイツを名誉幹事にすることも決定した。五人の著名な女性、レディー・ミリセント・バーバー、レディー・ワイズマン、レディー・ダカット、フィリップソン夫人、レディー・タルフォードが後援者として指名された。四人の男性、F・H・バッカリッジ、ウィリアム・チェンバーズ、エリオット大佐、ライヴィング大佐は、委員会メンバーになるのを承諾した。加えて、メアリー、サラ・メージャーとさらに五人の女性、ラトクリフ・チェンバーズ夫人、ハンブルトン夫人、ジェシー夫人、ライヴィング夫人、ミス・モーガンも委員会メンバーとなった。委員会の最初の正式な会議は、一週間ほど後にペルメル街の〈RSPCA〉で、一八六〇年十二月四日に開かれた。

この委員会メンバー全員が、活動に参加できたわけではなかったようである。結成まもないメアリーの委員会で、もっともはなやかで、そしてもっとも悪名高いメンバーは、ジェシー夫妻——エミリーとリチャード・ジェシー大佐だった。エミリー・ジェシーは、詩人アルフレッド・テニソン〔一八〇九－九二、ヴィクトリア朝を代表するイギリスの詩人〕の妹で、テニソンの親友ですぐれた詩人だったアーサー・ヘンリー・ハラム〔一八一一-三三〕と婚約していたが、一八三三年にアーサーは突然亡くなった。エミリーはひどく落ちこみ、ハラム家は彼女を気にかけて年に三〇〇ポンドの手当を支給していた。ところが、ハラム家からの援助をまだ受けていた一八四二年、エミリーは新任の若い海軍大佐、リチャード・ジェシーと密かに結婚して、ハラム家と社交界の人びとに衝撃を与えた。この結婚は激しい怒りを買い、エリザベス・バレット・ブラウニング〔一八〇六-六一、詩人、イギリスの詩人ロバート・ブラウニングの妻〕は、エミリーを「女性の恥」と呼ばずにはいられなかった。何らかの理由で、第一回と二回の会議のあいだに、ジェシー大佐は「会計係の職を辞退した」。いっぽう妻のエミリーは、頼もしい支援者であり委員会メンバーであり続けた。メアリーの要請によって、弟エドワード・ベイツが急場をしのぎ、会計係と名誉幹事を兼任することになった。

ジェシー大佐が『タイムズ』紙の社説に影響を受けたかどうかはわからない。しかし、記事による悪影響を抑えなければならないのは明らかだった。委員会の会議第一回の議事録には、うまく言いくるめられたエドワード・ベイツ師が「ホームを守るため」の手紙を書き、『タイムズ』紙で公表してもらうべきだと合意した、とある。しかし、エドワードが注意深くことばを選んで書いた手紙は無視された。『タイムズ』紙は、掲載を拒んだのだった。

ホームの体制が固まるにつれて、メアリーが安心できたのはつぎの二点だった。人びとが絶え間なくホロウェイのホームを訪れて、犬をつれて来ていたことと、管理人が新しくやって来る犬たちを大切に面倒をみていたことだ。管理人としてジェームズ・パヴィットを選んだのは、メアリーの最良の決断のひとつだったかもしれない。ホームがオープンしてから数か月のあいだに、パヴィットは欠かせない人物となったため、委員会は敷地近くにパヴィットが住む場所を探した。ホームの財源では家賃を全額は出せなかったが、一八六一年三月には家賃の足しにするため、週に数シリングが余分にパヴィットに支払われた。ホームにいる何十匹もの犬に加え、昼夜を問わずにさらにやって来る犬のため、パヴィットは職場のすぐ近くにいる必要があったのだ。

その年の春までに、ホームはいくつかの非常に難しい決断をしなければならなかった。ホームには引き取り手がなく残っている数多くの犬がいて、その頃には空きスペースがほとんどなくなり、犬の受け入れ数を増やし続けられなくなっていたのだ。近所からは、数十匹の犬がたてる物音に対して、はやくも苦情が出ていた。

重い気持ちを抱え、メアリー・ティーリー、サラ・メージャー、そして委員会のほかの女性メンバーは、新しい規則の導入に賛成した。そして「ホームにつれて来られた犬のなかで、飼い主不明で、入所から十四日間以内に引きとりがない犬の場合、委員会の指示により、経費支払いのために売却されるか、殺処分となる」という規則が三月に承認された。委員会は、「出席したレディーたちはまことに不本意ながら」この動議に可決した、と記録している。後にこの規則は、つぎのような文章に修正された。「二週間以上ホームに残る犬の数は、可能なかぎり四十匹程度に抑えること」。

犬の受け入れ数の増加に対応するには、施設の質を向上させる必要があった。四月、ふたつの主要な犬舎内の床と換気装置の修復を、大家のマリオット氏に依頼した。その工事費用を調達するため、ホームは新たに募金集めのお知らせを発表した。するとふたたび、およそ二十五の新聞や雑誌がこの行動を酷評した。週刊誌『スペクテイター』は、ホームが一八六〇年十月に開設したときの、最初の募金の依頼を無視していた。「いくら善良でだまされやすい人びとが多いとしても、このような計画を真に受けるのは少しばかげている」。ホームへの募金について最新の情報が届くと、『スペクテイター』誌は遅まきながら、ホームへの厳しい意見を掲載しようと決めた。「しかしながら、人間の愚かさを甘く見ていた。委員会メンバーは聖書を読み、少なくとも肉を食べていると思われる。そのどちらかをしているのなら、存在するあらゆる種の動物は、ひとりの人間の命に劣るものだとわかっているはずである」。

これまでメアリーは、元気をなくしたとき、悩みをきちんと理解しようと、ひたすらジョン・コラムや〈RSPCA〉の友人たちと語りあっていた。彼女の悩みは、〈RSPCA〉設立初期のものと比べればたいした悩みではないと実感するためだった。〈RSPCA〉は設立して二年後の一八二六年、資金不足だったため、最初にかまえたリージェント・ストリートの事務所を出なければならなくなり、しばらく会合を喫茶店で開いていたこともあった。さらにひどいことに、〈RSPCA〉のリーダー的存在だったアーサー・ブルーム師が、〈RSPCA〉の五〇〇ポンド相当の未払いの請求書の責任をとらされ、債務者監獄に入れられてしまった。ホームは、そのような危険な状態ではなく――むしろ反対の状況だった。最新の募金のお願いに応えて、寄付が殺到していたのだ。

ホロウェイでオープンしてから八か月後、メアリー・ティールビーは、ホームを永久に閉じなければならない状況に直面していた。一八六一年の夏の終わり、大家のマリオット氏が委員会に退去勧告をした。なぜそうしたのかは不明である。もしかしたら、ずっとホームと大家のあいだで続いていた冗談だったかもしれないし、自分の土地建物に対して家賃が安すぎる、とマリオット氏が思っていたのかもしれない。それよりも、二十四時間ずっと犬の吠え声がすることにうんざりした地元のひとたちから続々と受けていた苦情に、大家として対応したのかもしれない。理由がなんであろうと、ホームは重大な局面を迎えていた。

退去の期限が迫るなか、一八六一年八月一日にペルメル街での会議に参加するよう、メアリーはマリオット氏を説得した。これはうまいやり方だった。感じがよくて、控えめながら威圧感のある会議の雰囲気と、状況を訴えようとメアリーが集合をかけた有力者たちのおかげで、マリオット氏の堅い決意はやわらいだ。こうしてホームは急場をしのぎ、マリオット氏は「当分のあいだ退去勧告を撤回する」よう説得されたのだった。

しかし委員会にとって、これははっきりとした警告だった。ホームは、自分たちのものではないのだ。その月のうちに、すべての寄付者たちに「ホームを建てる地所を購入するために絶対必要な資金」について書かれた手紙が送られることになった。資金集めはたいへん難しい仕事で、市民に寄付をするよう説得していた人物が、ホームから資金をだましとっていたとわかり、さらに困難をきわめた。

六月六日の委員会の会議で、ホームへの寄付者からの集金を担当していたイースト氏は、仕事をきちんとしていないことが言及された。イースト氏の帳簿にかんして、あるうわさが広まっていたのだ。そこで委員会はイースト氏に「週に一度、訪問した寄付者名と金額を提出する」ことを要求した。表向きは、その理由は「委員会メンバーは早く目標を達成したがっている」から、「名誉幹事からほかの寄付者あてに、受け取った金額の公的な領収書を送らなければならない」というものだった。とはいえ、明らかにそれ以上の理由がそこにはあった。これがそのときの会議の唯一の議案だったので、委員会はほとんどの時間をこの件に費やしたにちがいない。

どうやらイースト氏は、委員会が望んでいたとおりにしなかったらしい。一八六一年七月四日、「イースト氏のホームの寄付金収集事務課からの解雇を決議し」、さらにイースト氏に「ホームの認可のもとで徴収し、すでに受け取り済の寄付金と帳簿の提出を要求する」ことになった。それからまもなくして、別の人物が雇われ、「ホームの内容紹介パンフレットに記載した問題を解決したり、寄付金を受け付けたりする仕事をし、その報酬として徴収した寄付金の十パーセントを得る」ことになった。

新しい資金調達者は、確かに新しい方向へと舵を切った。イースト氏の後任は、ニューゲート・ストリートからきたウエスト氏という人物だった。

ホリングワース・ストリートの地所を買い取るための資金集めに、ホームが必死になっているとき、メアリー・ティールビーと仲間たちは、あらゆる資金調達の可能性について考えなければならなかった。一八六一年のはじめ、ホームは「迷い犬のための慈善事業」と同時に、「ペット預かり所」としても活動するとして同意にいたった。「飼い主たちが留守のあいだ」をホームで過ごす犬たちが、定期的に訪れはじめていた。週単位の預かりの値段は、犬の大きさによって異なった。一八六一年十一月の議事録によると、ニューファンドランドとマスチフは週四シリング、グレーハウンドとポインターとセッターは週三シリング、テリアとスパニエルはわずか週二シリングだった〔当時の一シリングはいまの約三ポンド〕。

ペットの預かり料金をもらうというのは、とてもよい選択肢だった。これよりずっと道徳的によろしくない金儲けの手段は、過去にほかにもホームにあった。以前ホームは、犬の皮を売った謝礼を受けとったことがあったのだ。しかしそんなことを将来も続けるのは、非常に不愉快であるだけでなく、資金調達の点からも非効率的だった。「いちばん高値がついたのは、長い巻き毛の大型犬の毛皮で、フットマットにできるだけの大きさだったが、値段は六ペンスだった」と、委員会に報告が上がっている。

案の定、うさんくさい人物たちからの申し入れはそれまでもあった。そのなかには、犬の死体を実験目的で使いたい科学者や医師も含まれている。レッグ医師というある開業医は、死体を売るようパヴィットにしつこく持ちかけていたようだ。パヴィットの管理上の責務を軽減するため、ホームはちょうど最初の監督官となるジェームズ・ジョンソンを任命したところだった。ジョンソンは「レッグ医師と接触をしないように」と命じられ、さらにパヴィットは「レッグ医師からの申し入れに応じない」よう指示された。

この方針は、当時から現在に至るまで、ホームの理念の中心にすえられている。委員会は、ホームは絶対に「いかなる犬も実験目的で引きわたすことを許可しない」とはっきり表明している。

ホームのかかげる高い道徳基準はすばらしいものだったが、一八六二年春には、財政状況はますます苦しくなっていた。その後数か月を乗り切るには、財布のひもをしっかりと締める必要があった。四月になると「現時点でのホームの支出は、ほんとうに必要なものに限る」ことが決定し、委員会は急いでさらなる資金集めの活動を開始しようとした。そこでホームは、知己を得ていた資産家の貴族、ランズダウン卿に手紙を書き、ホームの後援者になり、バザーの開催について検討し、募金箱を買う資金を出してもらえるように頼んだ。この募金箱とは、あるとき、カールトン・マッカーシー氏という商人が、犬の彫刻を「犬型の募金箱」に仕立ててホームへ持ってきたものだった。委員会はその募金箱を、ひとつ十シリング六ペンスで六体注文したのだった。

寄付金は、数ギニーのときもあれば数ペンスのときもあった。そしてたいてい、飼い主たちから気持ちのこもったメッセージが添えられていた。たとえば、「亡きタウザーより、五シリング送ります」とか、「小さなトロットの思い出に、六シリング」といったものだった。積もりに積もって、寄付金は多額になった。やがてホームの評判はどんどん高まっていった。

第3章◆ずっと残る偉業

Chapter Three

ホームが存続するために一番必要だったのは、資金ではなく、注目を集める存在になることだった。そのため、ホームとその目的に対する一般の人びとの意見を変える必要があり、委員会メンバーの女性数名が、ホームについての記事を新聞に載せてもらえるよう力を尽くした。一八六二年、『フレンズ・レヴュー』誌の記者にホームに関する話を提供したのは、おそらくサラ・メージャーだろう。サラは雑誌宛てに手紙を書き、ホロウェイの施設を訪問するよう勧め、ホームに最近やって来た新入りについて語っている。

先日、ある親切な男性が、足を血まみれにした小さなスコッティッシュ・テリアを腕に抱えてホームにやって来たところに、わたしはちょうど居合わせました。テリアはそんな状態の足で自分の家に帰ろうとがんばりましたが、ついにこの男性の家の戸口で動けなくなったのです。テリアは、ホームの管理人に小さな囲いに入れてもらい、寝わらと食べ物をたっぷり与えてもらいました。その翌日、少し回復したテリアは、自分の世話をしてくれる人物に、喜びと好意と感謝の気持ちをこめて跳びつきました。やがてキャノンベリー〔イズリントンの住宅街〕の近所に住むひとりの女性が、自分の飼い犬だと名乗り出るまで、三日もかかりませんでした。これは、わたしたちの善良な活動の数多くの例のひとつであり、そしてわたしたちが救い出す苦しみのひとつなのです。創造物のなかで、もっとも知性にあふれ愛情深い生き物である犬は、人間に多くを頼って生きているため、人間の手助けなしでは、大都市で生きてゆくのはとても無理でしょう。

当然ながら、このような記事は役には立った。しかし、ほんとうに必要としていたのは、ホームが価値ある冒険的事業をしているのだと一般の人びとを説得できる、知名度の高い、熱心なホームの支持者だった。そして八月になり、ホームはそんな人物をひとり見つけた。しかも、非常に有名な人物を……。

一八六〇年代、チャールズ・ディケンズ〔一八一二－七〇、ヴィクトリア朝を代表する小説家〕は、すでに英語圏でもっとも有名で、人気のある作家だった。また熱烈な愛犬家でもあり、自宅にはさまざまな血統種犬を何匹も飼っていた。そしてケント州郊外の邸宅「ギャッズ・ヒル」では、つねに大型のマスチフ種の犬が二、三頭いた。その理由は、親しい友だからというだけではなく、何度も家に押し入ろうとしていた地元のならず者たちを追い払うためでもあった。お気に入りの犬は、タークと、セントバーナードのリンダだった。雪の降るある日、田園地帯に散歩へ出かけたディケンズが転んで足首をひどく痛めてしまったとき、この二頭はいっしょだった。家までおよそ五キロの道のりを、約二・五センチずつ進むディケンズのペースに合わせ、タークとリンダもそろそろと進んだのだった。多くの飼い犬のなかには、アメリカでの公開朗読会旅行〔一八六七－六八〕のときに、ある喜劇俳優から贈られたスニットゥル・ティムバリーという名の、毛むくじゃらの小さな白いテリアがいた。

ディケンズはたいへんな愛犬家だったが、同時に現実的な面も持ち合わせていた。「ギャッズ・ヒル」の番犬をしていたうちの一頭で、ブラッドハウンドとセントバーナードの交雑種のスルタンという犬が、幼い少女を襲ったことがあった。するとディケンズは、その犬を撃ち殺すように命じた。スルタンには子犬が二匹いて、「二匹は見るからに獰猛なところを受け継いでいるし、おそらく射殺されるところも受け継ぐのだろう」と、ディケンズはひどく残念がった。

一八六二年八月、みずからが編集長兼発行者だった雑誌『オール・ザ・イヤー・ラウンド』〔一八五九年創刊、『二都物語』が連載された〕で、ディケンズは犬について特集した。ところが、多くのディケンズ崇拝者たちは、記事のテーマに眉をひそめた。物議をかもし、多くの物笑いの種になっていた、新しい施設〈迷い犬&飢えに苦しむ犬のためのホーム〉を取りあげていたからである。

ディケンズが書く文章は、いつも社会の問題や不平等に対する意識に満ちあふれていた。ディケンズは、血統書つきの犬を集めた「ドッグショー」が、その年の夏にイズリントン・ホールで開催されると耳にしていた。ひょっとしたら、友人のテニソン卿から、彼の妹のエミリーが委員会メンバーだった関係で、イズリントン・ホールのすぐ近くのホロウェイにあるホームについて聞いていたのかもしれない。そこにディケンズは、ヴィクトリア朝の分断した階級について掘り下げるチャンスのにおいをかぎとり、ふたつの階級を対照的に描いた記事を書いた。

ディケンズは、「盛大な犬のコンテスト」で出会った人間や犬に対するやんわりとした軽蔑の気持ちを、あまり隠そうとしなかった。そして会場には「道徳的見地から慈悲深さについて考察する、すばらしい機会がたくさん」あると述べている。

チャールズ・ディケンズは熱心な愛犬家で、自宅ではいろいろな種の犬を何匹も飼っていた。

ここには、「受賞犬」という成功を手に入れた人間の、ある種のしずかな勝利というものが存在しないだろうか？　さらに、負けた競争相手たちの姿には、人間の悪意と失望が浮かんでいないだろうか？

たいへん興味深いことに、イズリントンのこの盛大なドッグショー会場からおよそ一・六キロのところで、まったく別の意味でのドッグショーが行われていたし、いまもまだ行われている。そのドッグショーは想像しうるかぎり、前者のドッグショーとは完全に別のものである。なぜなら後者のドッグショーは、なんのことはない、「大都市ロンドンの迷い犬たちのショー」なのだ。排水溝をあさって食べ物を探しまわり、眠っているあいだにもめごとに巻きこまれないよう、戸口に避難して体をまるめているのを目にする、あのあわれな、家のない犬たちである。

ディケンズがホリングワース・ストリートの馬屋について語った文章は、感情に訴えると同時にいきいきとしている。

そのホームは、目立たない、とても小さな建物で、経費をかけた様子や豪華さは見られない。ホロウェイ地区の小さな通りをいくつか抜けると、このもうひとつのドッグショーの建物にたどりつく。そしてそのなかへ入ると、奇妙な場所へ来たと感じるだろう。そこは一見すると、運動場と馬屋が合体したような場所になっている。運動場は三面が壁で囲われ、残りの一面は金網で仕切られている。この囲いが見えるところまで近づくと、思いつくかぎりの種類の犬と、どんな種類かわからない犬が、二、三十匹ほど柵へ向かってかけて来る。そしてかわいそうに鼻をぺしゃんと金網に押しつけ、独特の説得力ある言葉でたずねてくるのだ。「わたしたちをようやく引きとりにきてくれた、ご主人なのでしょうか?」。

ディケンズがホームで出会ったのは、いろいろな犬種の寄せ集めだった。

元気そうなニューファンドランド一頭、ちょっと気どったディアハウンド一頭、それにセッター一匹と、品のよいテリア一、二匹などが一団に混じっていた。しかし、ここの寄る辺ない犬たちという建築物のほとんどは、まぎれもなく混合様式《コンポジット・オーダー》〔ローマ時代の建築様式の一種。ギリシア建築の三種類の装飾を組み合わせた柱頭を持つのが特徴〕の犬たちなのである。たいていこういった雑種犬は、読者諸氏にとって非常になじみのある、野良犬の典型だ……嚙み痕のあるたれさがった耳、がっしりした足、品のない顔つき、なでられたときの卑屈なほほえみ。あちこちクンクンかぎまわり、うろうろ行ったり来たりする。先行きは不透明で、ほったらかされ、望まれていない。臆病で、なげきつつ願っている犬――みじめさすべてを具現化した存在、そういう犬がそこにいるのだ。同じようにみすぼらしい生き物が、夜の人気のない通りをパタパタと足音をたてて、あなたの後を追いかけてくる。そして、家からそんな犬を閉め出したあとにベッドに横になると、あなたの脳裏から離れない、あの犬の目。

このようにみじめで不幸な生き物と親しくなるため、慈悲深い心の持ち主たちが、このホロウェイの保護施設を設立したのである。さらにこの組織は、一八六〇年十月から実際に業務を開始していて、迷い、飢えた犬たちを、すくなくとも千匹は救いだしてきた……。

ディケンズが強く興味をひかれたのは、つぎのことだった。

この驚くべき組織の委員会が、気の毒なロンドンの犬たちがさらにひどい状態にならないように取り入れ、推奨しているやり方がある。

たとえば、この大都市ロンドンを散歩していて、前述したようなみじめな雑種犬があなたの顔をのぞきこみ、そこに同情心という弱みを見いだしたなら、その犬はあなたのブーツのかかとにすり寄ってくるだろう。そんなことがあなたに起きて、自分は、そのさびしげな懇願する雑種犬をとても蹴とばせないとわかったら、すぐに浮浪者か浮浪児を探す必要がある――ああ、なんということだろう！　この大都市では、野良犬と同じくらい、浮浪者はおなじみの存在なのだ――そして、ホロウェイの保護施設へその犬をつれて行くよう浮浪者に頼み、相応の報酬を支払う約束をするのである。そこへ行けば、犬は確実に受け入れられ、印刷された受領証が、犬を入口へつれて来た人物にわたされるだろう。

ここでディケンズは、ひとこと警告を付け加えている。

おそらく、浮浪者に頼んだ仕事が実行され、その受領証を入手するまでは、野良犬を託した浮浪者に報酬を与えないほうがよいと思われる。われわれが考察している、この善意あふれる保護団体が記録した事例によると、だまされやすい人物が、野良犬と報酬をどこぞの「浮浪者」に引きわたしたものの、どういうわけか、その犬はホロウェイへたどり着くことはなかったらしい。

ディケンズはさらに、ホームのジェームズ・パヴィットと数人の助手が犬を受け入れる様子について語っている。

ホームの犬は、〈ナショナル・ギャラリー〉〔ロンドンのトラファルガー広場にある国立絵画館〕で預ける傘につけられる番号札とよく似た番号札を、首にかけている。その番号は、施設の世話係が帳簿につけている登録番号の記録と一致している。犬がホームに来た日付、わかる場合はその犬種――そしてとにかく、その犬の姿形ができるだけ細かく書きこんである。それからその犬の個別の問題について、検討されることになる。病気で延命が難しいことが明らかな場合、青酸〔シアン化水素酸〕をもちいて苦痛を与えることなく死にいたらせる。しかしいっぽうで、将来的に譲渡できる期待の持てそうな犬、もしくは多少は価値がありそうな犬は、治療を受け、食べ物をもらい、しだいに健康をとり戻している。

ディケンズが、かなり長い時間をかけてパヴィットに取材をしたのは明らかである。パヴィットは、施設となっている馬屋で過ごした最初の十八か月間に、助手たちと行ったあらゆる治療についての話をディケンズに詳しく語っている。

ときおりこの保護施設には、疲れはて、非常に悲惨な状態の犬が運びこまれることがある。そしてときに、このように気の毒な状態のちっぽけな生き物は、徹底して管理されたえさを食べたあと、わらの上にまるくなり、二十四時間ずっと眠り続ける。やがて彼らは、手厚い治療のおかげで、極度の衰弱状態から驚くほど短期間で回復するのである。

興味深いことにパヴィットは、イズリントンの通りやさらに遠くまで、助手たちといっしょに思い切って出かけることがある、とディケンズに語っている。

さらにこの保護施設では、臨時でひとを雇うことがある。通りを歩きまわり、病気と飢えで極度にひどい状態の犬たちを見つけ、すぐに死なせるほうがかえって救いとなるという追いつめられた場合に、青酸を投与するためである。

イズリントンのドッグショーでは、幸福しか目にしなかった。しかし、ここの保護施設には不幸しかない。あのドッグショーで展示された犬たちは、高く評価され、たっぷり食事をもらい、快適な家に住み、大切に見守られる生活をずっと送ってきた。ここの施設のめぐまれない犬たちのほとんどは、飢え死にしかけていて、家がない状態だった。イズリントンのドッグショーには、飼い主から何百ポンドもの価値があると認められた犬たちがいた。ここの施設には、せめてもの情けで、苦しみから解放するための数滴の青酸の価値しかない生き物たちがいる……。

ディケンズは、イズリントンのドッグショーの犬と、ホロウェイのホームの犬のあいだに「大きな品性の差を見分ける」ことができるだろうか、と物思いにふけりながら、この記事を締めくくっている。

正直に言って、あの「ドッグショー」の会場にいた非常にめぐまれた犬たちは、たまにちょっと気取っていると感じた。そして成功している犬たちは、おたがいに何の感情も興味もまったく抱いていなかった。

いっぽうで、価値を認められていないホロウェイの野良犬たちには、仲間同士で同情しあっているような、ある種の連帯感があった。加えて、礼儀正しく社交的な彼らの性質は、じつにたまらなく魅力的であった。

そして、このホームを心から支持すると宣言し、ディケンズは筆をおいている。

このホームは、飢える犬たちの窮状を目にしてひどく苦しんできた、とても思いやり深い人物なら、このような場所がほんとうにあればいいのに、と、思わずにいられない施設である。そして、その施設は、実際に存在しているのだ。もしも、ほんのわずかばかりのお金を、気の毒な野良犬たちに使うのは絶対にまちがっていると考え(本音を言うと、野良犬に対し心を鬼にして対応してしまったあとは、その犬の顔がくり返しわたしの記憶によみがえってくる)――みじめな犬たちにこの特別な施設を提供するのは不公平だ、と本気で思うようなひとがいるなら、そんなひとたちはほうっておこう。しかし思うに、この施設の計画すべてをばかにしたり、世間から支持されることが必要なほかの事業にとって、この施設は危険な競争相手になる、ときつい口調で攻めたてたりするのは、かなり至難のわざではないだろうか……。

いずれにせよ、その関心が健全だろうと不健全だろうと、このような場所が実在するというのを記録しておく価値はある。これは、イギリス国民が犬という種に注ぐたぐいまれな愛情の記念的建造物であり、十九世紀のロンドンでつらく苦しい日々を送る人びとの心に、豊かな感情が隠れて残っていることもあるという証拠なのである。

ディケンズの言葉は心がこもっていて、非常に大きな影響力があった。ヴィクトリア朝のすべての作家のなかで一番有名で、ヴィクトリア女王からも評価されていたディケンズが、ホームとその目的に賛成なら、きっとなにかしらの価値があるにちがいない、と大勢の人びとが擁護しはじめた。『オール・ザ・イヤー・ラウンド』誌に載った記事は、ホームの運命を決める大きなターニング・ポイントとなった。ゆっくりと、ときにしぶしぶながらも確実に、ホロウェイにある奇妙なこぢんまりした保護施設に対する見方は、変化していった。ディケンズが施設について書いて数年たってふり返ったジョン・コラムは、ホームと創設者たちは、ディケンズに計り知れない恩義を受けたと語っている。「実際のところ、故ディケンズ氏がホームを危機から救いだしてくれたことで、ようやく世論は好意的なものへと変わってゆきました」。ディケンズの言葉は「その当時、わたしたちの目的のためには、どんな額のお金よりもずっと価値あるものでした」。

ディケンズの記事は、世間の態度を変えるという点では助けとなったが、財政面の負担をそれほど軽くしてくれなかった。ホームの出費は増え続け、特に犬の輸送費、住居費、死体処理費用などがかかっていた。

「犬の受け入れ所」をロンドン中心部に開くというアイデアは、何か月も話題になっていた。その年の一月、委員会は「リージェント・サーカスのどこか近く」に建物が必要だという話し合いをし、適当な場所探しの広告を出すことで合意した。ウエスト・エンド〔ロンドン中央西寄りの地域。富裕層の邸宅、大商店、劇場、公園などがある〕に建てるという計画が持ちあがったが、討議の結果、年間八十ポンドの家賃は「ホームのいまの資金力をはるかに超えている」と判断された。

ホームにつれて来られた犬のなかには、あまりにも病状が進んでいる、栄養失調である、気性があまりにも激しいといった理由で救えなかったものもいた。死んだ犬を処分する仕事は、ロンドン北部バーネット地区のフレイザー氏が契約して請け負っていたが、年間たった二十八ポンドでは「犬の死体を片付ける仕事を続けることはできない」と、一八六三年三月、委員会に言ってきた。この費用の一部は、「死体を定期的に運ぶ目的で小型の荷車」を買うのに使われていたのだった。

資金は不足していたが、ホームは採算のとれる事業所として認めてもらおうという様子を見せはじめていた。委員会を月一回ではなく、隔月で開くようになったことは、ホームが安定してきた兆しだった。

一八六三年の夏の終わり、ホームは南東側の中庭を広げて敷地を拡張していた。七月に、委員会はマリオット氏から「土地を購入するかどうか決めてほしい」という手紙を受け取っていた。委員会メンバーのハミルトン夫人が、つい最近亡くなっていたので、レイナム卿は、「ハミルトン夫人の遺言執行人から、そのうちなにか話があるかもしれない」と見こんで、土地購入に関して議論する会議を延期することにした。

しかしメアリー・ティールビーは、いつものように、より確実なほかの方法で資金集めをしようとしていた。たとえば、一八六三年六月には、リージェント・ストリートのセント・ジェームズ・ホールで慈善バザーを開催した。友人たちは、売り物や景品にするための「大量のおしゃれな小物」を持ってくるように頼まれた。一流の音楽家たちは、「まったくの無報酬」で演奏することを了承し、そのなかには当時一番人気のあったピアニストのH・R・バード氏〔詳細不明〕も含まれていた。

この慈善バザーには、大勢の上流階級の女性たちが訪れた。ホーム創設時からの支援者であるエセックス州の伯爵未亡人もそのひとりだった。バザーは大成功し、今後も開催する予定が組まれた。バザーによって資金調達ができただけではなく、ロンドンの上流階級の女性たちのあいだで、ホームは価値ある活動をしているという評判が確実なものとなった。報道機関のなかで一番誠実にホームを支持している『イズリントン・ガゼット』紙は、この慈善バザーがいまでは「大勢の裕福で著名な貴族階級から支援されている」点を特集した記事を載せた。

その年の十月、銀行に預けていた五五〇ポンドを「土地建物の購入のために投資する」ことが合意された。そして「マリオット氏と面会し、五五〇ポンドをとりあえず受け取ってもらい、残金四八〇ポンドを分割払いにしてもらう」目的で、小委員会が設置された。マリオット氏は手強い交渉相手で、六〇〇ポンドを先払いし、残りの四三〇ポンドは分割払いすることになった。そして、ホームを運営している団体が解散した場合、負債償却に当てる資産を売却したことで得られる収益は〈ＲＳＰＣＡ〉にわたされる、という決議案が通った。

ホームにふさわしいスタッフを見つけることは、相変わらず難しかった。ホームで「看護師」として勤務していたミス・ヒックスという女性は、その年に犬を殺害した罪で法廷に立った。彼女はロンドン中心街で、狂犬病と思われる犬に遭遇し、通行人の手を借りてその犬を窒息死させた。まずいことに、その犬はある紳士の飼い犬で、乗っていたハンサム馬車〔一頭立ての二輪辻馬車〕の御者にあずけていたのだった。犬は狂犬病でもなんでもなく、ミス・ヒックスは起訴され、ウエストミンスターの州裁判所〔イギリスでは民事事件の第一審は、高等法院と州裁判所に管轄がある。州裁判所では相対的に訴額が小さい裁判が扱われる〕で有罪の判決を受けた。それから数日後、委員会の特別会議が八月十三日に開かれ、ミス・ヒックスを「解雇し、今後いかなる関係も」ホームとは持たないことを決定した。この残念なできごとによって、ジェームズ・パヴィットをホームのスタッフとして雇っているのがどれほど運のよいことか、委員会メンバーは改めて認識させられた。ホリングワース・ストリートの施設にいる、非常に手のかかる犬たちを取り仕切るパヴィットに、委員会は余裕があるときはいつも、感謝の意を表していた。たとえば十一月十八日には、世話係のパヴィットに一ソブリン〔一ポンド金貨、いまは流通していない〕支給することで合意している。そうすれば「食事配給チケットと、クリスマス用のディナーを買える」からだった。

このような心遣いは、ささいなことだが、ホームの資産状況がしっかりしてきたという明確なしるしでもあった。かつて委員会メンバーだったハミルトン夫人が残した遺産五〇〇ポンドによって、ホームの資産状況は安定した。一八六四年には、ホリングワース・ストリートの土地建物のローンは残り三五〇ポンドになっていた。ひとまず、それ以外の借金はホームにはなかった。そのため、さらにホームの状態を改善することに資金を投入できたのだった。

一八六四年、ホームは二〇六六匹の犬を受け入れていた。その年、ホームは「犬の受け入れ所」をロンドンの各所に設置するための寄付金を募り、受け入れ所はウエストミンスター、チェルシー、ベスナル・グリーンの三か所に設置された。ホリングワース・ストリートの施設にやって来る犬の数を考えたら、ホームが病気の心配をするようになったのは当然だった。パヴィットと助手たちは、犬舎をつねにきれいにしておこうと努力していたが、スペースは不足していたし、つれて来られる野良犬たちの多くがじつにひどい状態だったので、ホームが病気の温床となる可能性は高かった。そこで一八六四年一月、ガウイング獣医師という人物に相談することにし、「どのくらいの報酬だったら、必要なとき臨時でホームに往診してもらえるのか」たずねてみた。そして二月、ガウイング獣医師は年に六ギニーで「ホームの衛生状態を監督する」ことを承諾し、まず「馬車置き場に、石灰塗料〔強アルカリ性で高い消毒効果を有する〕を塗ること」を提案している。

一八六四年の年末あたりになると、メアリー・ティールビーはホームや委員会にめったに顔を出さなくなっていた。その年の八月に父親が九十歳で亡くなり、メアリーはヴィクトリア・ロードの家からその近所のウィンザー・ストリートに引っ越していた。一八六四年に身内を亡くすのは、二度目だった。メアリーは、ビグルズウエード〔イングランド中南東部ベッドフォードシャー州の町〕出身のロバート・ウィールの妻だった親戚のケイトととても親しくしていたが、彼女もその年の一月に亡くなっていた。

ケイトの死から数か月たつと、メアリー自身の健康が悪化し、がんと診断された。体力は衰えはじめていて、同年五月メアリーは、ささやかな財産を弟のエドワードに残すという遺書を書いた。疎遠になっていた夫についてなにも言及されていなかったが、これは驚くことではない。夫ロバート・ティールビーのほうも、遺書ではメアリーについてなにも触れていなかったのだ。一八六二年三月、ロバートはハルで、六十歳で死亡していて、わずかな持ち物(「スイス製の時計」と「おじのウィリアム・ティールビーの名前が彫ってある形見の指輪」)を、「賞賛と敬意の証《あかし》として」、ロバートに「長年忠実に勤めた家政婦」のマリア・カートンに残していた。さらにマリアは、遺言執行人のひとりだったエリザベス・ティールビーから、年に三十ポンドの年金が支払われるようになっていた。

一八六五年、メアリーは親戚のロバート・ウィールのもとで暮らすために引っ越しをした。救貧法委員会で副理事を務めていたウィールは、地方の救貧院の状況を監督する仕事をしていたが、自身はビグルズウエードの「楡《にれ》屋敷」という広大な地所でかなり豪華な生活を送っていた。その家でメアリーはきっと快適に過ごせただろう。小間使い、下働きの少年、住みこみのお手伝い、広大な庭の世話をする二人の庭師など大勢の使用人がいる家で、弟エドワードもメアリーといっしょに暮らした。

一八六五年五月、メアリーはひどく衰弱して移動ができなくなり、ホームの委員会の会議に出席するのをあきらめ、代わりに手紙を送ることにした。そのうちの一通では、いとこのミス・ジャーヴィスに、近々開催予定の慈善バザーを手伝ってみるようにと勧めている。また六月に出した手紙には、委員会で「犬用のフランス製口輪」を検討したらどうだろうかと書いている。これが、メアリーとホームとの最後のやりとりだった。

メアリーが亡くなったのは一八六五年十月三日だった。ビグルズウエードのセント・アンドリューズ教会墓地に埋葬され、地元紙のいくつかはメアリーの死を短く報じただけで、ホームと彼女との関係について伝えた新聞はひとつもなかった。メアリーの墓石には、ごくありふれた文句が書かれていた。「メアリー・ティールビー、未亡人。一八〇一年十二月三十日生まれ、一八六五年十月三日死亡」。遺言検認記録によると、メアリーが残したのは「一〇〇ポンドたらず」だった。しかし、彼女がほんとうに遺したものは、ロンドンで生き続けた。

メアリー・ティールビーの死は、委員会に大混乱を引き起こした。そして活動を推し進めていたリーダー的存在を失ったホームは、少しのあいだ方向性を見失ってしまった。その年、報告書はまったく出されていない。しかしそのうち、エドワード・ベイツ、サラ・メージャー、そしてほかの委員会メンバーたちは、将来に向けて計画を立てはじめた。

メアリーのことは断じて忘れてはならない、と彼らは誓い合い、ホームが発行するすべての年刊報告書をつぎの文章からはじめることを決議した。

故ティールビー夫人の名誉と思い出をしのぶ　本施設の創設者であり不屈の恩人

一九八〇年代まで、ホームの年刊報告書にはこの文章が掲載されていた。

メアリー・ティールビーの死から三週間後、ミス・モーガンは名誉事務局長として仕事を引き継ぎ、ジェームズ・ジョンソンが最初の理事となった。それまでの「監督官」という言葉は、役職と合わなくなっていたようである。ジョンソンの給料は「きっちり毎週二十一シリング」となった。パヴィットはそのまま職にとどまり、ホームは彼がもっと快適に過ごせるように気にかけていた。その年の初め、パヴィットは一週間の休暇と「一シリングのご祝儀」をもらい、ほどなくして彼の給料は週に三十シリングに上がった。ジョンソンとの軋轢《あつれき》を避けるため、賃金上乗せ分にはパヴィットの妻への給料十シリングが含まれていた。パヴィットがほかに指示されたのは、飼い主だと申し出たり犬を購入したりした者と、寄付金を申し出た者全員についての帳簿をつけることだった。初期の頃の集金人たちとちがって、パヴィットは、まじめに正直に仕事をしていたようだ。

この時期に登場した、ホームにとってたいへん重要なもうひとりの指揮官は、おそらくジョン・コラム〔一八二七－一九一〇、イギリスの動物福祉活動家〕だろう。とても尊敬されていた〈ＲＳＰＣＡ〉の新任の事務局長で、有言実行の人物だった。それから数年後、コラムは国民的英雄とも言える存在になる。イギリスにスペインの闘牛を持ちこもうという動きに対し、たったひとりで抵抗運動をしたのだ。トレアドール〔（騎馬）闘牛士、いまはトレーロを使うのが一般的〕とピカドール〔闘牛で、槍で牛の首を突いて弱らせる役〕の一団がスペインからロンドンへやって来て、イズリントンの農業会館で公演を行ったことがあった。公演会場のすぐ近くには、ホロウェイの最初のホームがあった。闘牛ショーの真っ最中、その晩の三頭目の牛がいたぶられ、殺されようとしていたときだった。コラムは闘牛場と観客席とのあいだの仕切りを跳びこえ、警官たちに追いかけられながら、闘牛場の中央まで走っていった。完璧な装いをしたイギリス紳士が警官たちに追われるという光景は、それだけでさぞかし見ものだったにちがいない。しかし、どうやら観衆はおもしろくなかったようである。警官と、闘技場に跳びこんできた観衆からひどく殴られたコラムは、それから数週間入院したのだった。それでも、コラムの勇気は報われた。コラムの抵抗によってこの事件が世間に広く知れわたると、「闘牛」がイギリスへ二度と来ないよう後押しが起こったのだ。フランスの動物愛護協会はその勇気をたたえ、コラムは四十ドルを贈られた。

それに加えてコラムは、バーナード医師〔トーマス・ジョン・バーナード、一八四五－一九〇五、アイルランド出身の医師。イギリスで社会事業、慈善事業活動をし、多くの孤児院を設立〕とともに、子どものための慈善事業〈全英児童虐待防止協会〉（ＮＳＰＣＣ）と、アメリカで同じような児童虐待防止協会を結成するにあたり、主要な役割を果たした人物でもあった。そのうえ、馬車鉄道に使われている馬が事故に遭ったとき、馬具から自由にしてやるための道具も発明していた。
コラムは、ホロウェイの施設の台所でメアリー・ティールビーに会ったことがあるらしく、ホームが設立されたときからずっと支援を続けていた。興味深いことに、一八六一年にこのふたりが出会った直後、コラムは〈RSPCA〉の動物査察官をひとり、ハルに派遣して常駐させている。「ハルでの非道な行いについて、多くの苦情を受けた結果」だったが、これはメアリーの影響によるものなのだろうか？　それはわからないが、はっきりしているのは、メアリーが死去したあと、コラムと、コラムの親族の力は、ホームが新しい時代を進むうえで必要不可欠だったことである。

一八六〇年代、イギリス国内の犬の正確な頭数は、だれにもわからなかった。唯一参照できる重要な数値は、犬の飼育許可証（the dog licence）の購入数だったが、それだけでは全体像を把握できなかった。たとえば一八六三年から六四年のあいだ、国税局は三十五万九五九九匹分の犬の税金を徴収した。これは、国民六十六人につき一匹の犬を飼っているという換算である。ところが、これでは「税金集金人に税金を払っていない」犬の数はわからない。しかも、かなりひかえめに見積もったとしても、税金をとられた犬と同じくらいの数の、飼育許可証のない多くの犬が、街の通りや田舎の小道をうろついていた。一〇〇万匹以上が田舎にいて、その大多数が迷い犬だと、多くのひとが考えていた。うろつく犬の数が非常に増えた理由のひと

あらゆる血統、品種、姿形のすばらしい犬たち。1860年代、ホームは、いろいろな種類、大きさの犬を引き受けていた。

つは、当時の法律では、餌をあげたり世話をしたりした場合、それがたとえ迷い犬だとしても、その者は年に十二シリングの税を支払う義務があったからだった。

大多数の人びとは、犬に同情していなかった。下院議員のマーシュ氏は、犬はキツネよりひどい世間のやっかいものだと、議会で主張している。そして、犬はひどい害悪を民衆にもたらすものとして「アイルランドでは、広く認められている」と述べている。「アイルランドでは、捨てられたろくでもない犬どもが、子どもを嚙み、馬に跳びかかり、羊を殺し、あらゆる悪事を働きました。じつのところ、無実のキツネたちのせいだとされていた恐ろしい所業のほとんどは、犬どもの仕業だったのです」。

一八六七年、ロンドン市内の通りを浄化する目的で導入された法案に、犬のことが盛りこまれたせいで、犬にとって事態はひどく難しいものになっていた。新しく制定されたロンドン市街の規制(Metropolitan Streets Act)では、ロンドン市内で交通事故に遭う人数を減らすため、数多くの交通量対策を導入していた。一八六五年には、交通事故死者が一六三人という驚異的な数になっていた。新しいロンドン市街の規制では、灰やごみの投棄の禁止、午前十時から午後七時まで家畜の移動や大型の荷馬車の運行の禁止、午前一時から七時のあいだ以外に石炭を積みこむ作業の禁止、などを制定していた。これに加えて、ロンドン警視庁には「通りをうろついている」犬を見つけたら捕獲できる権限を与えていた。三日以内に申し出がなければ、その犬は売られるか、殺処分されることになった。さらに、治安判事は、ひとを嚙んだと訴えられた犬を殺処分する命令をできるようになっていた。

国会審議においてで犬のホームがとりあげられたということは、ホームがそのとき占めていた社会的な立ち位置がはっきりしたということを意味する。たとえば一八六七年二月、犬の飼育許可証の値段を年間七シリング〔現在の約二十一ポンド〕に引き下げる審議のとき、ひとりの議員、オルダーマン・ラスク氏が、「つい最近、首都ロンドンに設立された、あわれな犬のための保護施設」について質問した。その当時「彼が聞くところによると」三〇〇〇匹いると言われていたホームの犬たちに、課税するつもりだったのだろうか？

慈善団体は非課税にすると国会で合意に達したものの、政府代表で審議に参加していたハント氏は、「慈善保護犬施設に差しだされる思いやりの心に、気づいていなかった」。英国国会議事録は、「ハント氏は（ロンドン市街の）規制の範囲内であれば、犬の飼い主になった場合、たとえそれが慈善目的であっても、すべての人に税金を払う義務が生じるだろう、と考えていた」と記録している。

ロンドン市街の規制は、警察にとって大きなプレッシャーとなった。しかし運よく、すでに三か所の迷い犬の「受け入れ所」を設置し、ホームは援護の体制を整えはじめていたところだった。受け入れ所は、ウエストミンスター地区のボウリング・ストリート、チェルシー地区のキングス・ロードの外れ、そしてベスナル・グリーン地区のサウサンプトン・ストリートの三か所にあった。この法律によって、警察はロンドンじゅうのすべての地区警察署を、犬の受け入れ所にすることを義務づけられていた。しかし警察とホームは、それは不可能だとすぐに判断した。ホームの委員会は自分たちの政治的立場を抜け目なく利用し、ロンドン警視庁のリチャード・メイン卿やロンドン市警察のフレイザー中佐といった行政長官たちと対話をはじめた。議論は納得のゆく形で終わらなかったものの、警察側は、将来的にホームに手伝ってもらうことを容認した。

一八六八年七月、警察は新しい任務に見るからにお手上げ状態だった。「それほど価値のない犬は、すべて殺処分すべし」という決定に対し、ホームは危機感を覚えていた。ロンドンの通りじゅうで、捕獲された犬たちが、大がかりな「野良犬」オークションにかけられた。ホームは〈RSPCA〉に接触し、いわゆる「口輪令」(Muzzling Act)を適用しないよう警察を説得するため手を貸してほしいと「懇願」した。ジョン・コラムは、内務大臣あてにすぐさま陳情した。十二月、ホームは協議の結果、保護された犬一匹につき六ペンスを支払うと警察に申し出た。そして一八七〇年六月までに、この法的な合意は正式なものとなった。

ホームの歴史においてもっとも重要な決断のひとつとされたのは、つぎのような方針を固めたことだった。「ロンドン警視庁の警察官や職員が〈犬のホーム〉につれて来るすべての犬は、飼い主に戻されるまで、確実に三日間は適切な食事を与えられ、世話を受けるとする」。さらにホームは、犬を受け取りに来た飼い主に必ず費用を支払わせると約束し、新しい法律のもとで必要だと判断した場合、犬に口輪をつけると承諾した。狂犬病の恐怖がつねにつきまとっていたロンドンで、ホームはそのほかにも「狂犬病の兆候」が疑われる犬はすべて「隔離」すると約束した。その代わりに警察は、保護されて三日たった犬は「この保護団体に帰属し、所有財産とする」ことに同意した。ロンドン警視庁の出納係も、ホームに対して、犬一匹につき三シリングを「食費と世話代」として支払うと応じた。その金額は、犬が飼い主に返却されるか売却された場合、警察側へ返金されるようになっていた。

この合意協定の詳細は、長年にわたって変化していった。犬がホームの所有財産になるまでの最低日数は七日間に延びたが、そのいっぽうで、犬一匹につきホームが支払う金額はわずかだが上がった。しかし、基本的なわく組は、つぎの二十世紀とその先まで、そのまま残っていった。ホームがロンドン警視庁と結んだ取り決めは、未来への安全装置となったのである。

犬の世話係としての才能とは別に、ジェームズ・パヴィットは、どうやら報道関係者の心をつかむこつを知っていたようである。ディケンズのホーム訪問に続き、報道記者やスケッチ記者〔現在の報道写真にあたるものをイラストで描く記者〕たちが、ホリングワース・ストリートの「わびしい僻地《へきち》」と呼ばれた場所へ定期的に足を運んでいた。すると記者たちは、「心に響く話を聞けば、きっと社に持ち帰ってくれるはずだ」と心から信じていたそこの世話係に、いつも歓迎された。

一八六七年、人気のあった児童雑誌『ジュディおばさんの年鑑雑誌』〔一八六六年創刊。有名な寄稿者のなかにはルイス・キャロルもいた〕から「グウィンフリン」という記者が見学にやって来た。パヴィットは、どう考えても手ぬるい相手ではなく「どんな犬泥棒も、パヴィットの防御を破ることはできないだろう」と、記者は判断した。それでも、犬を選びにやって来る人びとを相手にするパヴィットの様子を観察し、飼い主になりそうな人物と犬とを引き合わせるその才能に感銘を受けている。「ホームの世話係は、その職にほんとうにふさわしい人物で、保護犬たちにとてもやさしく、彼が預かっている犬たちの性格をよくわかっているので、ほぼ毎回そのひとにぴったりの犬を選びだしている」。そしてこう続けた。「この世話係には、どうやら犬の呼び名のストックがあって、すべての犬に名前をつけている。犬のほうもその呼び名にすぐに反応しているようである」。パヴィットが好んでいたのは、グリップやヴィクセンなど、短くてはっきりとした名前だった。

パヴィットは、おそらく委員会メンバーの助けを借り、新しい家に犬がなじむためのアイデアを提案していて、新しい家へ向かう犬の首輪に、印刷されたメモを紐で結びつけていた。メモには新しいペットに飼い主が求めることに対して、細やかで現実的なアドバイスが書かれていた。

ホームを離れるにあたり、あわれな犬から、男性・女性の新しい飼い主へあてての嘆願書

お願いです、少しだけ我慢してください。このホームで、わたしは大勢の仲間といっしょに閉じこめられていました。そのため世話係は、身ぎれいにすることを教える暇がありませんでした。わたしはきれい好きになろうというやる気はありますし、教わる能力も十分あります。必要なのは、あなたが望むことをわたしが身につけるまで、ほんの少しのあいだ面倒なことにつきあい、思いやりをもって我慢をするだけです。そうすれば、わたしは、一番信頼できるあなたの親友になるでしょう。

もうひとつ別のメモは「アドバイス」とはじまっていて、つぎのように書いてあった。

犬が新しい家に行く場合、そこに慣れるまで、逃げるのを防ぐために注意が必要です。番犬になるのは、家族全員とよそのひとを見分けることができるようになり、飼い主の家が自分の家だと覚えてからです。それからは、必要なときに、まちがいなく飼い主と家を守るようになるでしょう。

グウィンフリン記者は雑誌の読者に、パヴィットにはお気に入りの犬が二匹いると語った。一匹は「つやつやの毛をした老いたポメラニアン」で、かつては「大切な室内犬」だったが、飼い主のご婦人が亡くなると、通りに放り出されてしまった。記者は、そのポメラニアンは、以前は「側溝の残飯をあさる、みすぼらしくてちっぽけな野良の雑種犬たちを、馬車の窓から見下ろしていた」ような犬だったが、「いまや、救貧院にいる浮浪犬だ」とあっさり言っている。それでも、パヴィットは「そのポメラニアンに、とてもやさしくしているようだった」。そして「新しいご婦人の飼い主が彼女をとても気に入ったので、最後には王様のように死ねるだろう」と明かしている。

ところでパヴィットが一番気に入っていた犬は、ファンと呼んでいた「小さくて、なめらかな赤毛のテリア」だった。ファンは三、四年前にホームにやって来たとたん、子犬を何匹も生んだ。「ホームで子犬を生んで育てたのだから、ホームが自分の家だと信じるのも当然である」。ファンは、三回、新しい飼い主の家に引きとられたものの、毎回ホリングワース・ストリートに戻って来た。パヴィットは、ファンのための家をまた見つけたのだが、彼女は「ほぼまちがいなくまた戻って来るだろう」と認めた。グウィンフリン記者は、ファンは「特別かわいがられている」と、記事を締めくくった。パヴィットは、さらに一頭のラーチャー（コリーとグレーハウンドの交雑種の大型犬）について、愛情をこめて語っている。この犬は、ホームに運動場がまだなかった頃、「犬の群れを集める」役目を果たしていた。そうやってパヴィットを手助けし、「牧羊犬が羊の群れを集めるように、自分の仲間の犬を集めていた」そうだ。

第4章 ◆ 新しい場所へ

Chapter Four

一八六九年十月、配達人がホリングワース・ストリートへ一通の召喚状を届けた。ジェームズ・パヴィットにクラーケンウェル〔イズリントン南西部の地区〕警察裁判所へ出頭するよう命じる内容だった。「九月二十一日に貴下の土地建物で生じた迷惑行為に伴う出頭命令――生活を妨害し、健康に有害となる相当数の犬を飼育している件について。またこのような迷惑行為の原因は、貴下の行動、怠慢、容認、黙認、法令違反などによるものである」と書いてあった。

令状が届いたことは、それほど意外でもなかった。ホームからの騒音について最初に苦情が出たのは一八六二年で、教区教会の教区委員に伝えられたが、そのときホームは教区委員からなにも言われなかった。しかしそれから六年後の一八六八年、ふたたび教区民から懇願されると、地元の聖職者のひとりマッケンジー氏が、正式にイズリントン議会に苦情を訴え出た。そこで保健衛生課の検査官チームがホームを訪問したが、訴訟はいっさい起こされなかった。

しかしもうこの頃になると、苦情はかなり多く深刻になっていた。そしてホームの施設を見下ろす高台に六十ばかりある家の一軒に住んでいたジェームズ・ウィリアム・ベイカーが、苦情を申し入れた。警察はベイカーの苦情内容は起訴に相当すると判断した。

起訴は予測できたことだったが、パヴィットへの召喚状は気がかりだった。委員会は、パヴィットが有罪となった場合、ホームがただちに閉鎖になるとわかっていた。そこで、聴聞会の何週間も前から、緊急事態対応策を実行した。なによりもまず、パヴィットは夜間の犬の受け入れの拒否を指示された。そして「午後四時以降の受け入れはお断り」と書かれたお知らせが、施設の外に置かれた。

それから委員会は法的助言に従い、治安判事裁判所で「不利な判決が下された場合、上級裁判所で」ホームの事務弁護士が聴聞会を要求することを承諾した。それもうまく進まなかった場合、治安判事に「別の敷地を探すという約束のもと……審議の延期」を申し立てるとよいと助言された。

しかし一番重要なのは、うまく進まなかった場合を念頭において、ウィリアム・ビング閣下率いる小委員会が設置され、ホームの別の敷地探しが決まったことだった。

スタッフォード伯の次男だったビング閣下は、ホームが順調に築いてきた有力な関係者とのコネクションの典型と言える人物だった。ビング閣下は、ノーサンプトンシャー州〔イングランド中部の州〕の州都ウェリングバラ出身の女性と結婚した。彼女は、その地で数年にわたって牧師を務めていたエドワード・ベイツと友人だったので、おそらくホームのことを教えてもらったのだろう。思いがけない幸運で、この女性はのちに、イズリントンのタフネル・パーク選出の下院議員と再婚していて、この議員の選挙区にはホリングワース・ストリートが含まれていた。この議員は、かつてホームの力になってくれたことがあったし、おそらく裁判の準備期間にいろいろ情報を提供してくれたのだろう。このような人びとは有能さを発揮し、ホームの弁護をしようという何人もの証人が早々とそろっていた。

聴聞会の日、裁判所は「ホーム周辺の住人と、ホームの関係者でかなりうまって」いた。検察側が一連の証人を召還すると、ホームで起きていたと主張する状況をいきいきと語った。

「夜中の吠え声がひどくて、眠ることなどできませんでした」と、原告のジェームズ・ウィリアム・ベイカーは裁判官たちに訴えた。そして「施設内にはたいてい二〇〇匹から三〇〇匹くらいの犬がいて、その騒音」だけではなく、「犬たちがもらっていたくず肉と、屋外で殺処分された死体が放つ悪臭」に満ちている空気にも、住人はがまんしてきたと述べた。検察側は、裏庭がホームに面していた住宅からは「ホーム裏庭のとにかくひどい様子が目に入るので、住人は家の裏側をまったく使えなくなった」と述べた。

検察側の別の証人は、ハリスという「町の宣教師」で、「十一年以上にわたって自分の家に住んでいた」のだが、「ふん尿だめから漂う臭いと、くず肉をゆでる臭いだけではなく、鳴き声と騒音にも悩まされ、家族全員の健康が損なわれてきた」と、苦情を訴えた。

つまり告発のすべてにおいて、何十人もの証人全員が、ホームで繰り広げられるできごとのせいで健康に害が生じたと訴えてきたのである。

ホームを弁護したのは、別のハリス氏だった。ハリス氏は「犬に吠えるのを我慢させる国会制定法（国王（・上院）・下院の三者（二者）の協力による最高の法形式）はない」と指摘して弁護をはじめた。そして裁判官たちに、ホームは「国のもっとも高貴な方たちから援助を受けている施設」だと念を押し、そのうえ検察側の証人によるいくつかのぞっとするような証言は、「著しい誇張」であり「偽証」に相当すると述べた。

それからハリス氏は、自分のほうの証人を召還した。獣医師のウィルキンソン氏は、その年の八月三十日に〈ＲＳＰＣＡ〉からの依頼でホームを訪問したと証言した。訪問の理由は、ホームで死んだ馬を見かけたという苦情があったからだった。ウィルキンソン氏は、死んだ馬は見なかったし、ホームは「清潔」でよく管理され、「六十匹あまりの犬がいたが、過剰な悪臭はしなかった」と述べた。

さらに別の証人、警察の獣医師のチェリー氏が、ウィルキンソン氏の証言を裏付けた。チェリー氏は、ホームの施設の壁ごしに、隣接する住宅街の裏庭のいくつかを調査した。そして、「ホームの隣の裏庭は、たいへん不潔で汚物でぬかるんでいました……そのうちのひとつには、アヒル、ガチョウ、ノミ、もろもろの有害物がいました」と法廷で証言し、笑いを誘った。「そういった家々から悪臭がしていました」。

委員会の二人のメンバー、ビング閣下と、王立獣医科大学のウィリアム・プリチャード教授も、ホームを擁護するために証言している。プリチャード教授は、その前の週の火曜日にホームを訪問していて、「自分のために急いで整えたようには見えなかった」と述べ、悪臭はしなかったと言った。「ホーム敷地内は舗装され、尿や堆肥は排出できるようになっていたし、新しいわらが敷かれていました。健康に悪い有害なものは、なにひとつありませんでした」と教授は言い、さらに「ドッグショーで獣医師を務めましたが、ホームでの動物の扱いはショーよりずっといいものです」と言い添えた。

ビング閣下は、チェリー氏の主張の裏付けをし、ホームは「苦情を申し立てるひとたちより、ずっと清潔だ」と裁判官たちに述べた。

そして最後に、パヴィットが証言台に立ってホームの方針について擁護した。教育を受けていなかったものの、パヴィットは説得力のある証言をした。しかし反対尋問において、いっぱいになったホームの限られた敷地内で犬たちのけんかをやめさせるために、ときおり鞭打っていたことを認めている。

パヴィットはそのうえ、ホームでの生活について興味深い証言をした。パヴィットが明らかにしたところによると、「いままで世話をしたなかで、一番多かったときの犬の数は、一一〇匹でした」。そして、犬たちがその上で眠っていたわらは、「風にあてるため、毎日ひっくり返していました」と述べ、「夕方に子牛の頭のくず肉をゆでた」ときの状況を説明し、「それでも臭いは出なかった」と語っている。

証言がすべて審問されると、治安判事のマンスフィールド氏の手にゆだねられ、証拠を概説し陪審に対して法律上の論点が示された。ありがたいことに、治安判事は犬好きで、だらだらと、とりとめのない評決を下した。そのなかで判事は、「猟犬を何十匹も飼っていた一家のもとに泊まった」ことがあるが、そこで「夜中に犬がたてる物音についての苦情をいっさい」聞かなかったことを思い出した、と述べた。そして、判事いわく「家族のある男性」のパヴィットが、「苦情が出たようなひどい迷惑を受けていたら、そのような敷地内に居住し続けることはないだろう」という判断を下した。最終的に判事は訴えを棄却し、「ホームに対して治安判事の介入が必要とされる」証言ではないとの判決を下した。

こうして、ホームは安堵のため息を大きくついたのだが、これが短い息抜きの時間だということはみながわかっていて、判決に対する批判が新聞で広まると、それをいっそう実感した。『エラ』紙は社説で、治安判事のマンスフィールド氏を痛烈な風刺で攻撃した。

深い見識を持つマンスフィールド判事をのぞいて、十分に食べ物をもらい、よく面倒をみてもらっている、紳士の飼う猟犬の群れと、大都市ロンドンじゅうのいたるところから寄せ集められた、迷って飢え死にしかけている二〇〇匹の雑種犬とを比べるひとはいないだろう。まして世話係が、夜中に鞭を手にして、その雑種犬のあいだを歩きまわったのを認めているのだ。冗談は抜きにして、この施設は迷惑以外の何物でもなく、人間の居住地から一掃されるべきなのである。

ホームは、今回の訴訟には勝利したものの、ホームの対抗勢力との戦いに敗れたことはわかっていた。創設されてからそろそろ十年がたち、ホームは、人びとの抱くホームへの疑いを晴らし、ある新聞が言うところの「革新的で有益な慈善事業」としての地位を築いてきた。さらに、首都の権力者、特に警察と協力関係を結ぶことの大切さなど、貴重な教訓もいろいろと学んでいた。一八六八年にロンドン警視庁と取り決めた協定は、重要なターニング・ポイントとなった。これによって、警察だけではなくほかの行政機関にも、ホームは合法と認められたのだ。この頃には、警察は、一日一回はホームへ犬たちをつれて来ていた。

ホームはさらに、ロンドン市内の、ほんとうに助けが必要な犬だけを受け入れることを、身をもって学んでいた。メアリー・ティールビーと同僚たちが作成したホームの最初の事業内容説明によると、飼い主には、自分の犬をホロウェイで預かってもらうという選択肢があった。理論上は、このアイデアで収入が得られるはずだったのだが、まったくうまくゆかなかった。大勢の飼い主は、ペット預かりの料金をまったく支払わずに姿を消し、自分の犬を何か月もホームに置き去りにしていた。多くの犬が効率よく捨てられたのだ。この状況を食い止めるため、委員会はあるときから、預かり料金を一か月分前払いにすることを決めた。しかしこの対応策も功を奏さず、そのためすべてのペット預かりの計画は打ち切りとなった。こうして、迷い犬だけ受け入れていたのである。

委員会はホームのつぎの十年に期待していたが、裁判という最大の教訓から、ホームそのもののことを気にするようになっていた。この時点でホームがホロウェイから離れなければならないことは、わかりきっていた。そこで十月十六日、ビング閣下とウォリナー氏に「バタシーの土地を調べにゆくよう依頼する」と意見がまとまり、ジェームズ・ジョンソンがふたりに同行した。十二月四日の会議で、三人の男性は、自分たちが見てきたものに強い印象を受けたと報告した。それはテムズ川の南岸、バタシー・パーク近くで売りに出されていた、三角形の土地だった。そして委員会のメンバー全員が、その場所を訪れるべきだと勧められた。

テムズ川の南岸へと委員会メンバーが足を運んでみると、そこは鉄道の駅の近くで、ヴィクトリア駅から出る〈ロンドン&サウス・イースタン鉄道〉のふたつの本線路に囲まれた場所だとわかった。近所には家が数軒あったものの、鉄道の騒音を考えたら、そこの住人たちが、吠える犬をうるさがる心配はなさそうだった。その土地は一五〇〇ポンド〔現在の約九四〇〇〇ポンド〕の値段で、かなりの高額だった。それでも委員会が全会一致で購入に賛成だったのは、逃すにはあまりに惜しいチャンスだったからだ。一八七〇年五月、委員会はバタシー

ヴィクトリア朝に描かれたもっとも有名なホームの絵、『犬のホームでのコース料理の様子』ジョン・チャールズ・ドールマン画。

の土地を一五〇〇ポンドで購入すると申し出て、手付金一〇〇ポンドを支払った。

土地を購入すれば、ホームの財政状況が逼迫《ひっぱく》するのは明らかだった。困ったことに、この難局を乗り切るのに必要な、ビジネス感覚があるリーダー的人物が委員会にはいなかった。土地の購入と、その後に続く危うい自転車操業のせいで、ホームは破産寸前だった。

〈ロンドン&ウエストミンスター銀行〉は、ホームに一五〇〇ポンド貸し付けることを承諾した。貸し付けの条件は、ホリングワース・ストリートの土地を担保とするだけではなく、五人の委員会メンバー（ビング閣下、ウォリナー氏、ニュージェント氏、ヒリアード氏、モーガン氏）が約束手形〔代金を支払う振出人が、受取人に対して、将来の一定期日に支払いを約束する有価証券〕を振り出すことだった。五人はこれを承諾し、一八七〇年の夏、不動産譲渡証書にサインがされた。

新しい土地の準備をはじめるにあたり、時間はあまりなかった。そこで建設業者たちは、犬舎とほかの建物の建設の見積もり額の入札をただちに求められた。ダルストン〔ロンドン東部〕の業者、トーマス・タリーが一六八〇ポンドで入札して落札すると、その夏から仕事を開始するよう依頼された。それからというもの、ホロウェイからテムズ川南岸への移転で、ホームは大いそがしとなった。

多くのロンドン市民にとって、バタシーといえば「犬」という認識がすでにできあがっていた。しかも悪い意味で。バタシーは、ランベスからウォンズワース〔ともにテムズ川南岸のロンドン自治区〕まで広がる、以前はだだっ広い湿地にすぎず、くり返し洪水の被害に遭っていた土地で、三〇〇年前からテムズ川を埋め立ててできたところだった。豊かで非常に肥沃な土地に魅力を感じた市内のマーケットの菜園業者たちは、約一二〇〇〇平方メートルほどの土地で果物や野菜を栽培し、やがてそこはバタシー・フィールドとして知られるようになった。バタシーでは、エンドウマメ、インゲンマメ、小麦、メロン、そのほかの果物が採れ、ロンドンで一番——もしくはイングランドで一番の——アスパラガスが採れた。「バタシー産」は、市内のマーケットで高値がついた。

バタシーで一番繁盛していた菜園業者のなかには、フランドル地方〔ベルギー西部からオランダ南西部、フランス北端部を含めた地方〕出身者がいて、彼らがバタシー・フィールドに荷役用の犬を導入していた。荷物を載せた小さな荷車に犬をつなぐのは、ベルギーでは一般的だったのだ。バタシー・フィールドにやって来た訪問者は、あらゆる大きさと姿の犬たちが、果物や野菜を積んだ荷車を引っぱっている様子を、ごくふつうに目にしていた。そのうちの何匹かは、当たり前のようにぎりぎりまで働かされていた。

週末になると、犬への虐待はいっそう残酷になっていた。ロンドン南部に住む貧困層は、たいてい週末に牛いじめ〔牛に犬をけしかけて殺した残酷な見世物〕や闘鶏を見ようと、バタシーの屋外催事場と屋台の酒場へなだれこんだ。犬は、牛いじめと深く関わっていた。この慣習は信じられないことに、かつては教区のならわしとして、公式文書に記録されていた。バタシーに住むアースキン・クラーク参事会員は、自分のかつての教区の請求書のなかに「よりによって娯楽のため、市場で雄牛たちに餌を与えずに殺した罪で罰金を科された肉屋たち」についての一連の記録を発見した、と信じられない思いで語ったことがある。

荷車引きの犬には、最悪の虐待が待ち受けていた。週末になると荷車は乗り物へと姿を変え、だいたい

二、三人のひとを乗せて、タクシーのように、屋外催事場と屋台の酒場のあいだを行ったり来たりした。犬たちは苛酷な労働のため、よく路上で死んでいた。一八五〇年代になって犬の荷車引きはようやく違法となり〔一八五四年〕、このように残酷な見世物は過去のものとなっていた。

皮肉だったのは、犬がひどい目に遭っていた場所にホームが移るということに、引っ越し作業を終えようとしていたホームの委員会メンバーもスタッフのだれもが、気づいていないことだった。彼らには、もっと差し迫った心配ごとがあった。

ホリングワース・ストリートの土地建物は売りに出され、委員会は、少なくとも一五〇〇ポンドで売るよう、代理人に依頼していた。銀行からの新しい借金を完済できる額だったからだ。管財人のジェームズ・ジョンソンは買い手探しの責任者だったが、買おうというところはほとんどなかった。

そのいっぽう、新しい施設の建設費用はすでにかなりの額になっていた。業者のタリーと合意した一六八〇ポンドの費用は、あっというまにはね上がった。新しいホームに引っ越してみると、パヴィットと彼のスタッフは、小型犬のための特別な部屋が必要だと気づいた。そして最初の契約に加えて、タリーは鉄道の高架下スペースに特別な犬舎を建てるよう頼まれていた。

そのほかにも、目に見えないコストがかさんでいた。たとえば、ロンドン市民にはホームの引っ越しを告知する必要があったので、『タイムズ』紙や『デイリー・テレグラフ』紙、そして『フィールド』誌〔一八五三年創刊、世界最古の野外スポーツ専門雑誌〕といった出版物にまで、つぎつぎと高い料金の広告を掲載しなければならなかった。そのいっぽう、ロンドンじゅうに配布するハガキやチラシを印刷した。それから委員会は、バタシーのホームに役員会議室を作ることを熱望していたので、家具を買い入れることになった。パヴィットと妻のローザは事務所で働いていて、ふたりがこれまでやっていた仕事量の増加に伴って、賃金は週に五シリングから三十五シリングに上がっていた。

かなりの額の遺産がホームへ寄付されるようになるという、新しい動きが起きていたにもかかわらず、ホームはほどなくして財政難に苦しめられた。一八七一年十二月、ホームは絶体絶命のときをむかえていた。また新たに、かなりの額の借金をすることが、委員会で合意されたのだ。今回はまた別のロンドン市の機関〈イギリス共済組合〉が、ホロウェイの土地建物を念のために担保にし、ホームに四〇〇〇ポンドを貸すと応じた。委員会がどのようにして、実際にはそれだけの価値がないホロウェイを担保に、さらに四〇〇〇ポンドも工面できたのか、はっきりとわからない。十中八九、委員会メンバーは約束手形を振り出すことになったはずだが、公的な記録は残っていない。委員会は借金のおかげで、建物の建設とバタシーへの引っ越しを、短期間で終えることができた。しかし、年利十パーセントの利子の支払いでホームは長期の債務を抱えることになり、返済のため頭を悩ませるようになった。一八七二年、未払いの請求への「訴訟を回避するため、別の手段をとらなければならなくなった。そして管財人のジョンソンは、「ほかによい申し出がなければ」ホリングワース・ストリートの土地建物をわずか一〇〇〇ポンドで売却するよう、ホームから言いわたされた。

サラ・メージャーが、ふたたび社交界の友人たちを呼び集め、四月のある週末にセント・ジェームズ〔ロンドン中心部、バッキンガム宮殿近くの裕福なエリア〕で慈善バザーを開催することにした。サラはこのバザーを大々的に宣伝し、支援者たちに「ホームの塗装や舗装の費用を支払い、ホームの運営の利便性とそこに住む者たちの快適さを確実に向上するため」助けを求めた。しかし、これでは財政の逼迫はほとんど改善されなかった。

それから四年が過ぎ、一八七四年十二月になってようやく、委員会はホロウェイの土地建物を売却することができた。当初、委員会メンバーは買い手について知らされていなかったようである。この買い手は、ホロウェイの土地建物に、期待はずれの九〇〇ポンドという金額を申し出ていた。それでも委員会は、この申し出をすぐさま受け入れた。メアリー・ティールビーの最初の支援者のひとりだったハンブルトン夫人からの一〇〇〇ポンドの遺産を合わせれば、〈イギリス共済組合〉から借り入れている多額の借金の半分を返済できるからだった。

ところが取引の詳細が明らかになってくると、委員会は買い手がなんと、ジェームズ・ジョンソンだと知った。ジョンソンは当時ホームの管財人で、最初の監督官になろうとしていた。過去のたいへんだった時期、ジョンソンは私財から一〇〇ポンドをホームに貸し付けていた。ジョンソンが長いあいだ、ホリングワース・ストリートの土地建物の売却責任者だったことが、利益相反になると委員会は気づいていなかったようである。一八七五年一月の会議で、委員会は「同ジェームズ・ジョンソン個人の使用権と利益のため、ホロウェイの土地建物を譲渡する」と、全会一致で可決した。これが別の時代、もう少し財政に余裕がある状況だったら、不正行為が疑われてもおかしくない。

委員会メンバーのメアリー・ロイドが介入したことで、ようやくホームは借金から救われた。一八七六年、不動産を担保にして借金をしてから五年後、メアリー・ロイドは年利の半分、五パーセンの利子を負担し、残りの借金を引き継ぐと申し出た。その年、今回は八〇〇ポンドもの多額の遺産がまた遺贈されると、ホームの財政はついにかなり安定した状態となった。

ホームの財政は不安定だったが、実務の面ではずっとうまくいっていた。バタシーの土地へ引っ越したことで、ホームは自由を手に入れたのである。その立地条件のおかげだったのは、言うまでもない——夜中の騒音に苦情を言う近所の住民はほとんどいなかったし、犬たちに運動をさせ、自由に走らせる十分なスペースがあった。一八七四年、委員会は「ホームは非常に大きな成功を収めています……多くの貴族、紳士の方々、それに大勢の猟犬の飼い主たちがホームを訪問しました。そしてみなさんが、ここが清潔で規則がきちんと守られていることに満足した、と言われています」と、誇らしげに公表した。

報道関係者も、同じ意見を記事にした。一八七四年四月、『ロンドン・スタンダード』紙の記者が、「バタシーの未開の地」を訪れた。この記者も、ホームの衛生管理の水準の高さに感銘を受けた。そして「すべての犬がきちんと食べ物と水をもらい、きれいに体を洗ってもらい、十分に運動させてもらい、ていねいに世話をされていた」と書いている。記者はバタシーのホームと、ニューヨークで新しく開設された犬の保護施設をちょっと得意げに比較し、つぎのように報告している。ニューヨークの施設は、「持ちこまれた犬の価値に基づいて」犬の代金を支払うため、「理想的な犬泥棒養成所」となっていた。おまけに二十四時間経過すると、それほど価値のない犬は「覆いのついた大きな桶に入れられ、なかにホースで水を入れる」ことになっていた。記者は、バタシーでは以前からさまざまな種類の犬に場所を提供してきたと知り、意外に思った。

そこにいるのは、あらゆる血統の、さまざまな種類と姿の、イヌ科の美しい生き物たちである。一クォート〔約一・一四リットル〕のマグに入りそうな小さなマルチーズから、快適に眠るには小さな家が必要かもしれないマスチフまで……

レトリーバーは、一番けんかっ早い。ブラッドハウンドは(ほんの数頭しか持ちこまれていないが)、昨日すり寄っていた相手にがぶりと嚙みついてくる、信用ならない気まぐれ屋だ。マスチフだけが、不機嫌そうに威厳を保ち、実際に攻撃されて挑発されないかぎり、けんかをしようとしない。

そして記者は、つぎのようなことに気づいた。「数多くの価値ある犬たちが、飼い主の引きとりもなくホームに残っていることに、ほんとうに驚かされる……何匹かは、かなりおしゃれな首輪をつけているので、きっとよい家で飼われていたのだろうということがわかる」。記者はつぎのように述べて記事を締めくくっている。ホームは結果的に「買い手にとって絶好の取引市場になっていた……一頭のレトリーバーが、ホームでの飼育費用だけの値段、わずか二十七シリング〔現在の約八十五ポンド〕で売られていた。その数か月後にクリスタルパレス〔一八五一年の第一回万国博覧会の建物としてハイド・パークに建てられ、後に近郊のシデナムに移された〕で開催されたドッグショーでは、レトリーバーには三十ポンド〔現在の約一九〇〇ポンド〕の値がついていた。安価で、血統のよい、きれいな犬が欲しい者にとって、これほど文句なしに理想的と言える場所は、ロンドンにはほかにないだろう」。

第5章◆恐怖の原因——狂犬病と生体実験

Chapter Five

ヴィクトリア朝のイギリスは、狂犬病の死の恐怖のなかにあった。狂犬病が大流行するかもしれないというわずかな徴候だけで、不安感や陰鬱なユーモアがジャーナリズムに広まっていた。一八五九年六月、『バーミンガム・デイリー・ポスト』紙に「狂犬病の歌」が掲載された。

ひとりの男が十二か月前にやって来た
そして施しをしつこくせがんだ
まぬけなその男の飼い犬がそいつを嚙んだ
俺は知ってる、やつも狂犬病で死んだと

権力者のなかには狂犬病をひどく恐れる者もいたが、現状をまったく理解しないで怖がることが多かった。前回、一八三〇年に狂犬病の大流行があったとき、ある下院議員が言うところの「いつものパニック」がロンドンの通りで起こった。「狂気」だと解釈できる徴候をなんであろうと見せた犬は、日常的に撃たれ、殴られていた。その当時の首都ロンドンには、そんな不安を取り除く手助けをする〈犬のホーム〉は存在していなかった。一八七七年、久しぶりに狂犬病の恐怖が爆発的に起きたとき、バタシー・ホームはこの恐ろしい病と闘うロンドンにおける最前線となった。

一八七七年のはじめ、危険な――狂犬病の可能性がある――犬が通りをうろついているという苦情が急増し、ロンドン警視庁はその対応に追われるはめになっていた。巡査は、見かけた犬はとにかく捕らえるよう指示を受け、適切と思えばあらゆる手段をとってもよいことになっていた。過去にあったように、その結果は気分の悪いものだった。ロンドンの通りで、ヒステリックに大声でわめく群衆の目の前で、攻撃的な犬または病気で弱っている犬は決まって殴られ、ときには死ぬまで棍棒《こんぼう》で打たれていた。一般市民には、狂犬病と無害な犬の症状(たとえば癲癇《てんかん》)との見分けがつかなかったため、この状況はどうにもできなかった。

世間を落ち着かせようとして、バタシー・ホームは報道機関に短い記事を送った。狂犬病の事実について説明し、パニックに支配されたあるできごとを詳細に語ったものだった。

狂犬病の実際の症状を知らないと、どうしても、通りで残虐な行為が起きてしまいます。痙攣《けいれん》は狂犬病の症状だと広く考えられていますが、そうではありません。そして、通りで痙攣を起こしている犬を見ても、一般のひとが心配する必要はありません。残念ですが、このようなできごとを目にすると、ひとは論理的な判断をせず、恐怖に身をゆだねてしまいます。その結果、哀れな生き物があっというまに、ある通りから一匹、別の通りからまた一匹、とつれて来られます。その犬は、蹴られ、石を投げられ、脅され、怒らされ逆上します。そしてついに、通行を邪魔してきたり、追いかけてきたりした相手を噛んでしまうと、その結果、ほかになんの確証がなくても、その犬は発狂していると宣言されます……。

ほんの数日前、ひとりの警官が、一匹の混血の野良のパグをバタシー・ホームへつれて行こうとしているときでした。パグは、ホームのすぐ近くの通りでひきつけを起こしました。すると、叫び声が上がりました。

『殺して、その犬は狂犬病だ』、『そいつの頭をかち割れ』、『犬に嚙まれたら、死んでしまう』。

運よく、その犬はホームの世話係のひとりが引きとりました。世話係は経験から、犬の病気を正しく診断できたのです。その犬はホームへつれてゆかれると、薬を投与され、やさしく世話されました。まもなくして回復すると、その後は、よいご家庭の親切なご夫人のもとへ行きました。

偶然にも、狂犬病流行のパニックはすぐに収まった。しかしバタシー・ホームは、いやおうなしに続くと考えられる、急激な流行病の大発生に、どのように対処するかについて多くを学んだ。これは、新しいバタシーの土地に慣れてゆくうちに、ホームが学んだいくつかの大切な教訓のひとつだった。

ホームが狂犬病の温床になっている、という見当ちがいの言いがかりは、設立してから五十年のあいだに、何度もホームに向けられた、ふたつの非難のうちのひとつだった。そしてもうひとつの非難は、かえってより悪い影響をホームにもたらす可能性があった。

一八八二年三月十一日、土曜日のことだった。「いつになく大勢の委員会メンバー」が、バタシー・ホームの年次総会のために、ジャーミン・ストリート十五番にある〈ＲＳＰＣＡ〉の本部につめかけた。その日の議題である動物実験——または生体実験——についての激しい議論を予期して、多数のメンバーがやって来たのだ。メンバーのあては外れることなく、ホームの二十二年の歴史のなかで、まちがいなくもっとも感動的で胸に迫る会議に立ち会うことになった。

ヴィクトリア朝の社会では、生体実験への反感が高まっていた。フランスやヨーロッパ諸国で、科学の名のもとに、生きている動物に行われているぞっとするような話のせいで、人びとの怒りは燃えあがっていた。たとえば十九世紀なかば、実験が行われる一時間かそれ以上前から犬たちは切開され、学生たちの実習用にそのままの状態で置かれていていたという話を、ショックを受けた目撃者が語っている。実験生理学の草分けで、すぐれたフランス人科学者フランソワ・マジャンディ〔一七八三－一八五五、実験生理学者、動物実験で血液循環、呼吸、消化を研究。一八二二年にベル＝マジャンディの法則を発表〕が、まだ麻酔が効いていない犬の脊髄神経根を切開して取り出そうとしていた、とある男性は語った。その犬は、二回逃げ出し、二回マジャンディに跳びつき、彼の顔に前足をのせ、まるで「やめてほしい」と請うかのようにその顔をなめたという。また別のとき、マジャンディが「大きくてまるい塊」を「リンゴの焼き菓子から取り除くかのように」、子犬の背中から取り除くのを見た者もいた。

イギリス国内で反対運動に参加した人びとは、動物への生体実験や、さらに死亡した動物への実験の禁止にもおおむね成功していた。また、生体実験と関わる機関ならどんなところでも、すかさず糾弾《きゅうだん》していた。

当然のなりゆきだが、イギリス国内で、もっとも多様な犬種をそろえることができる場所だったバタシー・

ホームには、疑惑のまなざしがずっと向けられてきた。簡単明瞭な理由から、ホームはそのような疑惑のすべてにすぐさま反証し、そのうえで自分たちの方針をはっきり表明していた。

パヴィットが、うさんくさいレッグ医師に犬を引きわたさないよう注意を受けてから数年後の一八六八年、ロイヤル・フリー病院のマーフィーという外科医が、自分の実験用に犬が欲しいとバタシー・ホームへ手紙を書いてきたことがある。ひどく驚いたジョン・コラムは、〈ＲＳＰＣＡ〉の査察官をマーフィー医師のもとへ派遣するとホームの立場を説明させた。そしてマーフィー医師は、科学的実験のために犬が譲られることはないと、きっぱり言いわたされた。

しかしそれでも、噂や、当てこすりが完全に消えることはなかった。そのうえ、バタシー・ホームはブルームズベリー〔ロンドン中央部の一地区、大学や博物館などが多数ある〕などで行われる科学的実験に犬を供給している場所だという根も葉もない批判の声が、新聞などにはとぎれることなく掲載されていた。たとえば、ホームと警察との関係を疑う新聞や雑誌がいくつかあった。警官が生体実験者に犬を売っている、とよく噂されていたが、なかにはまちがった推論をする者までいた。一八七五年七月の下院議会で、ある下院議員が、警官は「この〈犬のホーム〉にとって、新しい犬を補充してくれるおまわりさん」になっているのではないか、との疑問を呈した。さらに、バタシー・ホームが犬を売ったお金である「年間六〇〇から八〇〇ポンドの売上からいくらか」を警官が受け取っているのではないか、との考えを述べている。

内務大臣アシュトン・クロス氏〔一八二三－一九一四、リチャード・アシュトン・クロス、保守党の政治家〕は腹立たしげに、バタシー・ホームと警官を擁護した。そして、警官は「どのような見返りや心づけでも受け取るのを厳しく禁止されている」と述べ、さらに「迷い犬を捕獲するのは、非常にやっかいで危険な任務であり、警察がこの任務につねに悩まされているのは明白だ」と指摘した。

しばらくのあいだバタシー・ホームは、怪しい買い手を阻止するため、犬の代金の最低額をつり上げてみようかと考えていた。その理屈は、「ほかのところでもっと安く犬を入手できたら、（ホームで犬を実験用に買い求めるひとは減り）生体実験に対する不安の原因がなくなるだろう」というものであった。しかしこのアイデアは、一般市民からの反対にあってやめることになった。

ホームと生体実験との噂を根絶やしにするために、ある時点でホームの委員会は、退職したロンドン警視庁の警官を雇い入れることを決めた。そして、バタシー・ホーム出身の犬が、生体実験者にわたっているのでは、という「危惧の根拠となるものがあるのかどうか」という点を、突きとめてもらうことにした。すでにホームは、犬を購入したひとに、名前と住所を残すよう義務づけるシステムを取り入れていた。ホームに雇われた元警官は、犬を買ったひとたちを家までしばらく追うものの、「不安を抱くようなこと」はなにもないと探りあてた。

しかし生体実験の恐怖はつきまとい、なかなか消えてくれなかった。一八八二年夏、ジョン・コラムはふたたび〈ＲＳＰＣＡ〉の査察官に、ホームで売買された犬の追跡調査を頼んだ。とりわけ今回は、エンフィールドのミッチェル氏のところに荷車で運ばれ、そこで葬る手はずになっていた犬の死体について調べてもらった。

この一般に知られていた生体実験に関する議論は、ふたりの委員会メンバーが参加したことで、決着することになった。こうしてとびぬけて迫力ある手ごわいふたり、フランシス・パワー・コッブ〔一八二二－一九〇四、アイルランド出身の作家、社会活動家〕と、ジョージ・フレミング〔一八三三－一九〇一、スコットランド出身の獣外科医師〕が、いきなり議論をはじめたのである。

コッブはその当時、はっきりものを言う、強硬派の女性のひとりだった。アイルランド出身の作家で、女性参政権の運動家であり、さらにヴィクトリア朝のイギリスで、もっとも注目を集めた動物の権利を守る活動家だった。そして一八七五年、世界初の動物実験に反対する団体、〈生体実験の危機にある動物のための擁護団体〉（ＳＰＡＬＶ）〔現在の〈全英動物実験反対協会〉（ＮＡＶＳ）〕を立ち上げていた。

一八六七年、コッブは女性と子どもに、バタシー・ホームに好印象をもってもらおうと、一冊の本『迷子の犬の告白』を出し、作家として役割を果たしていた。「自伝的」物語とされたこの作品は、コッブの飼っていたポメラニアンのハジンが語り手となっていて、ロンドンの通りで迷った一匹の犬が、ホロウェイの「迷い犬のためのホーム」で安全で快適に過ごした様子を語っている。物語はハッピーエンドで終わり、ハジンは自分の飼い主と再会できた。「わたしのように、とても幸せな生活を送っていたあと、慈善団体のみなさんのお世話になるのはつらくて悲しいです。それでも、あなたと、迷い犬のホームの支援者のみなさんに、わたしはほんとうに感謝しています――心からお礼を言いたいと思います。わたしたちの仲間からの、感謝の気持ちをどうか受け取ってください」。コッブが委員会におよぼす影響力は、コッブの「伴侶」がメアリー・ロイド〔一八一九-九六、ウェールズ出身の彫刻家、社会活動家〕だと知れわたったことで、ますます強くなった。メアリー・ロイドは、ホームと長い付き合いのある支援者で、ホームがバタシーに移転してすぐの財政難のときに力を貸していた〔第4章〕。

フレミングは、イギリスの一流の獣医師のひとりだった。クリミア戦争で功績をあげたあと、イギリス陸軍で主任獣医師となり、やがて獣医学の世界でもっとも評価の高い刊行物『ヴェタナリー・ジャーナル』〔一八七五年〕を創刊した。ところが、雑誌『十九世紀』〔一八七七-一九七二、月刊。重要な問題をとりあげ、十九世紀後半、もっとも権威ある雑誌のひとつと考えられていた〕にフレミングが生体実験についてある記事を書いたせいで、ジャーミン・ストリートの〈RSPCA〉に、人びとが押しよせることになったのである。基本的にフレミングは、ヨーロッパに衝撃をもたらした、生体動物実験については、強固な反対派だった。いっぽうでフレミングの書いた記事では、病理学が目的の場合だけは、生体実験を行っても仕方がないと論じ、例としてルイ・パスツール〔一八二二-九五、フランスの化学者、細菌学者。一八八五年、狂犬病ワクチンを開発〕の成功をあげていた。パスツールは、細菌が生きている動物を媒介することで病気は広がるという仮説を立て、それを実証するため、狂犬病を含む病原体を注射した犬を用いた実験を行い、重要な結果を出していた。フレミングは、生体実験という感情的になりがちな問題に対する国民一般の怒りを、パスツールのような科学研究者などへ向けるべきではないと主張し、記事を締めくくっていた。そのときパスツールは、病理学実験のために犬を用いることを禁止されていたのである。

フレミングの書いた記事は、科学者仲間には好意的に受け入れられた。しかし、とりわけバタシー・ホームの委員会メンバーの何人かは不審に思い、火のない所に煙は立たないと考えていた。この記事の件で、コッブやその他大勢の人びとが〈ＲＳＰＣＡ〉へつめかけたのだった。

会議はいつものように進行し、議事録への記載を承認する通常の動議が出されたときだった。コッブが立ち上がると、フレミングを委員会メンバーのリストから除名するための修正案を要求した。つまり、彼の解任を求めたのだ。

その場にいたメンバーの多くは、そのときまでコッブの目的を知らなかった。しかし、言い争いは事前に非公式の会議ではじまっていて、このときコッブは、委員会のメンバーを辞めるようフレミングに頼んでいた。しかしジョン・コラムとメンバーの過半数から支持を得ていたフレミングは、それを断っていた。

皮肉にもその四年前、コッブは、〈ブラウン動物衛生研究所〉〔一八七一年設立、ロンドンの獣医学研究所〕の所長になるようフレミングを説得していた。その理由はまさに、研究所内のメンバーに生体実験賛成派がもぐりこむのを、フレミングが防ぐためであった。ところが今回コッブは、コッブの伝記を書いた作家サリー・ミッチェルによると「延々とののしる」演説をくり広げ、フレミングを攻撃した。

コッブは、パスツールの業績を軽蔑していた。「パスツールの夢みたいな空想は、たいていのものと同様にたちまちはじけとぶでしょう。なぜなら、誤った根拠に基づいているからです」。フレミングがホームの委員会にとどまるとなると、メンバーは「わたしたちのホームが、生体実験学者の犬の補給所になっているかもしれないと、いやになるほど疑われることになる」のだと、コッブは述べた。

会議には妻と出席していたフレミングは、自分が耳にしたことにあきれかえり、席を立って自分の弁護をした。コッブに向かって直接抗議をし、つぎのように発言している。「あなたは、狂犬病を防止するための、まったく痛みのないいくつかの実験よりも、狂犬病という恐ろしい疫病がはびこるほうがよいのでしょう。われわれが守ってやらないかぎり、いつまでも感染してしまう無力な犬たちの病気を鎮圧するために、みなで行動すべきではないでしょうか?」。そしてフレミングは、「本来の意味での生体実験」は認めないと、ふたたびはっきり表明した。ただし、「切開する手術」をしない「ほとんど痛みのない」病理学的な調査についてだけは容認した。さらに、委員会も辞任しないとくり返した。

長く白熱した議論が続き、ふたつに分かれた委員会メンバーの面々が、時間をかけて熱のこもった演説をした。

そういった演説のひとつが、誠意のこもったジョン・コラムのものだった。コラムは、生体実験の汚名からバタシー・ホームを守った最大の功労者だった。ホームの運営にかなり深く関わるようになる前、コラムはホームが行っていた犬の譲渡方法に懸念を抱き、そのことを委員会に伝えていた。「ホームの業務は、かなり混乱していました。非常にいいかげんで、じつは犬の譲渡についても同じでした。なぜかと言うと、譲渡した後に犬たちがどうなったか答えられるホームの人間はおそらくだれもいなかったし、記録もなにも残っていなかったのです」と、彼は後に語っている。

じつは、コラムは、自分が委員会に加わるにあたって、ある条件を出していた。それは「委員会に入る前に、残酷な手術台の上での苦しみから犬を救うため、指示した点を改良すること」だった。そのためコラムは、フレミングが自分の影響力を用いて「管理人を買収するか、強制するかして陰謀に巻きこんで、ホームで実験を行ったり、別のところで実験をするため犬を譲渡するのを黙認したりしている」というコッブの意見は、「フレミング氏の名誉と、委員会メンバー全員の名誉へのあからさまな非難」だと思ったのである。

会議では怒りの炎が、ときに激しく燃えあがった。ジョン・コラムが演説の途中で、コッブはフレミングの発言を曲解していると糾弾すると、コッブは、フレミングよりも自分のほうが会議にはひんぱんに出席していると言いはなった。しかし会議が続くにつれ明らかになったのは、フレミング獣医がホームから生体実験学者に犬を引きわたすよう論じているとは、だれも考えていないということであった。フレミングは、科学者としての見解を書いたのであり、ホームの委員会メンバーとしての意見を表明したのではなかった。

最終的に、コッブの動議は否決された。彼女の反応は、予想通り大げさなものだった。伝記作家ミッチェルによると、腹を立てた「コッブは絶対に意見を曲げようとせず」、そして委員会を辞任した。ホームにとって大きな打撃になったのは、メアリー・ロイドも辞任したことだった。

この会議は、バタシー・ホームの歴史において分岐点となった。生体解剖学者とのつながりは、すべてホームの破滅につながるという、ずっと前から感じられていたことが、裏付けられたのである。こうしてそれからの数年間、ホームから去る犬の行き先はひんぱんに調査されたのだった。

会議が行われた翌年、コラムの「管理と指示のもと」、〈ＲＳＰＣＡ〉の査察官たちが雇われ、より広範囲におよぶ調査をすることになった。コラムは査察官たちに、ホームを去った六十人の人びとの後を追跡させ、その人たちが申告したところへ向かっていたかを確かめさせた。「最近、続けて調査した六十件の事例では、すべての犬が申告通りの場所で見つかったと、ひとまずはっきり言えます」と、コラムは委員会で報告した。

また別の機会に、委員会は探偵をひとり雇うことにした。探偵のライムバーン氏は、特に多数の犬が買われたとき、ホームを去るその犬たちをひそかに追跡し、犬を購入した人びとをロンドン市内と市外で何週間も追いかけたが、問題はなにも見つからなかった。

一八八四年一月、バタシー・ホームの方針を完全に明らかにするため、一連の新しい「内規」が導入された。そこでは、バタシー・ホームで犬または猫を購入した一般市民は、全員が法的な契約書にサインすることが必須事項となっていた。これによって、購入者は「生理学、病理学、毒物学、またその他の目的のための実験を行う目的で、動物が売られてはならない」と、誓約することになる。そして、「住所が病院となっている人物」に対し、絶対に動物を売ってはいけないことになった。この点についてだけは、かっとなりやすいミス・コッブのおかげだと言ってもよいのは確かである。

第6章◆猫——新しい仲間

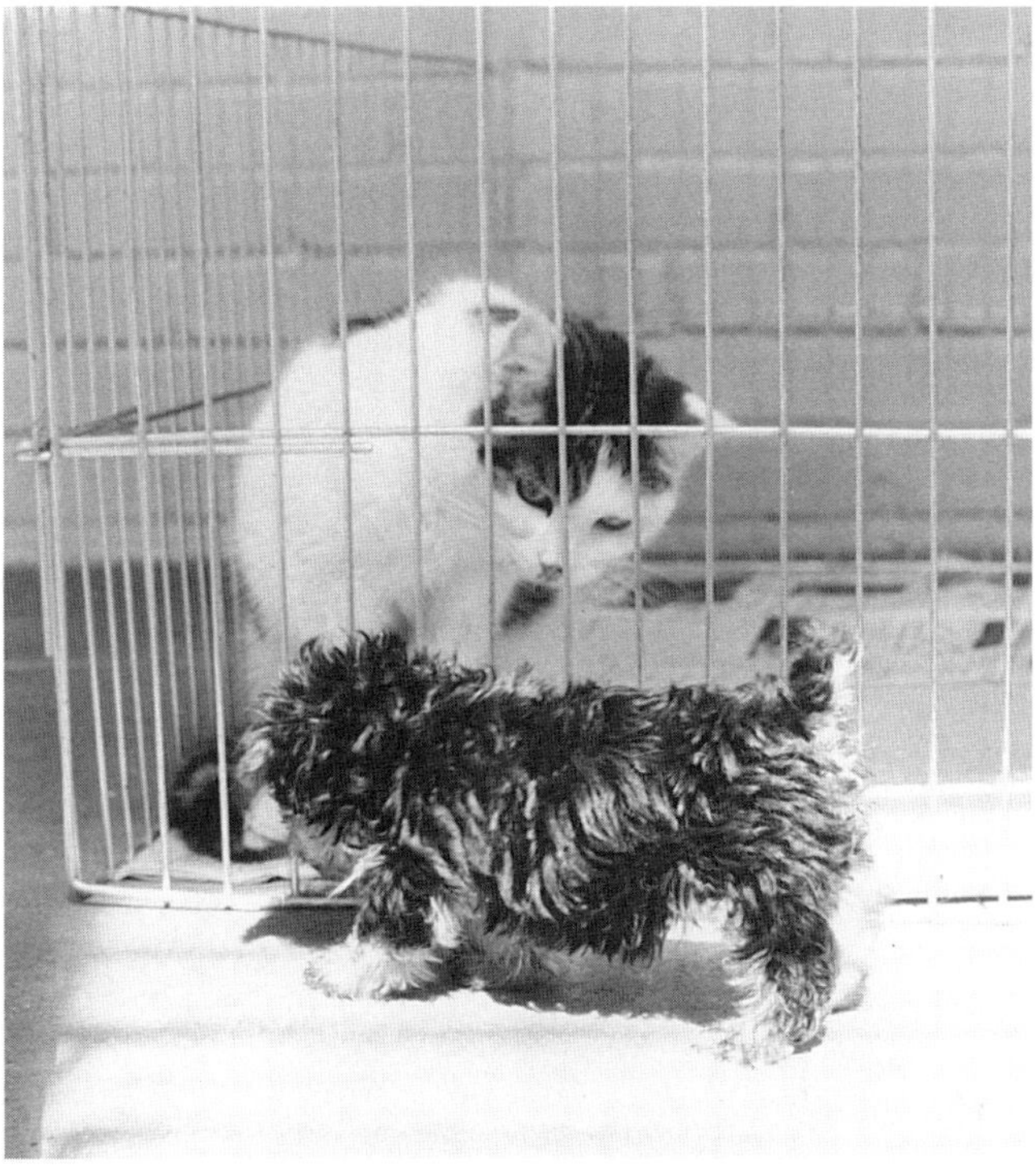

Chapter Six

一八八二年秋、バタシー・ホームに、新しいタイプの人びとが来るようになっていたが、あまり歓迎されなかった。若い男や少年たちがホームの入口あたりをうろうろしだして「馬車の馬を抑えたり、犬舎への道を教えるふりをしたりしようと」やって来ていたのだ。ところがホームを訪問した人びとにとって、ちょっとした仕事をしてチップをもらおうと企むこの集団は「とても迷惑」だった。さらにまずいことに、持ち物がふたつ（ご婦人のマフがひとつ、それに傘が一本）盗まれたと、委員会は報告を受けた。このような迷惑行為の結果、コラム氏は、警官ひとりをホームかその近所に常勤させてほしいという要請を受けたのだった。

とはいえ、通りで暮らす手に負えないある生き物の新たな集団が来たことで、バタシー・ホームはいちだんとよい方向へ変化していった。その年の秋、ロンドンの野良猫たちが、ついにバタシー・ホームの入口を通って迎え入れられたのである。猫は犬と同じく、何世紀にもわたりロンドンの社会の風景の一部となっていた。ずっと前から猫は幸運のシンボルと考えられていて、ロンドンのシティー〔イギリスの商業・金融の中心地、テムズ川北岸のおよそ一・六キロ四方の区域〕には猫の伝説もあった。一番有名なのは、十四世紀のディック・ウィッティントンの物語〔貧しい孤児だった少年が飼い猫のおかげで裕福になり、ロンドン市長になるという伝説。しかし実在した織物商で後にロンドン市長となったウィッティントンと、猫がいつ結びつけられたかは不明〕である。ところが猫は、奇妙な迷信とも結びつけられていた。猫のミイラは新築の建物に幸運をもたらすと信じられていたので、犠牲になった猫が建築の途中で壁の中に入れられることがよくあった。シティー内のもっとも美しい教会のひとつ、セント・マイケル・パターノスター・ロイヤル教会は、ロンドン大火〔一六六六年〕で焼失したが、一六九四年にクリストファー・レン〔一六三二－一七二三、イギリスの建築家、天文学者〕によって再建された。そのとき、一匹の猫が犠牲となり基礎に埋められている。

何百年ものあいだ、たいへんな数の猫がロンドン市内の通りを歩きまわっていて、なかには猫で特に有名になった地域も出てきた。十三世紀、シティーのグレシャム・ストリートは、多数の野良猫が住んでいて、「キャッテストラーテ」や「キャッテストレーテ」など、いろいろな呼び名で知られた場所だった。「猫の通り」として知られていたそのほかの地域は、クラーケンウェル・グリーン〔イズリントン地区〕、セント・ジョージズ・フィールズ〔テムズ川南岸のサザーク地区〕の広場のオベリスク〔古代エジプト風の記念碑〕、ウエスト・エンドのドルリー・レーン劇場〔一六六二年創設〕わきの横道などだった。

ロンドンの猫は、やむをえず夜の生き物として生き、食べ物をあさり、悪さをしていた。ディケンズは、猫の暮らしぶりをロンドン下層の暮らしにたとえ、「都市の猫」について「まだ小さい子どもを、ひとりぼっちで貧民街をうろつかせている。そのいっぽうで自分たちは、通りの角でだらしなくけんかをし、威嚇《いかく》し、ひっかき、うなり声をあげている」〔『無商旅人』（*The Uncommercial Traveller*, 1860）〕と、書き記している。

こうして、ロンドン市民は猫に複雑な思いを抱くようになった。「ベスナルグリーン〔ロンドン東部〕の通りでは、猫が姿を見せれば、必ず捕獲されるか虐待された」と、イースト・エンド〔ロンドン東部、もとは低所得者層の居住区〕の住人のひとりが、社会史学者のチャールズ・ブース〔一八四〇－一九一六、実業家、社会活動家、統計学者〕に語っている。

ところが十九世紀が終わりに近づくにつれ、ふたたび人びとの考え方が大きく変化した。ブースはホワイトチャペル〔ロンドン東部、テムズ川北岸の移民が多い地区〕で、ひとりの娼婦《しょうふ》が通りをぶらつきながら、目にとまったすべての野良猫に、かごから肉を出して与えている姿を見たことがある、と述べている。その娼婦は自分なりのやり方で、かつてのメアリー・ティールビーと同じことをやっていたのだ。バタシー・ホームは、犬と同じく猫も受け入れるかどうか、検討しなければならないときが来ていた。

猫に関しては、犬のときのように、とんとん拍子に話は進まなかった。十九世紀末までに、おおよそ七十五万匹の猫が通りをうろついていて、その大半は危険な健康状態にあった。

ジョン・コラムは、反対派の人びとは、猫を社会の有害生物としてしか扱わないことを、〈ＲＳＰＣＡ〉の事務官としていやというほどわかっていた。コラムは一八六〇年代半ば、〈犬のためのホーム〉を世間に認めてもらおうと苦戦していた頃、マールバラ・ストリートの治安判事たちのもとへ〈ＲＳＰＣＡ〉の職員を派遣し、「猫を虐待した者を裁判所に出頭させるよう」要求したことを思い出した。「理由はおわかりでしょうから、名前は申しませんが、その判事は出頭の必要を認めず、〈ＲＳＰＣＡ〉の職員を通じて、わたしに会いたいと言ってきました」と、コラムは語っている。「そこでわたしは裁判所へ出向き、判事の個室で会いました。すると判事は、この法的手続はいったいどういう意図なのか、そして猫は害獣だと知らないのかと、質問してきました」。

コラムは、裁判に持ちこもうと法律を持ちだし、猫もほかの動物と同様に虐待から守られるべきだと、判事に主張した。しかし、このできごとが明らかにしたのは、多くのひとが抱いていた偏見だった。そのうえ、乗り越えるべき法律上の障害もあった。なにより猫は、「個人の所有物」とみなされていなかったのだ。「犬については救済のための規定が法律で制定されている、と警察は考えていました。しかし猫の場合、わ

ホームにやってきた最初の頃の猫たちを世話していたのは、その多くが裕福で猫好きの女性ボランティアだった。

ホームは猫の受け入れにあたって法律の障害にぶつかった。厳密に言うと猫は、犬と同じように「所有物」ではなかったのだ。

れわれが対処するための法律がありませんでした」と、コラムは一八八一年の会議で語っている。「何千匹もの哀れな猫が、この街の通りや角で見つかります。ですが警察は、猫に対応することはできませんし、個人でもできません。そのため、猫をホームへつれて来るための法的手段がないのです」。

ひとりの裕福な支援者、リチャード・バーロウ・ケネット〔一八〇三‐九〇〕が、コラムの気持ちを変えた立役者のようである。一八八二年九月、バーロウ・ケネットは、ホームの支援者で少し前に亡くなった妻の遺志を尊重し、バタシー・ホームの一員として猫も受け入れるならば、という条件のもと、五〇〇〇ポンドの寄付を申し出た。

十一月十日に行われた臨時会議の場で、「いずれの犬猫も、例外なく、患畜として受け入れないという条件のもと」、犬も猫もバタシー・ホームの一員として受け入れることが決議された。約七〇〇平方メートルのスペースを敷地内に確保し、新しい猫舎と運動場が建てられ、バーロウ・ケネットが礎石を置いた。外の通りに接しているホーム東側の外壁は、約一メートル二十センチ分高くした。とりわけ重要だったのは、ホームが二つの鉄道の高架下スペースを借りたことだった。裏庭に接していた、〈ロンドン・チャタム＆ドーヴァー鉄道〉の高架下スペースを借り、そのうちのひとつを仮の猫舎としたのだった。

猫は犬に比べると、経済的に採算がとれないことをバタシー・ホームは承知していた。そのため、より長持ちする猫舎建設のための寄付を猫好きの人びとに呼びかけようと、募金活動が行われた。少額の支援がぽつぽつと送られてきたが、犬への資金援助の勢いには、はるかにおよばなかった。迷い猫を最初に売りに出したところ、同じようなことが起きた。犬には、引きとりに来たり、新たに譲渡されたりする飼い主たちがいて、支払われる手数料で犬にかかった費用はつねにまかなえていた。しかし猫は、売ったり、新たに飼い主を探したりするのは、ほぼ不可能だと判明した。「返還代金や売却代金などで、猫にかかる費用を抑えるという見こみはまったくない」と、委員会はただちに結論を出した。

バタシー・ホームでかねてから検討していたあることが、ホームへ新たにやって来た存在によって勢いよく動きだした。それは、もっと人道的で効果のある、安楽死の方法だった。委員会メンバーの数名は、シアン化水素を投与して犬を眠らせて殺すという、長いあいだ行われてきた方法に不快感を抱くようになっていた。「この方法によって死ぬ動物を見た者全員は（そしてわたしは、何十匹も見てきたが）、ある事実に衝撃を受けるにちがいない。なぜならシアン化水素がどれだけ即効性があるとしても、投与された動物は命がつきる前に、いつもひどい痙攣に苦しむからだ」と、委員会メンバーのひとり、プリチャード教授は述べている。「痙攣の瞬間に経験する苦痛は、言葉にできないほどつらいものである」。ホームに多くの猫がやって来たため、病気から回復できない、凶暴である、かなりの老齢である、といった動物たちを安楽死させる機会がますます増えてしまい、この問題はただちに最優先の課題となった。

そこでバタシー・ホームは、科学者で発明家のベンジャミン・ウォード・リチャードソン〔一八二八‐九六、イギリスの医師、麻酔医、生理学者、

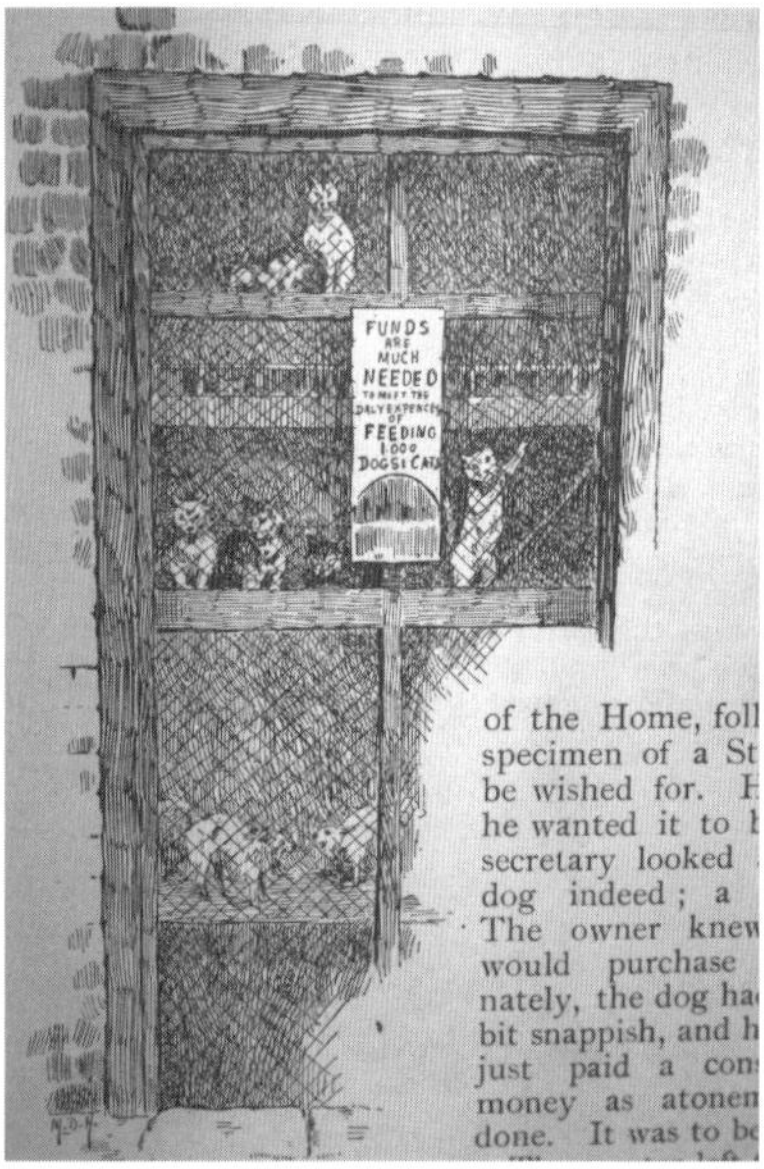
FUNDS ARE MUCH NEEDED
FEEDING
of the Home, foll
specimen of a St
be wished for. H
he wanted it to b
secretary looked
dog indeed; a
The owner knew
would purchase
nately, the dog ha
bit snappish, and h
just paid a cons
money as atonen
done. It was to b

最初の猫舎は、バーロウ・ケネット氏からの500ポンドの寄付で建てられた。

LETHAL CHAMBER
PRIVATE
Waiting Outside the Lethal Chamber
To the left of the lethal chamber is the out-patients' department, where owners can obtain expert treatment for their pets' ailments

できるかぎり人道的に命を終わらせるため、大勢の飼い主が病気で衰弱した犬や猫を、バタシー・ホームへつれてきた。

最初のうち、猫は犬よりも譲渡が難しかった。19世紀末、猫舎はいっぱいになっていた。

衛生学者〕に協力を求めた。ウォード・リチャードソンは十年以上も、動物の安楽死に「麻酔性ガス（一酸化炭素ガス）」を用いることを提唱していて、小さな麻酔室で実験を行っていた。この麻酔室に入ると、犬はたちどころに意識を失い、「まったく痛みのない」死を迎えていた。ウォード・リチャードソンは、当時知られていたほかの方法と比べると、自分の方法は「応用できる点、確実性の点、人道主義的な点すべてにおいて、最先端である」と主張した。そして委員会に、ホームで現在採用されている安楽死の方法に反対する理由をまとめて長いリストを提出した。「道徳と身体的な」問題に加えて、致死性の高いシアン化水素を動物に投与するのは、世話係のやる気をなくさせる危険な仕事だと、彼は危惧していた。

　猫がやって来ると、世話係の仕事の危険性がさらに高まるという、ウォード・リチャードソンの意見に賛同したバタシー・ホームは、つぎのように報告した。「ホームの職員が、猫にシアン化水素を投与する際は、どうしても手や顔にひどい傷を負ってしまうだろう」。そこで委員会メンバーが、麻酔性ガスによる安楽死の方法について新聞紙上で確かめたところ、『ペルメル・ガゼット』紙や『デイリー・テレグラフ』紙では非常に反応がよかった。こうして一八八三年、安楽死施設の建設がはじまると、ウォード・リチャードソンは、すべての動物にとってこの方法が可能な限り迅速で苦痛のないものにしようと、みずから現場を監督した。一八八四年五月、最初の運用試験が行われ、すぐにホーム公認の安楽死の方法として採用された。残念で悲しいことだが、必要だとして容認されたこの方法は、ヴィクトリア朝を通じて、そしてその後も、バタシー・ホームで実施され続けた。

ホームが新しい時代を迎えつつあるなか、ホームの設立初期の困難な時代に、おそらくほかのだれよりも先頭に立って舵取りをしていた男性に別れを告げることになった。ジェームズ・パヴィットの健康は、何か月かのあいだに衰えてきていた。パヴィットが、体力的にも精神的にも業務をこなせるかどうか、疑問の声があがった。コラムが「イギリスで一番の犬の医者」と呼んだパヴィットは、一八八二年五月に行われたコラム司会の小委員会に呼ばれ、引退後の年金について話し合うことになった。しかし、パヴィットは引退を拒んだ。自分の判断力は衰えていないし、唯一の身体的な問題は「右肘関節のこわばり」で、これは「四、五年ほど前、力の強い犬からペンをとり戻そうとして、関節をねじられたのが原因」だと言った。ホームのメンバーからは、パヴィットが犬の食事に変更を加えた件について質問を受け、パヴィットや彼の部下たちが「心づけ」をもらっていないかどうか、確かめられた。

公の場で自分の職権を念入りに調べられ、パヴィットは明らかに腹を立てていた。委員会は、年金について交渉を進めようとしたが、話し合いをはじめる前にパヴィットは病にたおれ、一八八三年十月に亡くなった。委員会は彼の訃報をつぎのように記録した。「言うまでもないが、ホームは、犬の世話について他に類を見ない知識をもってホームに多大な貢献をし、長年勤めてくれた者を失った」。

パヴィットの妻は、それから数週間後に「ほかに職を得た」とホームを辞めた。しかし義理の息子で、パヴィットの助手を十年間勤めていたジョージ・タッグが、世話係として昇進した。

バタシー・ホームの管理事務所にも、改革の風が吹いていた。一八七七年にジェームズ・ジョンソンが亡くなると、代わりに管財人となったのは、〈RSPCA〉の前所長トーマス・スコーボリオだった。ところがホームで六年間勤めた後、高齢になったスコーボリオは、なんらかの疑惑を受け自分の引退を申し出た。その年、委員会は一連の新しい内規を導入した。それには「聡明で、実務に携わり、なにより情け深く、すぐれた指揮官」が必要だった。スコーボリオが、そういった人物ではないとみなされた理由は、はっきりしていない。彼の役目は、管財人(現在の事務局長)の役目についていたチャールズ・コラムが引き継いだ。ジョン・コラムの息子、兄のチャールズと弟のマティアスは、ふたりともホームの運営に関わっていた。チャールズ・コラムは、「聡明な人物であるだけではなく、犬の性質を心得ていて、犬の望むものを具体的に理解できる」人物だと、委員会で紹介された。チャールズは苦難に満ちる恐れのある時代に、ホームの舵取りをしなければならなかった。そして誰もが予想できないくらい、かなり困難な時代を迎えるのだった。

第7章◆人間の真の友

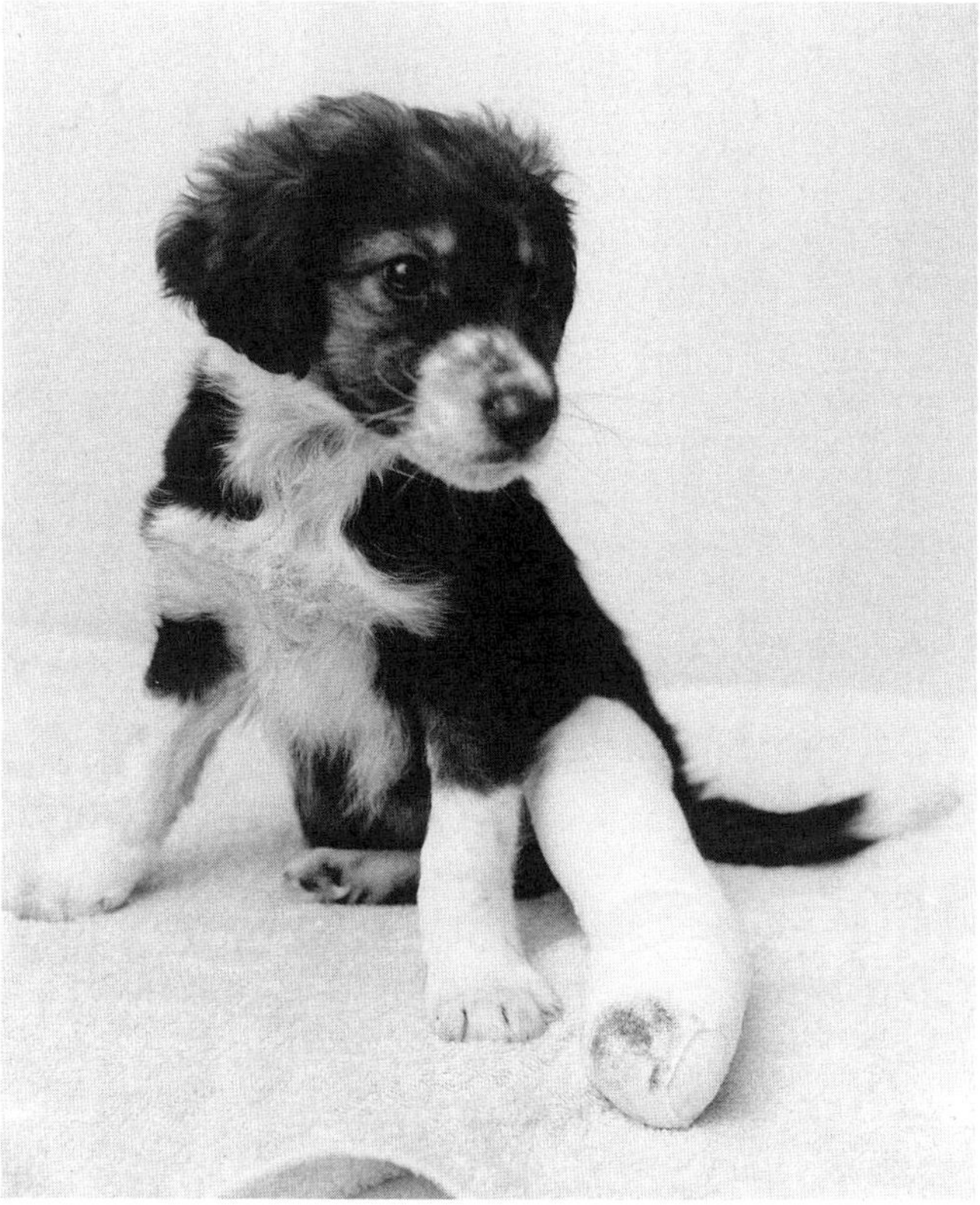

Chapter Seven

一八六〇年の創設から二十五年間、ホームに狂犬病の犬はほとんどいなかったことを、バタシー・ホームは誇りに思っていた。しかし、パスツールが科学を飛躍的に発展させても、十九世紀末は「恐水病〔狂犬病の別名〕」という悩みの種が、いまだに犬たちのあいだに残っていた。ホームが受け入れに応じていた狂犬病の犬は、通常一年に十数匹だった。ところが一八八五年、その数は急激に増え、一月から四月のあいだに、ホームで十二匹の犬が狂犬病と診断された。委員会はこの事態にただちに対応することにし、新しい措置をいくつか講じた。

まず、売りに出される犬は、これまでの三日間ではなく、五日間はホームに留め置くことになった。そして感染した犬を隔離するため、新しく一時的な犬舎をふたつ作ることも決まった。しかしこれらの措置では、大きな効果は見られなかった。バタシー・ホームでは、五月から八月にかけて二十三匹の狂犬病の犬を受け入れ、九月から十二月にかけてさらに二十五匹がやって来て、十二月だけで十匹の受け入れだった。その結果は、目に見えていた。

狂犬病の犬の数が急増したのは、ホームへ来る犬が増えていた点を考えれば、おそらくそれほど驚くことではなかった。以前と同じように通りに捨てられた膨大な数の迷い犬の多くは、虐待を受け、殺されることもあった。パニックが起きつつあり、バタシー・ホームは、またも攻撃の矢面に立たされていた。

新しい法律によって、ロンドン警視庁はインナー・ロンドン〔シティーとそれに隣接する十三の自治区からなるロンドンの中心部〕地区だけではなく、その外の地区からも、ホームに犬をつれて来ることになり、その範囲は合わせて約一八一三平方メートルとなった。こうして一八八五年の終わりには、ホームは前年より一〇八〇六匹増加した、これまでで一番多い二五五七八匹を受け入れた。

狂犬病の犬の数が増えたため、あらゆる問題が起きた。膨大な作業に対処するため、臨時のスタッフを雇わなければならず、特に安楽死の業務では、毎日のように多くの犬を殺処分していた。

狂犬病が流行すると、バタシー・ホームは、きまって、ほかからも攻撃されやすくなった。ベッドフォード〔イングランド中南東部の州都〕に住むある女性が、バタシー・ホームで買った犬が、彼女が見たところ狂犬病になったと手紙で苦情を言ってきた。その犬はひとを噛む前に、銃で殺されてしまった。ホームに甚大な被害をもたらしかねない訴訟を心配し、ホームのシューエル名誉獣医師〔アルフレッド・シューエル。ロンドンのエリザベス・ストリート動物クリニック（ESVC、一八一三年に開業、イギリスでもっとも古い動物診療所）の獣医師、狂犬病の専門家。バタシー・ホームなどで無償の治療をした〕にこの件の調査を依頼した。その犬はジステンパーにかかっていたと判明し、全員が胸をなでおろした。

十一月になり、T・S・プライス氏という人物が、『タイムズ』紙あてに説得力のある手紙を書いた。バタシー・ホームを訪問したときに目にした光景を説明し、犬でいっぱいのホームの状況では「狂犬病は予防どころか、むしろ拡散するだろう」と述べたのだ。チャールズ・コラムは、断固として否定する手紙を送り、ホームが狂犬病予防のためにとっている手段を列挙し、そのうえで急遽対応している追加の業務についても説明した。しかし、二十五年かけて闘って地位を築いてきても、バタシー・ホームは世間から受け入れられていないのだ、という雰囲気がホーム内にふたたび漂っていた。

ありがたいことに、ある人物は、それとはまったく逆のことを考えていた。

イギリス王室は、一八七九年からバタシー・ホームに関心を抱いていた。その年、後にエドワード七世〔一八四一―一九一〇、ヴィクトリア女王の長男、在位一九〇一―一〇〕となる皇太子が、ベルギー女王といっしょにホームを訪問した。ふたりは見学したホームの状態や、そこでの業務に感心して立ち去った。

一八八四年、ヴィクトリア女王の末息子、オールバニー公爵〔一八五三―八四〕がバタシー・ホームを視察した。この頃には、ホーム施設内のあらゆるところが改善され、委員会用の会議室や、事務局長用の住宅もあった。オールバニー公は、ホームの活動にたいへん感心し、フォックス・テリアを一匹買うと、自分の馬車に乗せてつれ帰った。その年の四月、皇太子とオールバニー公は、ホームの支援者となった。

ヴィクトリア女王は幼い頃から犬好きで、広大な住まいには、あちこちにお気に入りのペットたちの記念碑があった。ウィンザー城の敷地内には、女王がアルバート公〔一八一九―六一〕と結婚してすぐに手に入れたダックスフント、デッケルのための、ひときわ立派な記念碑があった。墓の銘には、こう書かれている。「デッケルここに眠る、ヴィクトリア女王の忠実なジャーマン・ダックスフント、一八四五年にコーブルク〔ドイツ中東部〕より女王がつれ来る。一八五九年八月一〇日、死去。享年十五歳」。ボーイという名のもう一匹のダックスフントは、それから三年後の一八六二年に死んでいるようだ。

机のところで、飼い犬のダックスフントの一匹（おそらくウォルディ）といっしょに写真に撮られたヴィクトリア女王、1865年頃

どうやら女王は、バタシー・ホームが、殺到する犬たちに対応している、というニュースを、熱心に追いかけていたようである。女王はホームの姿勢に賛同し、救いの手を差しのべたいと考えていた。しかしその前に、王室スタッフのなかで一番信用していた人物に、ホームについて報告してもらうことにした。

一八八五年十二月頃、女王は自分の個人秘書、ヘンリー・ポンソンビー卿〔一八二五－九五〕をバタシー・ホームへ向かわせた。ポンソンビー卿は、合計二回バタシーまで足を運び、犬たちが「居心地のよい寝床で暮らしていて、十分な世話を受け、犬舎と運動場が非常に清潔に保たれている」のを見て、満足した。彼の前向きな意見で、すぐに結果が出た。

同年十二月十六日、バッキンガム宮殿の国王手許金〔国王の個人的用途にあてる金〕管理事務局から、チャールズ・コラムが受け取った手紙には、十ポンドの寄付金が添えられていた。これが、ホームに対する女王の最初の行動であり、バタシー・ホームが待ち望んでいた後援だった。しかも、さらにすばらしいことが起きた。

ヴィクトリア女王は、ワイト島〔イギリス南部の港町ポーツマスの対岸にある島〕にある別荘のオズボーン・ハウスで、家族とクリスマスを過ごした。その滞在から三日後、ポンソンビー卿は、ホームの長官であるオンズロー卿〔一八五三－一九一一、第四代伯爵、政治家〕宛てに手紙を書き、女王が今後「毎年十ポンドをバタシー・ホームに寄付する」ことを約束した。

その当時、このことを誰より喜んだのは、委員会の委員長をしていたジョージ・ミーザム〔一八一八－一九〇一〕だった。

ミーザムは才能にあふれた人物で、イギリス国内の鉄道時刻表を本にしてつぎつぎと出版し、財を築いていた。その後は、継続的に支払われる印税で生活しながら、少年向けの冒険物語の執筆と、さまざまな組織での議長職に、熱心に打ちこんでいた。そのなかには、〈ＲＳＰＣＡ〉、がん病院〔一八五一年設立、世界初のがん研究と治療専門の病院。現ロイヤル・マーズデン病院〕、そしてバタシー・ホームが含まれていた。

当然、慈善事業でも、ミーザムは有名だった。約一〇〇年後の世界でなら、彼は別名「ネットワーク作りの達人」として知られていたかもしれない。そんなミーザムはあるとき、スコットランドで散歩中にコリーをつれた女性とすれちがった様子を語っている。その女性を会話に引きこんだあと、ミーザムはバタシー・ホームの年次報告書最新号を手わたした。「出かけるときは、ホームの年次報告書をポケットに二、三冊、必ず入れています」と、ミーザムは認めている。そんな彼のやり方は、成果をあげた。「二年たってから、ホームはその女性の遺言執行人より二〇〇ポンドを受け取りました」と、ミーザムは報告している。

ミーザムは話し好きで、いきいきと語るので、委員会での挨拶は壮大で楽しいものになることが多く、新聞から切り抜いてきた詩や、自作の詩を披露することもあった。たとえば、つぎのような作品である。

ぼくはただの不格好な犬
住んでいるところは通りで
くたびれた泥だらけの足で

歩道をとっとこ歩いてゆく
でなきゃ、すみで小さくなって
いばって通り過ぎる、きらきらした犬をうらやむ
きれいでシャラシャラした首輪をつけて
うぬぼれた目をした犬を

そのうえミーザムは、感情的になると調子にのることがあり、この弱点は、ヴィクトリア女王の決断を発表したときに明らかになった。「たいへん慈悲深い女王陛下は、今回寄付をしてくださっただけでなく、ご親切にも毎年十ポンドの支援者の一覧に、ご自身の御名を加えてくださりました」と、ミーザムが述べると、記録によると「盛大な歓声」が起こった。この拍手を合図に、ミーザムは君主を熱くほめたたえはじめた。

聞くところによりますと、正義の腕は、不届き者をつかめる十分な長さがあるそうです。われらの敬愛する女王陛下のお心は、それがひとであれ動物であれ、そのお心に触れた苦しむ者すべてへと向かうのであります。

話がつきない。話好きなミーザム卿が司会を務める、1880年代のホームの委員会の様子を描いたイラストのひとつ。

この国における女王陛下のお気持ちやお心に関わることを口にしないのは、とうてい不可能であります。陛下のやさしさを伝えるできごとが、毎日新しく生まれています。陛下のやさしさは国民だけではなく、陛下の御威光が届く範囲では、イギリス国内のすべての生き物にも及んでいるのであります。

ミーザムの王室に対する熱い気持ちが、バタシー・ホームとそして彼自身のための、女王へのご機嫌取りだったかどうかは、わかっていない。おそらく、そうではないだろう。しかしバタシー・ホームが、女王からの寄付に続いて、女王がホームの公式の後援者になる意志があるかどうか、手紙でポンソンビー卿にたずねたとき、広く伝わっていたこのミーザムの言葉は問題にならなかったはずである。まもなくして、ホームはその歴史で、もっとも重要な文書のひとつを受け取った。「もちろんです。女王陛下ほど犬を愛するかたはおられませんし、犬がもっと快適に幸せに暮らせるよう、強く願っていらっしゃいます。犬は人間の真の友です」という返事が送られてきて、重要な言葉のいくつかには王室のペンで下線が引かれていた。

ヴィクトリア女王が後援者になった重要性は、どれほど語っても語りつくせない。これによってバタシー・ホームは、長年待ち望んでいた、王室の紋章つきの許可証を手に入れ、おまけに、ホームを誹謗中傷する者たちに致命的な一撃を加えることができた。

やがてヴィクトリア女王は、やる気に満ちた支援者だとわかった。女王の支援を受けているほかの団体はよくよくわかっていたように、女王はいったん関わると、黙って見ているタイプではなかったのだ。

『ニューヨーク・タイムズ』紙の記者は、「女王をよく知っている」前閣僚の言葉を引用して、つぎのような内容を明らかにしたことがあった。ヴィクトリア女王は「なにより生体実験に猛反対していた」。その閣僚が言うには、生体実験反対の団体が、一般の人びと向けの宣伝活動をなかなか進められないでいると、その団体の貴族の委員長のところに、もっと努力するように、と活を入れる手紙が、女王から来たそうである。こうして女王は、ほどなくして「バタシー・ドッグズ・ホームに強い関心」を持ったのだった。

やがて、ジョージ・ミーザムと委員会あてに、ひんぱんに手紙が送られてきた。一八八六年三月、ミーザムは女王の関心に対してつぎのような返事を送った。「最近の狂犬病の流行によってひき起こされた不安な時期に、女王陛下から寄せられた思いやりに、委員会は心より感謝いたします。こちらの財政や物資の状況について、陛下がお問い合わせくださったことで、お気持ちは十分に感じております」。

運よく、バタシー・ホームとは別のところで、女王の心を悩ませる問題が同時に起きた。一八八六年五月、のちに大きな議論を巻き起こす事件がロンドンのベイカー・ストリートで起き、女王はひどく腹を立てていたのだ。あるときミス・レヴェルという女性が自宅のドアを開けたところ、ふたりの警官が一匹の犬を警棒で殴っているところに遭遇した。ミス・レヴェルは、殴られているそのスパニエルにすぐに気づいた。そしてその日の早い時間に、そのスパニエルが隣の家にいるところを見ていたので、そう警官たちに伝えた。ところが警官たちは、その犬が「狂っている」ので対処が必要だと頑固に言いはり、自分の家に犬をつれて帰ると言うミス・レヴェルを無視した。すると彼女は家に入って水差しに水をくんで来て、警官たちに水を浴びせかけたのだが、警告を受け、罰金をとられた。

警官たちが犬を殴り続けていると、むごたらしい見世物を見ようと大勢のひとが集まり、ひとりの少年は、その場から立ち去った。犬への暴行は四十五分間続き、やがて血まみれでぼろぼろになった犬は、水売りの車に紐で結びつけられ、「警察署で始末をつけるため」につれて行かれた。犬の死体は、最終的にバタシー・ホームへと運ばれた。

ミス・レヴェルは警官に水をかけたせいで罰金を科されたが、『スペクテイター』誌に彼女の手紙が掲載されると、国民感情は高ぶった。一八八六年五月、ヴィクトリア女王は、ポンソンビー卿あてに手紙を書いた。「昨晩、(記事を)読みました……犬や、無秩序について。心の底から、このように横暴で残酷な行いに異議を申し立てます……」。それから女王は、ポンソンビー卿を通して文書を出した。それはミス・レヴェルの手紙に応えていて、女王の感じた恐怖や怒りを表明していた。

女王陛下は、新聞にひんぱんに取り上げられる、物言わぬ生き物へ与えられる残虐な行為、とりわけ「人間の真の友」である犬に対しての残虐行為に対して感じた恐怖を、十分にお言葉にできません。陛下はわたしを通し、貴女の手紙を内務大臣へ送るように望まれました。そして貴女が女王陛下にお伝えした事件のいきさつについて、大臣に調査するよう要請されました。

ヴィクトリア女王は、『スペクテイター』誌に載っていた暴行事件の説明にひどく恐怖を感じ、本格的な調査を命じた。ロンドン警視庁のウォレン警視総監は、内務大臣から事件についての説明を求められると、自分の部下たちの行動を断固として擁護した。そして、ミス・レヴェルの手紙は「虚偽の供述と誇張に満ちている」と言い、さらに今回の件の責任をバタシー・ホームになすりつけようとした。「ホームの事務局長が、その犬を調べていなかったため、警官たちがその犬は狂犬病だとみなして、対応にあたることになりました」。そのうえ、一般市民が興奮して騒いでいた点についても非難した。

犬は、一日のうちあるときは健康かもしれないが、別のときは危険な状態かもしれません。この二十日間で、飼い主につれられた二匹の犬がいきなり狂いはじめ、飼い主が警官に犬の殺害を依頼する事例を二件扱いました。そしてこの二十五日間で、通りで五十六匹の犬が殺されました。そのうち十六匹は狂犬病で、残りのほとんどが癲癇を患っていて、市民にとって危ない状態でした。

ウォレン警視総監は、「犬を殺した警官に害を与え、傷つけようとするかなりの数の市民の行動には、強い敵意」がみられた、と述べている。

女王は、この事件の調査をそれ以上は続けなかった。しかし報道機関は、ウォレン警視総監がそれからまもなくして辞任するまで、しつこくプレッシャーを与えつづけた。

この頃バタシー・ホームには、ますます多くの猫がやって来ていた。一八八八年には、前年よりも六十六匹増え、三四三匹の猫がバタシー・ホームへ来た。そのうちの一一二匹は預かりで、一九八匹が迷い猫で、二十三匹がガス室で安楽死となる予定だった。そのいっぽうで新しい仲間たちは、すっかりおなじみの問題もいっしょに持ちこんできた。

その年、猫への虐待事件に対する裁判が、サリー州〔イギリス南東部〕ギルフォード市の治安判事裁判所で開かれ、バタシー・ホームは衝撃を受けた。マコーネルという男が、何十匹もいる飼い猫のうち三匹に、非常に残酷な行為をした罪で有罪判決となったのだ。裁判の過程で、マコーネルが自分の猫をバタシー・ホームから入手したことが明らかになった。調査が行われ、マティアス・コラムが責任を問われた。マコーネルが十匹以上の猫を売るようにスタッフを説きふせたとき、マティアスはジャーミン・ストリートで委員会の会議に参加していて不在だったのだ。そこでマティアスは新しい規則を設け、「猫を引きとる目的に少しでも疑わしいところが」あった場合、マティアスがホームにいないときに猫を売ることはできなくなった。

大勢の飼い主が、年老いて衰弱した飼い猫をホームで安楽死させようとつれて来ていたという点は、バタシー・ホームが導入した人道的な安楽死の方法が、社会的に受け入れられたことを実証していた。時代が生んだすばらしく人道的な発明のひとつだと、一般的に評価されていたのである。安楽死が容認されたのは、ある意味では、ホームが隠し立てをしないおかげだった。ホームの一般会員は、「好奇心を満たす」ためか、もしくは「ショッキングな見世物好き」ではないという条件で、安楽死用ガス室が使用される様子の見学を許可されていた。

安楽死用ガス室のおかげで、ウォード・リチャードソンはちょっとした有名人になっていて、さらに改良を重ね、警察用のガス室も発明していた。一八八九年の年次総会に出席したおり、リチャードソンは温かく迎えられた。「この発明の成功には、ほんとうに満足しております。みなさまや、一般の方々から、この安楽死の方法の導入につきまして、くり返しお礼の言葉を受けました」。そして安楽死のことを、「どんなひとであろうと、これまで想像したことがないくらい平和に満ちた終わり方であり、たいへん慈悲深い死」と呼んでいる。

一八八九年にバタシー・ホームで五件の狂犬病が不意に発生したとき、ただちに診断され、安楽死となったことは無視できなかった。人びとに少しずつ広がり続けている狂犬病の恐怖から判断して、リチャードソンは安楽死用ガス室の評価を最大限高めることが、ホームにとって大切だと考えたのだ。「狂犬病の犬たちを、通りからバタシー・ホームへ移動させることで生じる恩恵の大きさは、計りしれないものがあります。あの五匹の犬が、通りをそのままうろついていたら、少なくとも五十匹の犬に感染させていた可能性が強いと思われます。それによって狂犬病の毒素は、多くの町で驚くべき範囲で広がったでしょうし、猛威をふるうあいだに、おそらく多くの人間の命も失われたでしょう」。

安楽死用ガス室についてのニュースは、世間に広く知れわたり、遠く離れたフランス、ドイツ、イタリア、インド、南アメリカから熱心な問い合わせがあった。安楽死は革命的で、非常に建設的な進歩だという評判だったが、それが注目を集めて世間の関心をひくことで、その当時バタシー・ホームが取り組んでいたもっと重要な仕事の成果が、かすんでしまうおそれがあった。多くの犬が、もとの飼い主のところへ戻ったり、よい家庭へ売られたりしていたのである。いっぽうで、たとえば一八八七年、ホームにいる犬の全体のわずか二十五パーセント以下が「生きながらえ、ひとの役に立つ一生を最後まで送った」と、ジョン・コラムは年次総会で述べている。そしてこの統計の裏を返せば、七十五パーセントの犬がホームから出ることはなかったことを、彼は痛いほどわかっていた。しかしコラムは、七十五パーセントの犬の死を、その年、一三〇〇〇匹の犬が通りから一掃されたという単純な実例をあげることで正当化した。

もしもあの犬たちが通りに残っていたら、どうなっていたでしょうか？　そもそも、どうして一三〇〇〇もの、あらゆる苦しみがあったのでしょうか……言い表せないほどみじめで、ひどく苦労している犬たちは、残酷な者や思いやりのない者から、何度も蹴られ、殴られることがよくあります。

しかしこの狂犬病の流行の規模を正確に見積もれば、何千匹もの迷い犬が、たちまち倍増するだろうということを心にとめておく必要があります。そのため、ほどなく……一三〇〇〇万匹ではなく、十三万匹の餓えた犬が、大都市ロンドンの通りじゅうにきっと見られるようになるでしょう。犬たちは不幸な存在であるだけではなく、一般市民に危険をもたらす恐れがあるのです。

この報告は大きな拍手で迎えられた。そのつぎに、ジョン・コラムは観衆に向かって、一八八七年の狂犬病発症は二例しかなかったと言って、こう続けた。

バタシー・ホームへつれて来られた一三〇〇〇匹の犬が、通りにそのまま残っていたら、狂犬病の流行のときになにが起きていたか。ほんの少しのあいだ、考えてみましょう。近年の狂犬病の流行についての記録は、本日われわれがみなさんに紹介した記録と、かなり異なります。

仮に、ホームがやってきた仕事が警察に任されていたとしたら、慈悲に満ちた最期を迎えさせることができる安楽死用ガス室も、火葬場もなかったと思います。犬たちは大きな桶で溺死させられたでしょう。水がしだいに必要な水位まで上がってから溺死するか、または頭部を何度も打ちたたかれるのです。あるいは毒物を使って駆除されたかもしれません。これらの方法はすべて、ほかの都市の警察で採用されているものです。

コラムは、感情にふりまわされない、現実主義者だった。そして、とるべき道がわかっていた。

バタシー・ホームにはつらい重責が絶え間なく課され、多くの動物の安楽死を引き受けるだけではなく、さらにその死体の処分もしなければならなかった。何年ものあいだ、犬の死体はロンドン北部エンフィールド区の農園に運ばれ、そこに埋められていた。ところが一八八六年、その契約はいきなり打ち切りとなった。

当初、バタシー・ホームは打ち切りに抵抗しようとしたが、ジョン・コラムは悪い前兆を感じていた。「われわれが処分しなければならないような、大量の動物の死体を受け入れる場所を探すのは簡単ではありません。穴を掘って、そこに埋めるわけにもゆかないのです。それに犬用の墓地はありません」と、コラムは委員会に忠告し、唯一の代替案は火葬であるとつけ加えた。

こうして話はまとまり、一八八六年六月、小さな火葬場の建築の「準備を進める」という合意に達した。ニール氏という建設業者が、六二四ポンドで契約を請け負った。ホームはすぐに火葬場建設のための募金を呼びかけたものの、集まったのは二四五ポンドだけだった。するとありがたいことに、バーロウ・ケネット氏がまたもホームを助けてくれた。亡き妻から委託された遺産の一〇〇〇ポンドを、ホームに貸し付けたのだ。こうしてその年末までに、火葬場は完成した。

これまでヴィクトリア女王は、バタシー・ホームのできごとにずっと関心を寄せていたので、どこまでも世間知らずな委員会は、ホームが火葬場の建設を決定した話を女王に伝えることにした。女王は、これをあまり喜ばなかった。ポンソンビー卿は、女王陛下はそのアイデアに反対である、とそっけなく返事に書いてきた。その日のうちにホームに届いた二通目の手紙には、犬の死体の上に生石灰をまいて処置してはどうか、という女王からの提案があった。

チャールズ・コラムは長い返事を書き、十分な広さのある、埋葬用の土地を探すのが困難であると説明し、また言うまでもなく費用の面でも難しいと述べた。女王からの返事は、またも短いものだった。自分の意見は変わらないと知らせ、ホームの計画を変えることができないのなら、新しい火葬場への資金援助はできないとのことだった。

それからというもの、バタシー・ホームは、ヴィクトリア女王へ、もっと慎重に接するようにしたのだった。

第8章◆所有物としての犬

Chapter Eight

ヴィクトリア女王が後援者になると、バタシー・ホームの財政にすぐに影響が表れた。女王が支援するということは、ロンドンじゅうの上流階級がそれに続くことを意味していた。一八八八年、初代ウエストミンスター公爵〔一八二五―九九〕は、資金集めの担当者たちの一団が豪華な演奏会を開くときに、パーク・レーン〔ロンドン中央部、富裕層が多く住んだ住宅地区〕の自邸グローヴナー・ハウスを無料で開放した。

貴族や政治家たちは、この演奏会でエレン・テリー〔一八四七―一九二八〕やフェイ・ランケスター〔詳細不明〕といった女優たちと出会い、寄付は四二〇ポンド〔現在の約三五〇〇〇ポンド〕集まった。そのあとすぐに、有名な動物画家ジェームズ・イェイツ・キャリントン〔一八五七―九二〕が、『ペルメル・ガゼット』紙〔一八六五年創刊の日刊紙、休刊をはさんで一九二三年廃刊〕に載った心温まる記事に合わせた絵を描き、それを寄付した。キャリントンの絵はかなり人気で、三六〇ポンドの値がついた。その頃、遺産贈与された資金と合わせると、ふたつの募金イベントによる収益で、バタシー・ホームは〈RSPCA〉に支払い期限を延長してもらった一〇〇〇ポンドの借金を、五年早く完済することができた。

やがて、社交界でバタシー・ホームが注目されるようになったのは、一時的な流行ではないことがはっきりしてきた。翌年一八八九年、エレン・テリーは、ライシーアム劇場〔ロンドン、ストランド街のはずれにあった劇場、一七七一年建設〕で『モンテ・カルロ』という演劇を皇太子の御前で上演した。以前と同じく、人気スターたちが「無償で」公演に参加し、収益はホームへわたった。そのほかにもこの後何年も催しが続き、ホーム待望の資金をさらに調達できたのだった。

人気歌手C・ヘイデン・コフィン〔一八六二―一九三五〕は、よくサインを頼まれるので、一枚のカードを用意していた。

それには、「三つの慈善団体のうちの、どこかひとつを受取人にした郵便為替の受領書にかぎってサインします」と書いてあった。その慈善団体のひとつが、〈迷い犬のためのホーム〉だった。コフィンのサインによって、「かなりの金額」がホームに集まったらしい。

ところがヴィクトリア女王が後援者になったとたん、広く一般市民からの遺贈や寄付が減少してしまった。一八八六年、バタシー・ホームの歴史上はじめて、つぎのように報告された。これまで「善意あふれる亡き友たちから、たいへん恩を受けてきました……この一年、そのような恩人はあいにく現れませんでした」。これにはふたつの理由が考えられる。ひとつは、ヴィクトリア女王による後援によって、バタシー・ホームの将来は安泰だと考えられたからである。もうひとつは、これまでで最高額となる一〇〇〇ポンドという驚くべき額を遺産贈与されたらしい、という悪意に満ちたある新聞記事が、あらゆる報道機関に広まってしまったことである。その結果ホームは、この記事を公的に否定することにした。「あの新聞記事の主張は、正しくありません。根拠はまったくなく、国じゅうに広まっているこの作り話が何度も報道されるせいで、ホームへ資金が贈られなくなっているのです」と、苦境を訴えた。

こうして、ほんとうに最悪のタイミングで、寄付金と遺産贈与が急に減ってしまったのだった。その結果バタシー・ホームは、火葬場の費用をまかなうため、ふたつの融資を受けなければならなかった。バタシーの地へ移転してからはじめて、ホームは二〇〇〇ポンドという多額の借金をした。「このように高額な費用になってしまったのは非常に心苦しいのですが、どうすればよかったのでしょうか?」とホームの長官、オンズロー伯爵は残念がった。

上流社会はホームのことを喜んで受け入れていたかもしれないが、バタシー・ホームが法的に正当な地位を得たことを快く思わない者たちも、いまだに存在していた。ロンドンの裁判所に、ホームの活動に対する異議が申し立てられるのは珍しくなかった。一八八七年四月、リチャード・ヨーワードという男が、クラパム〔ロンドン南部の地区〕近くに住む家族のために犬を飼おうと、ホームへやって来た。そして、黒とこげ茶色の毛の一頭の元気なコリーをすぐに気に入った。十日前にロンドン北部のホロウェイ・ロードをうろついていたところを、保護された犬だった。

ヨーワードはこの犬に十五シリング〔現在の約六十二ポンド〕支払い、その日のうちに家へとつれ帰った。過去に脱走したことがあると知っていたので、ヨーワード家は、コリーの首輪につけた金属製の名札にさっそく「クラパム、エルムス・パーク、アベヴィル・ロード五番」と、住所を記入した。ヨーワード家での最初の四か月間で、コリーは三回脱走したが、首輪につけた住所のおかげで毎回無事に戻ってきていた。七月十八日の午後、コリーが四回目の脱走をすると、ヨーワード家はついに運に見放された。それから三日後、ウィリアム・マナーズという男が一家を訪ねて来た。

マナーズは、このコリーはあいにく自分の犬で、四月からずっと探していたのだと申し出た。そして、犬は自分が飼うつもりだと告げに、ヨーワード家を訪問したのだった。ひどく腹を立てたヨーワードは、ロンドン橋近くのバラ地区にあるマナーズの家に行ったが、コリーを取り戻すことはできなかった。この件をなんとしても訴えようと決めたヨーワードは、「犬を拘束した」マナーズに対して召喚状を申請した。この件はサザーク地区治安判事裁判所で審理が行われたが、棄却された。治安判事は、犬は「個人の所有物」ではないと判定したので、ヨーワードにはコリーの所有権を主張する権利がなかったのだ。

この裁定はバタシー・ホームにたいへんなショックを与え、何年ものあいだずっと頭を痛めていた、「ホームが犬を合法的に売ることができる権利」という問題を明らかにした。バタシー・ホームには、ロンドン警視庁との合意のもとで委任された権限があるにはあったが、三日以上ホームで世話をした迷い犬の所有権を、ホームが主張する権利があるのかと、疑問を抱く者もいまだに存在していたのだ。法律がどのように適用されるかわからないという状況のせいで、ホームの立場は不利になった。

バタシー・ホームが世話をする犬の所有権について、最初に法的な異議申し立てがあったのは一八七九年だった。ある男が、地元のランベス地区有給治安判事裁判所にホームを訴えたのだ。その男は自分の飼い犬を見失い、三日以内にホームへ行かず犬を引きとりそびれると、ホームには世話をする犬の所有権はなく、自分の犬を売る権利はない、と主張してきた。治安判事は、男の訴えを棄却し、つぎの判決を述べた。

ロンドン市街の交通の規制(the Metropolitan Streets' Traffic Act)によると、警察には、通りをうろつく犬を捕獲し、三日間保護するなんらかの施設へつれて行く権限がある。保護期間が終了し、飼い主が犬を確認しないかぎり、犬は保護、売却、殺処分のいずれかになる。警察は協定で、すべての犬をバタシー・ホームへつれて行くことになっているため、ホームの管理人たちには犬を売却する権利がある。今回の犬の売却の件は、明らかに合法である。よって被告は、犬を見失って三日間以内にホームや警察を訪問しなかったことで、まちがいなく犬に対する権利を失ったのである。

この事件が新聞で広く取り上げられると、委員会は、これで「バタシー・ホームで犬を購入する者に自信を、ホームの管理人に権限を」与えることができると、この大きな後押しを歓迎したのだった。

そのため、今回リチャード・ヨーワードがウィリアム・マナーズを提訴したとき、バタシー・ホームは同じ原則が適用されるとふんでいた。ところが、サザーク地区の治安判事はそうは考えなかった。ヨーワードの事件は、ホームに警鐘を鳴らした。ホームから犬を購入することが合法なのか、と購入者が不安になれば、犬に新しい家を見つけるチャンスが台なしになるとわかっていたからである。そこで委員会は、ヨーワードの件に介入することを決めた。

バタシー・ホームは高等法院に裁定を申し込み、これによりサザーク地区の治安判事は、やむなくマナーズに召喚状を出すことになった。ジョン・コラムはホームの代表として出廷し、実際には「所有物」に犬も含まれるのだと、判事たちをうまく説得した。高等法院は、事件を審理するようサザーク地区の治安判事裁判所に厳しく命じた。数日後、ヨーワードは、マナーズから自分の犬を返還してもらうことができた。マナーズは新しい飼い主に向けて、その犬はすぐに必ず「脱走する」と言ったが、ホームにとってそれはまったく問題にならなかった。バタシー・ホームは、判例を作るにあたって重要な一歩を踏みだしたのだった。

犬の所有権の問題はくり返し起き、判例が確定するまで、それから七年かかった。

大きな転機となったのは、ランベスに住む馬商人のカール・マイヤーの事件だった。マイヤーは、バイヤー〔「買い手」の意味〕というまぎらわしい名前のある男から犬を買った。売り手のバイヤーは、一週間引きとり人が現れなかったという「高価なマスチフ」を、五月にバタシー・ホームから一ポンド〔現在の約八十二ポンド〕で購入していた。その犬をマイヤーに三ポンド十シリングで売り、かなりもうけていた。

犬を引きとった翌日、マイヤーがロンドン中心部のストランド街を歩いていると、劇場代理人のカールトンという人物から、いきなり声をかけられた。カールトンは、そのマスチフは自分の犬だとしつこく言いはり、しだいに大声をあげて騒ぎはじめ、マイヤーの手から犬のリードを奪おうとしてもみあいになり、警官がふたりのあいだに割って入った。理由を聞くと、警官はふたりをつれて近くのボウ・ストリート警察署に向かい、問題を解決しようとした。数時間後、結局マイヤーは、警察署に犬を置いて帰ることをしぶしぶ承諾したが、この事件のすぐ後に、暴行と不法監禁で訴訟を起こした。

この事件は、高等法院のローランス判事によって審理が行われた。判事は、マイヤーは誠意をもって合法的に犬を入手したと、はっきり言いわたした。「飼い主から離れて迷った犬が警官に発見された場合、飼い主が所有権を主張できるのは三日間と考えられる。また飼い主の申し出が三日以内になかった場合、犬は売却か殺処分の可能性がある。法律によって、犬は誰にでも売却が可能であり、犬を購入した人物には正当な権利がある」と、判事は述べた。重要なのは、犬を警察から購入したかそうでないかは問題ではない、と判事が強調した点だった。「犬のホームは有益な施設で、迷っているところを発見された犬たちを保護している。もしも犬を見失った場合、その犬が警察で保護されようと、犬のホームで保護されようと、まったくちがいはない。よって法に変更はない。犬が、犬のホームで三日間保護され、引きとり手がなかった場合、ホームは犬を売却する権利を有する」。

判事は、マイヤーに有利な判決を下し、損害賠償として五ポンドを認めた。ホームにとってさらに重要だったのは、同様の訴訟が起きたときに使える判例ができたことだった。それから一〇〇年のあいだ、何度もこの判例は引き合いに出されるのである〔イングランドでは、過去の判決を基礎として法律が作られている〕。

一八八九年、ホーム創設時の最後のメンバー、サラ・メージャーが亡くなった。ホーム古参のすぐれた指導者ジョン・コラムは、年次総会で心のこもった弔辞を述べた。そして新規の若手メンバーに、三十年前にサラとメアリー・ティールビーがホームを創設したとき、どれだけ世間の風当たりが強かったかを説明した。

ホームは、もともとイズリントンの台所裏ではじまりました。よく覚えているのは、隣人たちから文句を言われないくらいの数匹の犬を受け入れる建物ですら、見つけられなかったことです。その当時、われわれの運動を支持してくれる精神的な支えはありませんでした——実際にあったのは、反感だけです。

われわれの運動の先駆者たちは、動物保護など考えられなかった時代に、動物のために戦いました。王室からの後援もなく、ホームの創設者たちがバカにされないようかばってくれる貴族の長官や、裕福な支援者たちがいなかった時代です。そのため先駆者たちは、年次報告書でわずかに引き合いに出されるだけではすまされない存在なのです。

創設時当初のメンバーが表舞台から姿を消すにしたがい、コラム家の人びとの役割がますます重要になっていった。ジョン・コラムは、ホームの長老、委員会のご意見番としてとどまった。息子のチャールズは委員会の有力なメンバーだったが、一八八〇年代末、その弟のマティアスが後任で事務局長となった。マティアス・コラムは、バタシー・ホームでの仕事に最初から苦労した。一八九〇年、マティアスはスタッフのひとりで事務職員だったエドワード・ウォルトンを解雇した。ウォルトンは、飲酒と暴力問題、さらに犬を割引して売って差額を着服していたことで停職中だった。おそらく、差額分は酒代の足しになっていたのだろう。ウォルトンの解雇は、通常なら委員会で大きく取り上げられることではなかったが、ウォルトンは問題の多い人物だったのだ。

解雇に腹を立てたウォルトンは、バタシー・ホームの会費や寄付金を、マティアスとチャールズ・コラムが横領していると告発した。この申し立てはきわめて重大だったので、調査のために小委員会が設置された。コラム家は二十五年以上にわたり、ホームにとって一番信頼できる誠実な同志だったので、調査は後味の悪いものだった。とにかくコラム兄弟の容疑がすっかり晴れ、ウォルトンの訴えが「まったく話にならない」として取り下げられても、誰も驚かなかった。

こうしてウォルトンは事務局長あてに、こびを売るうえに、まとまりがない謝罪の手紙を書くはめになった。

マティアス・コラム氏に非常に無礼な告発をしましたことを、申し訳なく存じます。わたしは告発内容を証明できず、そして委員長は、わたしが現金出納帳に書かれていないと考えていた項目は、すべて滞りなく記載されていると、保証しました。よってわたしの告発は根拠がありませんし、事務局長を告発した内容を取り下げるべきだと感じ、自分がまちがっていて、このような行動は正当ではなかったと認めます。

「ウォルトンの行動によってひき起こされた、たいへんな苦労」の埋め合わせとして、マティアス・コラムは十ポンドを支給された。

一八九〇年代になると、バタシー・ホームは、ロンドンで一番賞賛に値し、楽しくて夢のある施設のひとつ、と見なされるようになっていた。その頃には、ホームの年次総会は新聞で広く取り上げられ、委員会メンバーは、ホームに関する内容――またときには関係ないことも――を、新聞記者にいろいろと話すのをなにより好んでいた。委員長ジョージ・ミーザムは、まちがいなく誰よりも多く、いろいろな考え方やエピソード、それに雑談を語ってくれた。叙事詩をくり返し朗読し、ヘンリー・ダウンズ〔ヘンリー・ダウンズ・マイルズ（一八〇六－一八八九）のことか？　詳細不明〕の「犬と人間」を朗読したことさえあった。

声は耳ざわりでぶっきらぼう
手は荒れてがさがさ
それでもラフはそんなご主人を愛してやまない

じろじろ見られる
ほころんでぼろぼろの服
それでもラフはご主人を見捨てない

食べ物も飲み物も満足になく
年寄りで貧しい
それでもラフはご主人が大好き

手足は弱り、歩みはのろく
友は亡くなり、みじめな運命
ラフは、ご主人の後ろをそっとついてゆく

この忠実な生き物だけが
ずっと離れない、ご主人の宝物
ラフにとって、ご主人は王さま

ほかの委員会メンバーは、バタシー・ホームから生まれた、楽しい話や感動的な話をいろいろ語る機会を存分に楽しんでいた。そのひとり、聖職者のモンタギュー・ファウラー師は、ホームが彼と小さなアバディーン・テリア〔現在は絶滅した犬種〕を再会させてくれたという、胸を打つ話をしている。「胴長で短足」の小さな犬は、「通りで迷ってしまった」のだった。

わたしは犬のために広告を出し、あらゆる出費と苦労を惜しまずに探そうとしました。わたしの広告が出されると、我が家の小さな犬を預かっているという大勢のひとから「確認しにきませんか?」という手紙をすぐに受けとりました。辻馬車で差出人のひとりのもとへ向かい、探索の旅をはじめたのを覚えています。ある家に到着すると、一頭の大きなプードルを見せられましたが、もちろんうちの犬ではありませんでした。

我が家に戻ったとたん、同じような手紙が届いていたので、大急ぎでハンサム馬車に飛び乗りました。しかし、見せられたのは巨大なポメラニアンでした。こういう探索が一週間ずっと続いて、わたしはすっかり疲れてきました。そして我が家のテリアも、同じだったようです。たっぷり放浪生活を送ったあと、どうやらあの子は巡査のところへ歩いてゆき、〈犬のホーム〉へつれて行ってほしいと頼んだようです。わたしはそこで、ついにあの子を見つけました。

うちのおちびさんは、不安のせいで言葉にできないほど苦しみ、精神的な試練と苦痛を受けたことがはっきりとわかりました。うちの子を取り戻せたことは、もちろん我が家にとってたいへんな喜びです。そして今回のようなときに、どれほど犬のホームが助けになってくれるのか、ひょっとして気づいていないひとがいるのではと考えています。

新聞の編集長も、物語の宝庫としてバタシー・ホームにかなり興味を持ち、記者を定期的に派遣しては、おもしろい話を見つけようと目を光らせていた。ホームの犬の昔話のひとつ、ピーターの話は、ロンドンの新聞社の想像をかきたてた。ピーターは、当時の悪名高い犯罪者のひとり、大胆不敵な押し込み強盗チャールズ・ピース〔一八三二－七九〕の忠実な相棒だった。何度も変装しては警察からうまく逃げていたおかげで、泥棒ピースの名は市民にはおなじみだった。一八七九年、とうとうピースは逮捕され裁判にかけられ、自分は無実だと訴えた殺人の罪で絞首刑になった。彼の犬のピーターは、バタシー・ホームが世話を任された。

犬のピーターは、泥棒ピースの数多くの犯罪の共犯者だった。そしてピースにとって最後の、破滅につながったブラックヒース〔ロンドン南東部、かつて追いはぎの出没で有名な地〕の家への押し込みにも参加していた。ピーターのすばらしい才能は、泥棒をしている最中の家に近づく者がいると、ドアの下のすき間からそっとうなって、大悪党の飼い主に警告するところだった。ロンドンの裏社会で暮らしていたピーターの経験は、バタシー・ホームでとても役に立つとわかった。ホームに到着すると、ピーターは夜警のひとりに任され、夜警が任務についていた八年間で一番の番犬だと証明された。犬舎で騒動が起きると、ピーターは夜警に警告し、その場所へまっすぐにつれて行き、問題を起こした犬を指摘していたと、かつてスタッフだった人物が数年後に思い出話を語っている。

ピーターほど注目を集めなかったものの、ほかの犬の話も新聞社の関心を買った。一八九〇年代、下院議員のマーク・ボーフォイ氏に売られた一頭のブラッドハウンドが子犬を生み、そのうちの一頭が巡回ドッグショーでもっとも有名になった「世界チャンピオンのブラッドハウンド」のクロムウェルだと、何紙かが記事にした。

新聞社は、「ブルーベアード」と呼ばれた犬の話も喜んで記事にしている。この犬は何度もバタシー・ホームへ戻って来ていた。ブルーベアードは、きちんとした家へ四回もらわれたが、「放蕩息子はいずれ戻る」ということわざにあるように、ホームに四回戻っていた。あるとき、管理人が「玄関をトントンたたく音」を聞いて、ホームのよく目立つ赤い門を開けると、そこには木枠を前足でたたいているブルーベアードがいたのだった。ホームへ戻ると、ブルーベアードは、お気に入りの犬舎へいつも一目散に向かっていた。

そしてバタシー・ホームのスタッフまでが、みずから広報活動をする才能を開花させていた。一八九九年、事務局長マティアス・コラムは、一匹のパグについて語っている。ある日、警官が一匹のパグをつれて来た。健康状態もよく、つけていた首輪と鎖には「青いリボンがついていて、女性らしいやさしさが見受けられたし、飼い主の愛情を感じられた」と、マティアスは新聞記者に話している。

犬泥棒は、バタシー・ホームの外を決まってうろうろしていて、新しい犬の到着を見張っていた。そして、パグが新しい住まいに入ったか入らないかのうちに、入口にいたあやしい感じの男が「自分の犬っころを引きとりに来た」と言ってきた。

「ああ、そうですか」コラムは答えた。「それで、どのような犬ですか?」

「ええと、パグでして」男は言った。「それで、首輪と、鎖をつけてましてね。首輪には、青いリボンの切れ端がついてまして！」

「それで、その犬をいつ見失ったんですか?」とコラムがたずねた。

「昨日でして」

コラムは、スタッフのひとりにそっと声をかけ、新しくやって来たパグから青いリボンを外し、別の犬につけるように指示した。

やがて犬がつれて来られると、コラムは悪党に、この犬に見覚えがあるかと質問した。

「もちろんですよ」と男は言った。「子犬の頃から世話してんですよ、なあ、ローヴァー?」

〝ローヴァー〟は、知らん顔をしていた。

コラムは記録帳を開き、男にいつパグを見失ったのかと再度質問した。「昨日ですよ」

「それでしたら、あなたの犬ではありませんね。この犬は、二週間前につれて来られましたから」

新聞社は、この話にも喜んでとびついた。


ホームの名声は、ロンドンを超えて広まっていた。バタシー・ホームは、イギリス全土と世界じゅうで、動物のための避難場所や保護施設の原型となった。どのように施設が運営されているのかを見学しに、海外からの訪問者が定期的にホームへ来ていた。一八九四年、ドイツのケルンから来たカール・シュナイダー医師は、ホームで一日を過ごし、帰国してからホームでの日常業務の様子を詳しく述べた記事を発表した。シュナイダー医師は、ホームの業務の効率のよさと開放的なところに感心し、「きちんとした人物なら、誰でも無料で視察ができます。職員があなたの名前と住所を記帳したら、すぐに迷路のように小屋が立ち並ぶところへ行けます。そこに住む犬たちは、能力のかぎりをつくして自分を主張しています」。犬舎内部も同じくらいすばらしい状態で、犬たちはたっぷり食事をもらい、しっかり運動をしていた。

新しい環境と犬舎の仲間に慣れると、その犬の健康状態はたちまち改善します。科学的なルールに基づいて、犬用の餌（肉類と粗びき粉を混ぜたもの）と、有名な〈スプラッツ社〉の犬用ビスケットをよく水でふやかしたものという、犬が好むおいしそうな食事が用意されています。

犬は、犬舎裏の高架下の囲いにある裏庭で運動していて、思う存分走り回っています。片流れ屋根〔雨水が一方にだけ流れ落ちるように作られた屋根〕のおかげで雨から守られていますし、冬にはわらが敷かれた寝床で休めます。

多くの訪問者と同じく、シュナイダー医師は犬たちの表情に心を動かされた。

ほとんどの犬たちの顔に浮かんでいたのは、閉じ込められている居心地の悪さ、不慣れな環境、迫りつつある運命に対する、純粋なやるせなさです。

ある高貴なコリーの表情を見たときのことを、わたしはずっと忘れないでしょう。コリーは、わたしを人間のような目で見てきて、クンクンと訴え、哀れっぽくクーンと鼻を鳴らし、絶妙な犬独自の言葉で自分の苦しみをわたしにさらけ出しました。そして体と尻尾を動かし、ありとあらゆる身ぶりで懇願し、みじめな服従の姿勢を示しました。立ち去ろうとすると、コリーは柵に鼻と前足を押しつけ、鳴き声をもらしました。まるでそれは、救出の望みをかけていた船が、水平線のかなたに消えてゆくのを見たときの、無人島の遭難者のようなうめき声でした。

シュナイダー医師は、バタシー・ホームの別の側面も目にしていた。

犬の引きとりの申し出があって、飼い主と犬が再会する場面は、とりわけ感動的です。飼い主の声を耳にしたとたん、犬は狂ったようにはね回り、飼い主の周りを夢中でぐるぐる跳びはね、目は喜びでキラキラ輝きます。そして引きとられるときは、自分ほど幸運ではなく、まだホームに残らなければならない仲間の犬たちを、ちらりと見て別れの挨拶もせず、大急ぎで出てゆくのです。

第9章◆一日に二〇〇匹の犬

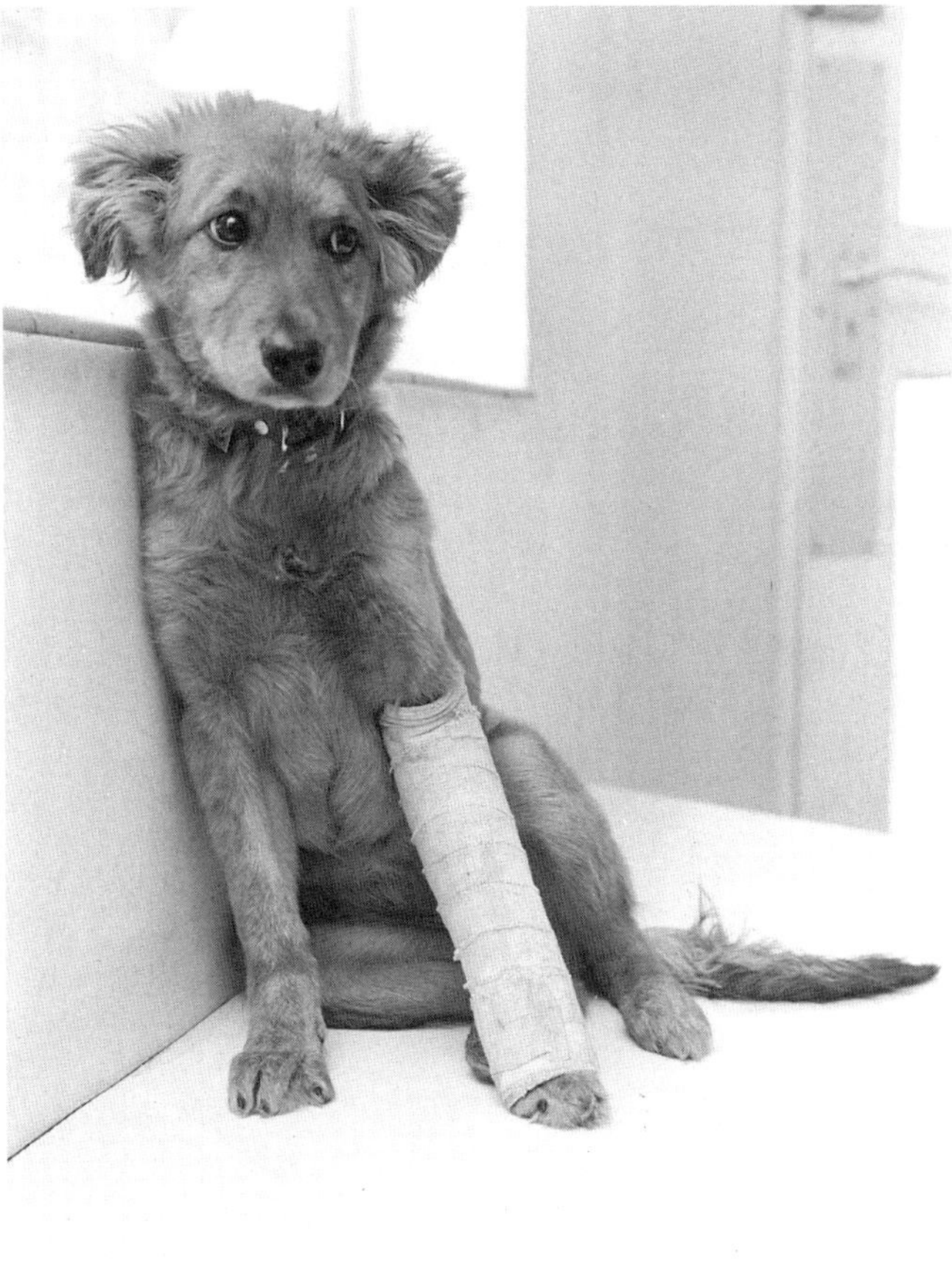

Chapter Nine

ロバート・ラヴェルは、警察に入って十五年ほどのあいだの功績で、少なくともロンドンの街ではおなじみの人物になっていた。主要な新聞が彼のことを「世界一のドッグ・キャッチャー」としていつも伝えていたので、たいていのひとはその名前を知っていたのである。ラヴェルは一八八〇年代からパトロール警官として働き、受け持ちの荷馬車に何時間も乗って、警察署から迷い犬をいつも集めてまわっていた。ラヴェルの変わっているところは、勤務時間外にもこの仕事を続けていた点だった。夜と日曜日のほとんどの時間、通りで迷い犬を捕まえていたのだ。

　ラヴェルは名前が知られていることや、自分の記録を誇らしく思っていた。「これまで仕事をしてきて、何百匹もの犬を捕まえました。それに何千匹ものいろいろな犬に対応してきたんです。セントバーナードから、ちいさな小型犬までね。そして、ありとあらゆるかわいそうな犬と、獰猛な犬にも対処しました」と、数年後に『ピアソンズ・マガジン』誌〔イギリスの大衆向け月刊雑誌〕のインタビューで答えている。「しかもわたしに与えられた任務は、なまやさしいものではありませんでした。ロンドンで捕獲されたすべての犬を、警察署の裏庭から荷馬車にきちんと乗せることを何度かくり返し、最後にバタシー・ホームの専門家たちのところへつれて行くというわけです」。

　ラヴェルも、もちろん犬に何度もかじられ、噛まれていたのは意外ではない。「何回か、ひどく噛まれましたよ。三回か四回かはかなり激しく噛まれたので、病欠しなければなりませんでした」。その程度ですんで、どうやら運がよかったようである。ラヴェルは、狂犬病で発狂した犬を六匹も捕獲したと言っていて、その犬たちをバタシー・ホームへ生きたままつれて行ったので、専門家たちが症状を調べることができた。ラヴェルは仕事が早くて、恐れ知らずだったようだ。ラヴェルが言うには、迷い犬にいつでも跳びかかれるようにしていた巡査は、けっして彼だけではなかったらしい。

巡査のほぼ全員が、丈夫な鞭《むち》縄を携帯していました。ポケットには輪縄を入れておいて、準備万端にしておきます。

手の届く範囲まで犬が来たら、輪縄を犬の頭と首周りにぴったりはめます。獰猛な犬の場合、もう一本の輪縄をきつく鼻先に巻きつけます。必要なら、鞭縄を首にぎゅっと食いこませると、どんなあきらめが悪いレトリーバーやコリーでも、逃れられないとわかり、問題を起こさずに警察署までつれてゆかれます。このような方法で、わたしは何百匹ものブルドッグ、マスチフ、ニューファンドランド、コリー、セントバーナード、それにほかの大型犬を捕獲しました。

『ピアソンズ・マガジン』誌のインタビュー記事には、カウボーイが雄牛を捕獲するように、迷い犬にひょいと縄を巻きつける巡査の様子を描いた漫画が添えられていた。

引退に際し、仕事をしてきて一番忙しかった時期をあげてもらうと、ラヴェルは迷うことなく「一八九六年です」と答え、沈痛な面持ちで頭をふった。

一八九六年二月、バタシー・ホームはロンドン州議会から書状を受けとった。そこには、犬の口輪についての新しい法令、口輪令（The Muzzling Order）が導入される予定が提示してあった。狂犬病の恐怖が、ふたたび広がっていたのである。警察は、すべての犬に口輪をつけるよう厳命を下し、つけていない犬を捕獲できる法的権限を与えられた。書状によると、警察は「すべての犬をバタシー・ホームへ」運ぶようになっていて、ホームは犬を「五日間保護しなければならなかった」。五日間の期限が過ぎると、バタシー・ホームは持ちこまれた犬を自由に扱えるようになった。州議会は、「今回の法令に従ってホームへ犬がつれて来られた場合、一匹に対し四ペンス〔現在の約一・三ポンド〕を支払う用意」があると告げた。

この法令によって、バタシー・ホームへ、史上最大の数の犬が殺到した。法令は一八九六年二月十七日に施行され、それから四月九日までの五十日間で、ホームは一一三九九匹、一日に二三三二匹という驚異的な数を受け入れた。その大半はロバート・ラヴェルがつれて来ていた。口輪令が施行されていたピーク時には、ラヴェルは、一台に三十〜三十五匹の犬を載せた小型馬車を、三回かそれ以上、毎日バタシー・ホームまで運転してきていた。ラヴェルの計算によれば、忙しい日には最大で一一七匹の犬を捕獲していた。そして「一番たいへんだった年」には、「バタシー・ホームへ三三三一匹を運びました」と述べている。

狂犬病への恐怖には、根拠がないわけではなかった。一八九六年三月、イーストハム〔現在のロンドン東部〕に住む男性が、狂犬病と診断されていた黒いレトリーバーに噛まれた。するとホームは、「世話係と雑役係は、ホームへ犬を受け入れる際に手袋を着用すること」を義務化する新しい規則をすぐに導入した。もっとも、口輪令

「いったい、なにを頭につけているの？」口輪が、毒のあるユーモアとして新聞や雑誌に載った。

は一般市民にたいへん評判が悪く、投書欄には苦情があふれ、新聞は、法令に抗議する漫画や詩を掲載していた。たとえば、つぎのようなものである。

いやらしい口輪を
通りで、ぼくは鼻先につける
しっぽはだらりとなっても
これでぼくの苦しみは終わりになる

ヘルメットと青いケープの男〔警官〕のせいで
ぼくは途方にくれる
どろぼうを逃がしても
敵の犬をつかまえたかったみたい！

一八九七年二月には、口輪令への苦情が負担になったこと、さらに、狂犬病の症例数が減ってきたことがきっかけで、ロンドン州議会は法令を取り下げた。犬は以前と同じように、名前と住所を「読みやすい字で刻んだ」首輪をつけるだけでよくなった。しかし、この取り下げはわずか六十一日間しか続かなかった。四月、狂犬病の疑いがある症例が突然発生し、新しい法令が農業評議会によって導入された。今回の法令はもっと厳しく、犬は革製ではなく、特別なワイヤー製の口輪をつけることを義務づけられた。

この法令は、とにかく革製の口輪よりも高価で、供給量も少ないワイヤー製口輪のせいで、さらに苦情を生んだ。一八九七年四月、『ロンドン・イヴニング・ニューズ』紙は、怒れる人びとからの何百通もの手紙を紙上で発表した。ある書き手は、「頭のおかしい口輪令」と呼んで、不満を述べた。

狂犬病のパニックが起きたときなら、お役所仕事の重圧のせいで、評議会の面々が冷静さを失うのも無理はありません。しかし、ロンドンの主だった獣医師たちが総力をあげても、狂犬病の犬を作り出すことはできないようです。この法令を強行する、明らかで唯一の目的は、だれかはわかりませんが、ある人物が、仲よしのワイヤー業者に便宜を図ってやりたいからのようです。

別の書き手は、つぎのように述べている。

犬がずっと口輪をつけなければいけないのは、非常に気の毒です。だから口輪を提唱したおかしな人物は、自分も装着すべきです。提唱した人物は、犬よりずっと頭がおかしいか、もしくは正気ではなくなりかけているのですから。

書き手の全員が、同じ意見ではなかった。ある女性は、クラパム〔ロンドン南部の地区〕での状況を『ロンドン・イヴニング・ニューズ』紙で説明している。

わたしたちのような郊外の住人は、犬の「伝染病」で被害をこうむってきました。それにはっきり言って、子どもたちだけで近所の共有地〔公園として競技や催し物などに使用される市町村の中心にある土地〕へ行かせるのは危険です。多くの獰猛な、純血種ではないコリーやフォックス・テリアや雑種犬が、子どもや近くの街道に感染を広げています。クラパムの共有地では、十分間で七十四の犬が見つかりました……そして日曜日の午後だけで、三人の子どもが嚙まれました。これで「哀れな生き物に口輪をつけるのは気の毒」なのでしょう！

ロンドン市が法令の賛否を議論しているあいだ、バタシー・ホームは法令の影響で起きた事態に対応しなければならなかった。口輪令がふたたび導入されたため、大勢のひとが驚き、飼い主のあいだでパニックが広がり、一挙に犬を通りへ捨てる事態にまでなった。『サン』紙〔日曜以外刊行の日刊紙〕のひとりの記者が、新しい口輪令が施行されて数日たった頃、ホームを訪れていた。

口輪令の取り下げが急になくなったため、たいていのひとが動揺した。その結果、警官はこの五日間

狂犬病が猛威をふるっていた緊急事態のとき、バタシー・ホームの運動場は犬であふれた。

というもの、ロンドンのいたるところで、アマチュアの曲芸カウボーイのようになっている。警戒するロバート・ラヴェル巡査に捕まった犬の飼い主である、あらゆる階級の人びとが、ホームの問い合わせ部門へ押しよせていた。これはじつに雑多な集団だった。ウエスト・エンドの身分の高いレディーが犬の受領証を手にのりこみ、自分の犬がいるか確認する権利があると言っているところを、商人の奥方に押しのけられる。かと思うと、野菜の呼び売り商人が手押し車を引いてやって来て、いなくなった自分の雑種犬についてとぼけた様子で問い合わせていた。

口輪令が実行されて一週間で、一一九二匹の犬がホームにやって来た。飼い主に返還されたのは、そのうちわずか三十八匹だった。口輪令への抗議は年内ずっと続き、大勢の犬が変わらずホームへ押しよせていたので、ホームは狂犬病のせいでほんとうに危険な状況になると注意した。

一八九七年十一月、一匹の狂犬病の犬がバタシー・ホームへの入所を許可された。その犬がさまざまな治療を受けているとき、引きとり係のクラムプター氏が腕を嚙まれたが、所定の手袋をつけていなかったし、必要な救急治療も受けなかった。そのため傷口は焼灼《しょうしゃく》され、専門医が呼ばれてパスツールが開発したワクチン療法を受けた。

緊急事態が長引くなか、バタシー・ホームが行っている仕事に対して、賞賛と同情が世間に広まった。ホームが重圧にさらされているという知らせは、王室にまで届いた。一八九七年一月、ホームはオズボーン・ハウスからの手紙を受けとった。手紙には、「女王陛下は、〈迷い犬&飢えに苦しむ犬のためのホーム〉への会員費の支払いを、十ポンドから十五ポンドに増やすご意向です」と書いてあった。女王の唯一の懸念は、犬たちがあまりにも早急に殺処分されている、という点だった。続けて女王の個人秘書はこう書いていた。「人間にとって大切な友である生き物は、殺処分されるまで、相応の期間は保護されているのだと女王陛下にお伝え申し上げますが、まちがいございませんか。なぜならこれは、女王陛下のご希望なのです」。

バタシー・ホームは「最善をつくしている」と伝えて女王を安心させたが、実際には、口輪令がふたたび施行され、近い将来のうちに撤廃される見こみもなかったので、窮地に追いこまれていた。鉄道とそれに隣接する裏庭にとり囲まれたバタシー・ホームの敷地は、一言でいうとかなり窮屈だったのだ。敷地の拡大が必要だったが、では、いったいどうすればよいのだろうか。

第二のホームを建てるというアイデアは、数年かけてひそかに広がっていた。バタシー・ホームのスタッフと会員は、もっと落ち着いた、ゆったりとした施設を強く望んでいた。重点的に静養と回復につとめられる、理想を言えば田園地帯にある施設。しかも、ビジネスの観点から見ても、魅力的だった。新しいホームができれば、待望の新しい犬舎のための場所を確保するだけでなく、犬を預かる代金や、強制検疫隔離のために滞在する犬の飼い主へ代金を請求するなどして、ふたたび資金を得られるようになる可能性があった。

一八九六年、バタシー・ホームの犬は、新しい口輪令のせいで急激に増えていたので、新しいホームは最優先事項となっていた。こうして第二のホームの計画が委員会で承認され、ヴィクトリア女王のダイヤモンド・ジュビリー〔即位六十周年の記念祭〕と同じ時期に新しい施設を建設すれば、ホームの後援者である女王へのお祝いの気持ちも表せると委員会は主張した。

こうして土地探しの話はまとまった。委員会によると、新しいホームは「すぐれた犬種が保護されるかもしれないので、犬たちの状態が改善される有効な取りくみをし、健康を回復させ、多くの犬を安楽死用ガス室へ送らずに助ける……」ところになる場所だった。

最初に検討された選択肢は、〈サウスウォーク&ヴォクソール水道会社〉が保有している、バタシー・ホームからさほど遠くない空き地を購入することだった。代理人が、土地の値段は約四〇四七平方メートルにつき七五〇〇ポンドだと明かすと、それでは「高すぎて手が出せない」とすぐに委員会で意見がまとまった。さらに広い範囲に情報網をはった委員会メンバーは、やがてサリー州ハックブリッジ〔いまはロンドンの一部になっている〕で空き地が売りに出されているのを見つけた。その土地は、バタシー・ホームから約十三キロ離れていて、〈ロンドン・ブライトン&サウス・コースト鉄道〉の沿線、ハックブリッジ駅の向かいにあった。委員長とマティアス・コラムは、一八九七年四月初めにそこへ出かけ、「あらゆる点で理想的だ」とすぐ断言した。「その土地が豊かな牧草地で、風光明媚で、木陰がたくさんあり、水に恵まれていると確認した」。

土地の値段も同じく魅力的で、約四〇四七平方メートルにつき四〇〇〇ポンドだった。ホームが交渉に乗りだすと、三八〇〇ポンドに値下げされた。委員会はただちに約三四四〇〇平方メートルの土地をわずか三〇〇〇ポンドで買う取引をまとめた。掘り出し物だったかもしれないが、その当時でもやはり莫大な金額

バタシー・ホームのスタッフは、犬にきちんと運動させるため、いつも革新的な方法を取り入れていた。

られてきた。

だった。建築費用を調達するために募金活動がはじまると、たちまち匿名で一〇〇〇ポンドの寄付金が送られてきた。

こうして「広々として、明るく、清潔で、ホームへ入所する犬の受け入れと検査用のあらゆる設備が整った」受付棟の建設が、ただちに開始された。請求書はあっというまに山積みになり、土地をフェンスで囲い、水はけをよくし、新しいホームの土台にコンクリートを敷くと、五〇〇ポンド以上かかった。請負見積書の額は、一二〇〇から一五〇〇ポンドとなった。さらに委員会は、バタシーとハックブリッジのあいだで犬を移送できる特製の小型馬車の製作を、八〇ポンドで追加注文した。

一八九八年八月、委員会は新しいホームの住みこみの世話係を雇う準備ができた。三人の候補者から最終面接をして適任だと意見が一致したのは、ジョージ・トバットだった。文句のない推薦状を提出していて、面接をした委員会メンバー三人全員が、トバットを週に三十シリングで雇うのに賛成した。トバットと妻は、新しいホームにわざわざ建てた小さな家に住むことになり、さらに「ガス、石炭、水道、地方税、その他税金、制服の費用はかからなかった」。

一八九八年十月二十九日、ポートランド公爵夫妻が、オープニング・セレモニーでハックブリッジ・ホームの営業開始を宣言した。「じめじめした天気」だったが、一大イベントを記録しようと報道機関が出向いていた。いろいろな意味で、〈迷い犬&飢えに苦しむ犬のためのホーム〉が、はじめて堪能できた公式なオープニングであり、委員会はこのときを最大限に活用した。

ジョージ・ミーザムはいつものように大げさなスピーチをし、ホームを「犬のためを思ってはじめられた、もっとも慈悲の心に満ちた計画のひとつ」と呼んだ。さらに、ホームの拡大計画について耳にしたヴィクトリア女王が「計画を知ってうれしく思います」というメッセージを送ってきたことを明かした。

ポートランド公爵が、その場の雰囲気に一番ふさわしいスピーチをした。「ここは〈迷い犬&飢えに苦しむ犬のためのホーム〉と呼ぶより、〈犬の楽園〉と呼ぶべきでしょう。これほど幸せのための設備が準備されているのですから、犬たちが幸せにならないはずがありません」と言うと、拍手と笑いが起こった。「この施設の欠点をあげるとすれば、ここでは犬たちが、あまりに幸せになってしまうことでしょう。みなさんよくご承知のように、犬はじつに賢い生き物です。そして犬たちが、ここで幸せなのだと知られるようになれば、ときとして犬の飼い主は、迷子になろうとする自分の犬を止めるのに、かなり苦労するのではないかと思っています」。

ポートランド公爵は、「心やさしく、慈悲にあふれたふたりの女性」メアリー・ティールビーと、サラ・メージャーの役割について触れ、「多くの反対にあい、さんざん物笑いになったにもかかわらず」彼女たちがホーム設立に貢献したことを、全員にあらためて語った。さらにふたりの寄贈者、ホームへ一〇〇〇ポンド寄付した匿名のレディーと、一二〇〇ポンド寄付したグローヴ・グレイディ夫人に敬意を表した。そしてまじめな口調でスピーチを締めくくると、口輪令のためホームが犬でいっぱいになったことと、狂犬病の脅威のため、バタシー・ホームがサリー州郊外で業務をするはめになった点を念押しした。

「現行の口輪令が施行された最初の一年で、犬の年間受け入れ数としてこれまでで最大の、四二六一四匹にもなりました」と公爵は述べた。バタシー・ホームと、ハックブリッジ・ホームの分析によると、その原因は、「迷って餓えた犬への慈悲のせいだけではなく、ロンドンのような巨大都市ではやむをえない事情のせいです。ロンドンでは、飼い主のいない膨大な数の犬は、通りでは危険と見なされますし、狂犬病という非常に恐ろしい病気を流行させる原因にもなっているからです」。

オープニング・セレモニーは大きな注目を集めたが、いつまでもそのことばかり考えてはいられなかった。オープニング後はじめての月曜日の朝、ジョージ・トバットとスタッフたちは、口輪令のせいでバタシー・ホームへ相変わらずなだれこんでくる、限界を超えた数の犬に対処する、という厳しい業務を開始した。

委員会メンバーは、第二のホームを、どちらかと言うと辺鄙《へんぴ》な場所に建てたことで生じるリスクに気づきはじめ、オープン直後から宣伝に励まなければならなかった。ホームの会員は、「ハックブリッジ・ホームへ足を運ぶようにし、ホームへ出かけるように友人を誘って、そこでの事業に関心を持ってもらえるように努力する」ことを求められた。あげくに、「自転車乗りにとって、町を出て、ずっと続くきれいな道を十四キロ走るのは、最高に気持ちのよいことです」と、ハックブリッジ・ホームのあるサリー州の田舎への日帰り旅行まで勧められている。「ハックブリッジ・ホームで自転車の手入れや、アフタヌーンティーの手配は可能」だったが、案の定、この提案に応じたひとはほとんどいなかったようである。

第10章◆ホームの信用のために

Chapter Ten

新しい世紀がはじまろうとするとき、いろいろとうれしいことが起きた。一番ありがたい知らせは、口輪令（The Muzzling Order）がついに撤廃されたことで、一八九九年十月二十七日に取り下げられた。一八九七年初期にロンドン州議会が撤廃していた六十一日間をのぞいて、三年と八か月九日間、口輪令はロンドンで施行されたことになる。一見したところ、口輪令によって、当初計画していたことはうまく成功したようだった。一八九九年十一月、『クイーン』誌〔女性向け雑誌〕には以下のように書いてある。「口輪令は多くの人びとから不評だったが、狂犬病が効果的に根絶させられたと思われるので、結果は非常に満足のゆくものである。イギリスでは、今年の三月から狂犬病の症例は報告されていない」。

しかし、大きな代償が支払われていた。この間バタシー・ホームは、十万六三五三匹という途方もない数の犬を受け入れ、そのうち飼い主が引きとりにきたのは七九四五匹だけで、残りの犬は売却されるか安楽死させられていた。そして口輪令が撤廃されると、ただちに影響が現れた。一九〇〇年、登録係の記録では、受け入れた犬は一六七三一匹だった。これは前年から二九二四匹（およそ十五パーセント）の減少となり、受け入れ数の減少は、さらに続いていった。

うれしいニュースは続き、ハックブリッジ・ホームに、病気の犬のための診療所が新しく完成した。しずかで、落ち着いたハックブリッジ・ホームの環境は、そこで過ごす犬たちの健康状態と、売れやすい犬になる条件に、大きな影響を与えていた。新世紀の最初の年にハックブリッジ・ホームに送られた三七六匹の犬のうち、二一五匹（およそ六十パーセント）が、よい家庭に譲渡された。「ハックブリッジ・ホームにつれて行かれた犬は、苦しみから逃れられる避難所と、心から安らげる場所にめぐりあうだろう」と、委員会は報告している。

ところが、第二のホームの成功には、莫大な資金がかかっていた。一九〇〇年度の決算報告書によると、なんらかの理由で、ハックブリッジ・ホームは「かなりの赤字」があった。ヘンリー・ウォード事務局長は、ハックブリッジ・ホームをより収益の多い施設にできるかどうか検討すると約束したが、「採算のとれる事業をしているわけではなく、利益を出すのは無理だろう」と警告した。一八九九年にはじまった第二次南アフリカ戦争〔一八九九－一九〇二、一八八〇年のトランスヴァール共和国との衝突を第一次とする場合、一八九九年からはじまる戦争を第二次とする〕のせいで、寄付金がなかなか集まらない状況だったので、「寄付金の受領書が記録的に減っていた」のは、非常に気がかりだった。

しかし、バタシー・ホームはある人物のことで、最大の痛手を受けることになる。一九〇一年一月二十二日、ヴィクトリア女王が、八十八歳で息を引きとった。そして、つぎのような賛辞がホームの年次報告書に掲載されることになった。

女王陛下の思いやりのお心についての思い出は、陛下に支えられた委員会よりずっと長く残ることでしょう。陛下の崩御で国民は嘆き悲しみましたが、なんとか持ちこたえております。世界でもっともすぐれたレディーは、情け深いお心から、迷い、見捨てられた犬たちを深く思いやり、援助してこられました。そして陛下の善意のこもった賛助と援助によって、委員会を後援していただいたことは、女王陛下の御代をたたえる神聖なる形見として、長く記憶にとどまるでしょう。

この賛辞を考えたのは、口達者なジョージ・ミーザムだったかもしれない。バタシー・ホームは彼も失っていた。ミーザムは一九〇一年半ばに健康上の問題で引退し、八十三歳の誕生日を目前にして亡くなっていた。

✻

バタシー・ホームは、ヨーロッパで唯一の犬や猫のための保護施設ではなくなったものの、もっとも有名で高い評判を得ているという事実に、非常に誇りをもっていた。ヨーロッパ大陸では、ベルリン、アントワープ、アムステルダムに犬の保護施設が建てられ、成果をあげていた。身近なイギリス国内では、リヴァプール、マンチェスター、バーミンガム、リーズ、グラスゴーに保護施設が設立されていた。そしてこの頃には、もっと小さい町にも保護施設ができていた。ホームで管財人を短期間務めたトーマス・スコーボリオが一八八三年に引退する前に親しくしていた、メアリー・ウィームズという女性が、グロスター〔イギリス中南西部グロスターシャー州の州都〕にバタシー・ホームの信念に基づいた保護施設を設立している。残念ながら、そのような施設の多くが、メアリー・ティールビーが最初にホームを開いてからずっと悩まされていた問題に巻きこまれていった。

1900年頃になると、毎年500匹の猫がホームへやってきていた。

WHERE TO PROCURE A DOG FOR NOTHING

Every January 30,000 dogs are cast adrift in London because their owners cannot or will not pay the licence. (1) A policeman bringing a stray dog to the shelter of the Canine Defence League in Fulham. (2) A donation to the funds by a man who has selected a dog. No charge is made, only the promise of a good home being necessary. (3) Selecting a pet. (4) Typical "stray."—(*Daily Mirror* photographs.)

犬の違法取引は、ロンドンでさかんに行われていた。この記事の見出しは「無料で犬を手に入れられる場所」で、ひきょうな犬泥棒の仕事ぶりを想像して説明したもの。

ロンドン北部ハヴァーストック・ヒルに、ミス・モーガンという女性が設立した猫の保護施設は、イギリス皇太子妃はじめ裕福なレディーたちの関心をうまく集めていた。しかし、ミス・モーガンの財政状況に重大な疑惑が生じ、毎年集めた何千ポンドもの寄付金を、彼女が自分の懐に収めていたいきさつを、『トゥルース』誌〔不正行為の暴露記事が有名なイギリスの雑誌〕が長い暴露記事にした。そして、雑誌が彼女の保護施設を「活動禁止」にするべきだと訴えると、早々と閉鎖されることになった。

バタシー・ホームが成功した秘訣《ひけつ》は、警察やロンドンのその他の行政機関と、つながっていることにあった。ロンドン警視庁とロンドン州議会との関係を築くことなく、バタシー・ホームが運営をしていたらどうなっていただろうか。委員会メンバーがそんなことを考えてみたとしたら、英仏海峡の向こうのパリに、その答えはあった。

フランスの首都パリには、ロンドンに匹敵するだけの数の犬がいた。パリの上流階級の人びとは、同じような立場のイギリス人と比べ、自分たちも同じくらい慈悲深いのだと思いたかった。一八八〇年代初期になってから、ひとりの活動家、デルペン男爵夫人〔詳細不明〕が、犬のホームをルヴァロワ＝ペレ地区〔パリ北西部の自治体〕に開設した。ロンドンのミス・モーガンか、むしろメアリー・ティールビーに似ていたデルペン男爵夫人は、夫のデルペン男爵と別れてから犬の保護活動に乗りだした。ホームを二十年間運営していたあいだ、男爵夫人は、逼迫する財政問題、騒音や悪臭についての近隣からの苦情、十六匹の犬が死亡した焼夷弾《しょういだん》の爆撃などと闘ってきた。そして自分のホームへやって来た動物は、どのような状態でも安楽死を拒否し、自分の最大の義務はパリ市の公機関である、悪名高い動物収容所《フリエ》へ犬たちを送らないことだと考えていた。

パリの動物収容所《フリエ》は、犬泥棒たちにとって魅力的な場所だった。パリのある活動家によると、「(犬泥棒は)どんなサイズや犬種でもおかまいなしで、犬をおびき出したり盗んだりして生計を立てていた。そして収容所の責任者に、一フラン五十サンチームから二フランで売ろうとしていた」。『ニューヨーク・ヘラルド』紙〔アメリカの日刊新聞〕のパリ支局特派員は、うまく動物収容所《フリエ》に潜入捜査し、犬たちが悲惨な状況下にあることをつきとめていた。

動物収容所《フリエ》のことを一番強く訴えていた批評家、マドモアゼル・ネイラット〔詳細不明〕は、ウォード・リチャードソンが製作した安楽死施設を見学しに、はるばるバタシー・ホームまでやってきた。そして大いに感銘を受けると、収容所《フリエ》にフランス版の安楽死施設を建てるために二〇〇〇フランの募金を集めようとした。しかし収容所《フリエ》所長から、建設は「無理だ」と言いわたされてしまう。「わたしはいままでも声をあげてきましたし、これからも訴えるつもりですが、動物収容所《フリエ》はパリの恥です」と、彼女は抗議した。

マドモアゼル・ネイラットの訴えが通じるまで、さらに四年の年月が必要だった。そして、ついにベンジャミン・ウォード・リチャードソンが、『ニューヨーク・ヘラルド』紙からじきじきにパリへ招かれた。その目的は、収容所《フリエ》側を説得し、リチャードソンの新しい安楽死施設を導入させることだった。こうして、収容所《フリエ》の責任者たちはそれにしぶしぶと応じた。

やがてバタシー・ホームは、自分たちがなしとげてきたことに満足しているひまはないと、すぐに知ることになる。一九〇二年十月、委員会はハックブリッジ・ホームで「深刻な規則違反」があったと聞きつけた。第二のホームは絶えず赤字の業務を続けていたが、そこへ気がかりな噂が広まったのだ。そこでふたりの委員会メンバー、パー大佐とプリチャード教授が調査に派遣された。

バタシー・ホームに非常にやっかいな報告をしたのは、ウィリアム・ウルヴァンという世話係で、世話係リーダーのジョージ・トバットとその息子フランクについての申し立てだった。近所で自分の犬舎を経営していたフランクが、何袋ものドッグフードを馬や軽量二輪馬車に載せるのを見たとウルヴァンは主張した。さらに、自分とほかのハックブリッジのスタッフは、ジョージ・トバットの命令で、ホームの営業時間内にカーショールトン〔イギリス南部のかつてのサリー州の市、いまのロンドンの一部〕近郊のフランクの犬舎で働かされていると暴露した。さらに数多くのハックブリッジ・ホームの備品、たとえばモップ、ほうき、じょうろなどがそこにあったという。

パー大佐とプリチャード教授から呼びだされ、釈明したジョージ・トバットは、ある時期に息子フランクに少量のドッグフードを貸したことは認めたが、その代金は返済されていると述べた。そしてウルヴァンがトバットを責めるのは、ウルヴァンが借りたくても借りられなかった犬舎を、フランクがいま使っているせいだと、トバットは訴えた。

パー大佐とプリチャード教授は、トバットの言い分すべてに納得したわけではなかった。ふたりはトバットに、ハックブリッジ・ホームの食料の注文量が「かなり増加」した理由を問いただした。その年の九か月間で使用されたドッグフードの量は二トンになり、さらに大量の肉も注文されていた。

トバットは、ドッグフードの消費量が増えたのは、ウルヴァンが犬に餌をやりすぎるせいだと非難した。そして肉の量が増えたのは肉屋の落度で、トバットは肉屋に「抗議」しに行ったと述べた。

委員会は証拠をよく検討した結果、ウルヴァンの出した証拠は「トバットと息子に罪を着せるために悪意をもって仕組まれた」ものだと、全員一致した。ウルヴァンは一週間分の給料を払い解雇された。とはいえ、委員会は、トバットが金銭上のトラブルに巻きこまれたことを知っていたので、トバットを信じるほどお人好しでもなかった。一九〇〇年と〇一年、マティアス・コラムとウォード事務局長は、トバット夫妻がハックブリッジと、そこへ来る前に住んでいたブライトンで多額の借金を抱えていたことをつきとめた。コラムは、この問題でなにか影響が出るかもしれないと心配し、「ホームの信用のために」、夫妻はもう借金をせず、コラムに個人的に返済するという条件で、コラムが夫妻の負債を完済することに応じた。

世話係の行いに失望していた委員会は、ホームの営業時間内に、ハックブリッジのスタッフを息子の犬舎で働かせたことで、ジョージ・トバットをとがめた。トバットは委員会の全員会議に出席するよう求められ、「職務怠慢で厳しく叱責され、今後はまじめに仕事にはげむよう訓戒を受ける」ことになった。

これで問題は解決してほしいと思っていた委員会は、ひどく裏切られることになる。それから数週間後の一九〇二年十二月、ハックブリッジ・ホームで「押し込み強盗」があったと報告された。金庫の中身(四ポンド十シリング)が盗まれ、調査の結果、気がかりな事実が判明した。強盗のあった夜、いつもは建物内にいるはずの獰猛な見張りの犬が一晩じゅう外に出されていて、裏口のドアは開けっ放しだったのだ。金庫は、いつもと違って、階下の鍵のかかっていない戸棚に置いてあった。そのうえ、数週間前にも強盗に遭ったことも明らかになった。

コラムは自分にも責任があると感じたのだろうか、翌月の委員会の会議で、トバットの金銭問題についての詳細を読みあげた。さらに、これまで手助けしたにもかかわらず、トバット夫妻の状況が以前よりも悪化していたことを説明した。夫妻は「負債をまったく返済しようとせず、それどころかさらに借金をして、ゆくゆくは経済的に自立するという委員会との約束を破っている」。ウォード事務局長が「何度も」訴えたのは、トバット夫妻が受け取った金は「すぐに借金の返済にまわされなかった」ことだった。

委員会は、トバット家の即時解雇を要求したが、コラムは彼らに最後のチャンスを与えたいと言いはり、委員会は、それにしぶしぶと応じた。

しかし委員会は、すぐに後悔することになった。一九〇三年五月、ジョージ・トバットは業務中にいつも酔っぱらっている姿を目撃された。またもやコラムはトバットをかばおうとし、ホームで話をする時間を設けた。トバットは、妻と言い争いをして酒を飲むようになったと打ち明け、いまではもう「お酒が飲みたくてたまらず、自分では止められない」ので、「委員会が費用を出して、どこかのアルコール依存症治療施設か療養所へ自分を入れてほしいと頼んだ」。トバットは、自分がいない間は、息子のフランクが世話係長を務めると申し出た。

委員会は、トバットのほぼすべての要求をはねのけた。トバットは、自分の治療費は妻の給料から支払うことを承知した。こうしてトバットは、ただちに解雇された。

トバットが去ると、息子のフランクが後を継いだ。〈ブライトン・ドッグ・ホーム〉で父親と働いていたフランクは、これからはカーショールトンでの仕事を縮小し、父親の仕事を引き継ぐと応じた。

十一月、トバット夫人が手紙で、フランクが「重病」にかかったと知らせてきた。ふたりの委員会メンバー、ラグ氏とプリチャード教授がハックブリッジ・ホームへ出向いたのだが、そこの光景はぞっとするものだった。診療所は、三十三匹の病気の犬でぎゅうぎゅうづめだった。さらに三十八匹以上の病気の犬が犬舎にいて、そのうち三十五匹は「あまりにも病状がひどく、ほかの犬といっしょに置いておけない」状況だった。健康な犬は、三匹だけだった。

「このホームの支部には、どう見ても病気が蔓延していて、非常に厳しい処置をただちに講じる必要がある。もしくは援助をする必要がある」と、調査に行ったふたりは報告した。状況はきわめて深刻だった。ハックブリッジ・ホームには、人手が足りなかった。それに、犬舎と、つれて来られた犬の確認場所を分けるために廊下を使うという方法が用いられていなかった。開放的なスペースと運動場は、どうやら使われていなかった。ふたりの委員会メンバーは、「ハックブリッジ・ホームの一時的な閉鎖を強く勧めるしかなく、そこの犬たちは安楽死させるしかない」と思った。「たとえ犬舎を徹底的に燻蒸《くんじょう》消毒し、殺菌できたとしても、この先、健康な犬のために適した居住環境を整えられないだろう」。

どうやらこれだけではすまないらしく、トバット一家がホームから金銭をだまし取っているという確証があがっていた。ヘンリー・ウォードが、ハックブリッジ・ホームで登録された犬の記録を注意深く確認すると、少なくとも十六匹の犬が、記録にはあってもホームにはいなかった。決算報告書は、「まったく納得できないありさま」だった。「ウォードは、九月と十月に売却された犬の代金を、トバット夫人から受けとれなかった」。

ジョージ・トバットはホームに手紙を書き、息子を手伝うために、もう一度仕事をさせてほしいと頼んだが、却下された。ホームは、トバット一家にうんざりしていたので、「ホームの業務からただちにトバット一家全員を解雇する」という提案は可決された。さらに、犬をすべてバタシー・ホームへつれ帰って安楽死させる案も通り、こうしてハックブリッジ・ホームは閉鎖され、そこのスタッフ全員は二週間前に解雇通知を受けた。

バタシー・ホームにとって、悲劇としか言いようがなかった。

世間には、事実はごまかされて伝わった。年次総会で、ヘンリー・ウォード事務局長はたんにハックブリッジ・ホームで「抜本的改革」が必要だったと報告した。ウォードが「修繕と浄化」と呼んだ期間のあと、ハックブリッジ・ホームは「以前よりずっと満足できる状態」で再開したのだった。大きな代償が支払われたが、ハックブリッジ・ホームの過ちは二度と起きなかった。

一九〇三年二月二十七日、『タイムズ』紙は、「盗まれた犬に関する」記事を載せた。それによると「犬を盗まれた者は」バタシー・ホームへ行くべきで、「そこには、盗まれたと思われる三十匹以上の犬が、一匹ずつ仕切られた小部屋で世話をされている。こういった犬はおそらく、モールバラ・ストリート警察裁判所で、犬窃盗罪か犬虐待罪の係争中のために調査されている犬である」ということだった。

犬泥棒は、ロンドンではつねに問題で、とにかくその方法はかなり巧妙になっていた。泥棒はたいてい二人組で行動し、善良そうな男女が散歩しているふりをする。そして目的の犬に目星をつけると、女が犬の相手をし、その間に男はズボンのすその折り返しに乾燥レバーの粉をふりかける。するとそのにおいにつられ、犬は二人組の後ろを素直について行くのである。

ある飼い主が『デイリー・メイル』紙〔一八九六年創刊、イギリスの日刊大衆紙〕に語ったのは、飼い犬の黒い小型のポメラニアンが、「きちんとした身なり」の男と「おしゃれなドレス姿」の女といっしょにケンジントン・ガーデンを抜けて出て行ったのを、飼い主の娘が見つけたときの様子だった。少女は、男と女がポメラニアンを馬車につれこもうとしているところに立ち向かい、「わたしの犬よ」と大声をあげた。

ときおり、犬泥棒は身代金を要求した。有名な作家モンタギュー・ウィリアムズ〔一八三五－九二〕は、自分の犬と再会するために二十ポンド支払ったことがあると認めている。しかし、盗まれた犬はほとんどの場合、国じゅうにいる買い付け人に売られていた。大規模な犬の補給所がロンドンのイースト・エンドに作られ、ロンドンからイギリス全土に犬を再分配するようになっていたのだ。

モールバラ・ストリート事件は、そのような犬の補給所、そして捕縛されたふたりの重犯罪者とも関わっていた。そのふたりとは、通称「チャイナマン」と呼ばれていたウィリアム・リーと、ドイツ人の靴屋、コンラッド・イェーガーだった。バタシー・ホームにとってやっかいだったのは、うっかりイェーガーの大規模犯罪に巻きこまれてしまったことだった。その年、ヘールとアンドルーズというふたりの世話係が、イェーガーから金を受けとった罪で逮捕されていた。ふたりはイェーガーに多くの犬を引きわたし、さらにバタシー・ホームの正式な受領証を改ざんしていた。そうすることでイェーガーは自分の顧客に対し、実際に支払ったよりも多い金を要求できた。ヘールとアンドルーズは解雇された。

いっぽうで、明るい話題もあった。『タイムズ』紙に載った記事によると、バタシー・ホームと警察との関係が新しい段階に入ることになったのだ。これまで、犬泥棒に対して法的手続きを取るあいだ、盗まれた犬を保護するのは、警察の業務だった。事件が解決し、盗まれた犬に引きとり手が現れないと、一般の競売にかけられていた。しかしこれから、盗まれた犬はバタシー・ホームで世話するという協定に、エドワード・ヘンリー警視庁長官が応じたのである。この協定は、犬たちが「より快適な状況で世話される」ことを意味していた。引きとり手が現れずに残っている犬は、「バタシー・ホームのために」売却されるようになった。バタシー・ホームは、この協定を結ぶためにしばらくロビー活動をしていて、その年の年次総会の議長としてエドワード・ヘンリー警視庁長官を招いてもいた。新しい協定には、当然ながらマイナスの面もあった。バタシー・ホームへやって来る犬の数が、ふたたび増加する気配があったのだ。

猫舎のほうでも受け入れ数は増加していた。数々の問題をくぐりぬけてきた後だったので、この点では安心できそうだった。一八八〇年初期に猫の受け入れをはじめてから、バタシー・ホームは、犬とはまったく異なる、迷い猫のほしがるものに慣れるのはたいへんな仕事だ、ということはわかっていた。

バタシー・ホームの努力が足りないわけではなかった。一八九九年の年次報告書には、「不幸な、見捨てられた猫たちに、あらゆる世話をした」とある。ある時点で、ヴィクトリア女王の「犬と猫の獣医師」A・J・シューエル氏〔第7章〕が「バタシー・ホームの猫たちにひんぱんに会いにくる」ようになった。それでも、猫の世話はときにはストレスがたまる、報われない仕事だった。猫のあいだに病気が流行るのは珍しくなかったし、一番の問題は、猫の譲渡が非常に難しいことだった。あげくに、預かっている猫たちの世話も問題だということがわかったのである。「猫を一匹引きとるより、むしろ犬を一〇〇匹引きとりたい」と、監督官が一八九六年に不満をもらしている。「猫は飼い主を恋しがり、ひたすら『食欲をなくして』しまうので、田舎へ出かけた飼い主に戻って迎えにきてほしいと、よく手紙を書いていました」。

問題を悪化させていたのは、どうやらバタシー・ホームを猫のペット・ホテルのように使っている飼い主がいるせいだった。猫の多くはクリスマスの時期に持ちこまれ、その間に飼い主は休暇を過ごしに田舎へ出かけていた。一八九七年、一匹の猫が、バタシー・ホームではじめて猫を受け入れた年から十五年間ずっとホームにいたことがわかった。また別の女性は、自分の猫を十四匹も預けていて、猫のコンテストに出場させるときだけつれ出していた。

スタッフは、たいていより気楽に世話ができる迷い猫のほうを好んでいた。「迷い猫は、苦労を重ねてきたので、居場所や食べ物がもらえるチャンスをありがたく思い、とにかく感謝してくれます」と、スタッフのひとりが一八九六年に『サタデー・ジャーナル』紙〔詳細不明〕に語っている。

二十世紀になる頃には、バタシー・ホームでは約五〇〇匹の猫を保護し、約二〇〇匹の猫を預かっていた。迷い猫がホームで過ごすのは「六日から十四日間で、その間、きちんと食事を与えられ、世話をされる。そして何匹かは買ってもらえるだろうと期待されていた」。

年次報告書によると、猫の事業部は滅多に評価されず、いつも非難されていた。一八九九年、猫の事業部の業績は「可もなく不可もなくという状態」、その翌年はこの事業は「かろうじて役に立っている状態」だった。猫に関する事業を支持するという言葉は、ここにはほぼ見られない。

しかし二十世紀になってから、猫の受け入れ数は増大した。一九〇三年、ホームにやってくる猫は一日に約一匹だった。マティアス・コラムとスタッフには、新たに猫が殺到してくる理由がよくわかっていた。ホームへ持ちこまれる猫のほぼ半数は、同じ人物がつれて来ていたのである。それは謎めいた裕福な女性で、ロンドン中心部の通りで見かけた迷い猫を、週に何度かホームへつれて来ていたのだ。一九〇二年にホームへやって来た猫三八五匹のうち一六一匹、一九〇三年にやって来た三五八匹のうち一三二匹は、彼女がつれて来ていた。

この女性の正体について、あらゆる噂がとびかった。マティアス・コラムは一九〇三年の年次総会でのスピーチで、女性を擁護する必要があると思い、「熱狂的な猫泥棒」説を否定した。「彼女には財産があり、心に決めた慈善行為をするためにその財産を使っているのです」とコラムは付け加えると、女性の正体を探ることを拒んだ。多くの点で、この謎の女性はメアリー・ティールビーの再来だった。「彼女は、こう言っていました。『世界をよりよくするため自分ができることは、あまりありません。でも、迷い猫をかわいそうだと思うし、お腹を空かせているのを見ると、手を伸ばして助けてしまうのです』」。

バタシー・ホームが最初に猫を受け入れてから二十年のあいだに、ロンドンの迷い猫たちの状況は劇的に改善していた。コラムの説明によると、一八八〇年代、「通りの少年たちは、通り過ぎる猫に石を投げる遊びをやっても問題ないと思っていた」。いまでは、ニューヨークと同様の猫の登録システムを導入しようと、まじめに議論されていた。「現在では、猫は家族の大事なペットであり、さらに犬と同等の法律で守られていると広く認められています。こういう考えは戦力となり、われわれの目的を果たすうえで大きな役割を果たしています」と、コラムは述べている。しかし猫は、犬と同じように大勢やってきていたので、近いうちに新しいスペースが必要になりそうだった。

この点を考慮して、委員会は〈ロンドン・チャタム&ドーヴァー鉄道会社〉から高架下の土地を買おうとしたが、なかなか期待通りに進まなかった。ところが一九〇五年十月、委員会はある噂をかぎつけた。五つの高架下と広大な区画の土地を、鉄道会社が売りに出そうとしているというのだ。委員会はこのチャンスをのがさず、すぐさまその土地を購入しようとしたが、鉄道会社との交渉は一九〇六年七月まで長引いた。あるときは、鉄道会社の代表側が、たった一週間前に退去を通知する条件で、短期リースで土地を貸したい、とホーム側に申し出たこともあった。

建物を新しく建てるため、二〇〇〇ポンドの資金を集めようと募金活動が行われた。この骨が折れる資金調達は、会計係のガイ・ギラム・スコットが詐欺師にだまされて、さらに難航した。あるときスコットは、アメリカの有名な慈善家J・ピアポント・モルガン〔一八三七－一九一三　アメリカの大富豪〕の甥に会わないかと、ある人物から電話をもらった。興奮したスコットは、『紳士録』でこの大富豪を調べ、彼の数多くの娯楽のひとつに「犬愛好家」とあるのを見つけた。

「わたしはおじのところから来まして、おじはホームや業務について知りたがっているんです」と、バタシー・ホームにやって来た「甥」は語った。

スコットが建物を増築する計画を説明すると、甥はその費用はいくらかとたずねた。スコットは、必要経費の半分を募金で集めたと語った。若い甥は、「おじは、一〇〇〇ポンド寄付してくれるでしょう」と言い、スコットは大喜びした。さらに、その甥は、年間五十ポンドの寄付者として、J・P・モルガンの名前をリストに載せることもできるだろうとも言った。

甥は、「G・W・モルガン」と書いてある名刺を出して申し出を信用させ、金曜日に小切手を持ってくると約束した。

スコットの喜びと興奮は、長続きしなかった。その翌日、甥がスコットの家の玄関に申し訳なさそうな様子で現れた。時計と現金十二ポンドを近くの通りでなくし、すぐに返すのでお金を貸してほしいと頼んできた。それから数日後、スコットが名刺にのっていた住所を訪れると、本物のG・W・モルガン氏のもとへ案内された。言うまでもなく、詐欺師は二度と姿を見せなかった。「みなさんに、ご想像していただけるでしょうが、このような形で詐欺にあうのがどれほど腹立たしいことか。それも、ホームの信用のためになる事業がいろいろ現実に形になってきた……その矢先に」と、顔を赤らめたスコットは、委員会に経緯をくわしく語った。

新しい建設作業の第一段階は、五つの高架下を犬舎に改装し、空き地を犬用の運動場にすることだった。その後、一八七一年に建てられたほとんどの古い建物を改修する作業がはじまることになった。バタシーにホームを移転してから最大規模の開発だったので、一流の建築家を雇うことが決まった。

今回の仕事は、ロンドンの建築界で有望な新人、クラフ・ウィリアムズ＝エリス（一八八三－一九七八、サー・バートラム・クラフ・ウィリアムズ＝エリス、イギリスの建築家、都市計画の専門家）に任された。ウィリアムズ＝エリスは北ウェールズ出身の聖職者の息子で、ケンブリッジ大学で自然科学の学位を修める前に落第してから建築家になった、非常に興味深い人物だった。ウィリアムズ＝エリスはまさに新時代の人物で、ホームの委員会や委員長、とりわけギラム・スコット卿（会計係ガイ・スコットの父）はヴィクトリア朝へ逆戻りした姿だと言って、おもしろがっていた。ウィリアムズ＝エリスは、ギラム・スコット卿についてこう語っている。「いまだに法学院〔ロンドンにある法廷弁護士の協会〕内の事務所へ、コブ型の馬〔脚が短くて頑丈な馬〕に乗って向かう、魅力的な年配の法廷弁護士です。ステイラップ〔足底に結ぶ、または引っかける平紐で、十九世紀前半に流行した〕を用いたぴったりした長ズボンをはき、ロー・クラウン〔帽子の上部が低い形状〕のシルクハットを威厳のある頭に被っていました。古風な装いにふさわしい、大げさな話し方と身振りをしていて、礼儀やしきたりを細かく厳格に守ることにこだわっていました」。

そんなことを言いながらも、ウィリアムズ＝エリスは仕事を引き受け、のちに「かなり奇妙な依頼」だったと語っている。「仕事のほとんどは、すでに存在している雑然とした半端な建物の配置を再編成し、まとまりがあって、すぐに仕事にとりかかれる統一性のある施設にすることでした。そして、新たに購入した地所を横切る高架下をいかして、まるでミニマルアート〔形や色を可能なかぎり簡素にした造形美術〕のような建物に、見た目にも感じよく設計できました」と、書き残している。ウィリアムズ＝エリスは、明らかにこの仕事が少しつまらなかったようで、細部に変わった趣向を加えて自分が楽しもうとした。「事務所区画の通り前面の外装を直し、玄関と役員会議室に、少しだけ装飾をしました」。

ウィリアムズ＝エリスは最高のいたずら心から、手のこんだ別館を裏庭の真ん中に建てることを計画した。計画を進めてよいと言われ、どうやら彼は意外に思ったようである。

いろいろ理由をつけて、わたしは、ドームとパンタイル瓦〔S字瓦〕の屋根のてっぺんに風見鶏をつけた小さな二階建ての別館と、その周りを囲む優美な木の外階段をうまく作りあげました。別館には、なにかに使えるよう考案した小さな部屋がひとつしかありませんでしたが、火事の恐れがあるからと解体を言いわたされてしまいました。それでも最終的に、防火対策をしてくれるという人物を見つけて無事に完成しました。

一九〇七年八月八日、二年半かかった計画と工事が終わり、新しくがらりとデザインが変更されたホームがお披露目された。バタシーに移転してから、建物に最大規模の支出をしたことになる。一九〇七年度の決算報告書によると、工事には三二七七ポンドかかっている。

どうやら、資金は有効に使われたようだった。ウィリアムズ＝エリス作の別館も、たんに見て楽しい建物であるだけではなかった。別館は新しい猫舎となり、かわいらしくて実用的な建物だと証明された。そのうえ冬の間、別館を暖める自慢のストーブもあり、そこで過ごす猫たちが特にストーブを気に入っていたらしい。新しいホームができた最初の一年間に、ホームは七八七匹の迷い猫を受け入れたが、これは前年から一〇三匹の増加だった。

一九〇六年一月一日、またしても別の法令が施行された。バタシー・ホームとその業務に非常に深く、持続的に関わる法令のひとつ、犬の規制（1906 Dog Act）である。この法令によって、犬が法的な「所有物」とされた結果、警察は、行方不明のあらゆる犬、迷い犬、盗まれた犬を、責任をもって「財産」として扱うことになった。

犬の規制によって、警察は公共の場で見つけた犬が、首輪をつけていてもいなくても、「信じる理由」があって迷い犬だと判断した場合、捕獲して保護できるようになった。首輪から犬の飼い主がわかった場合、飼い主は犬が保護されたという通知を受けたが、「通知を受けとって、きっちり七日間のうちに飼い主だと名乗り出ないかぎり、犬は売られるか安楽死させられることが多かった」。

犬の規制はバタシー・ホームとたいへん密接な関係のある、決定的な法令だった。一八八〇年代から、ホームは迷い犬や野良犬を新しい飼い主に譲渡するまで、最低五日間は保護してきた。新しい法令は、すべての生き物を七日間保護するよう要求していたのである。国会で法案が通過する直前、ホームの委員会はこの法案に強く反対し、代理人を官庁街へ送って自分たちの言い分を訴えたが、結果的に失敗に終わった。

犬の規制によって、迷い犬を捕獲し管理する権限も、地元の関係当局から警察へと移行していた。これはバタシー・ホームにとって、迷い犬の捕獲と管理をするところが、ロンドン州議会からロンドン警視庁へ移ったことを意味していた。つまり、警察と新しい協定を取り決めなければならなくなったのだ。

新しい犬の規制は、バタシー・ホームにとってかなり気がかりだった。委員会メンバーのひとりレナード・ノーブルは、犬の規制が施行される数日前、条項のひとつ「迷い犬を見つけた者はだれでも警察に届け

よくあるできごと。ロンドンの上流階級の人たちも、バタシー・ホームを訪れ、見失ったペットを探していた。

るものとする」を破ってしまった、と語っている。ノーブルはセント・ジェームズ劇場〔一八五三年設立、一九五七年に閉鎖〕を出たところで「家の上がり段にいるみすぼらしい犬」を見かけた。「わたしはその犬をつれて夜食をとりにレストラン〈プリンシズ〉に行き、その後は郊外の自宅へつれて帰りました」。

それから三日後、ノーブルは使用人に犬の汚れた首輪を磨かせた。するとその犬は、セント・ジェームズ劇場があるのと同じ通り、キング・ストリートに住んでいることが判明した。「つまり、自分がその犬を、犬の自宅の上がり段からさらってきたというわけです」と、ノーブルは釈明している。「さて、わかりきったことですが、この犬の規制が施行されていたら、わたしは治安判事の前に犬泥棒として出頭するはめになったかもしれません」。

しかしバタシー・ホームには、犬の規制を阻止するためにできることはほとんどなかった。そのかわり、ふたたび犬が大挙してやって来ることに備えて計画を練ったおかげで、犬の規制が実施されたときには準備ができていた。「ホームで過ごす犬の数が大幅に増えるのは明らかだったし、新しい準備として必要だった保護施設の拡張、食料の追加、世話係の増員にともなう支出は、かなり増えた」と、委員会はその年の年次総会の最後で語っている。

新しい法令に対応するための財政負担は、バタシー・ホームの限界を試すようなものだった。「委員会は、今回の追加負担により、将来の財政状態についてかなり不安を抱いた」と、警戒した。

一九〇九年十月一日の朝、ロンドンの通りには新しく目をひく光景が広がっていた。深紅にかがやくデニス製〔イギリスの特殊車両メーカー〕の二台のワゴン車が、おしゃれな制服を着た「お抱え運転手」たちに運転されてやって来た。ワゴン車には、金色の文字でつぎのように記されていた。「迷い犬＆飢えに苦しむ犬のためのホーム　バタシー＆ハックブリッジ　後援者・国王陛下　長官・ガーター勲爵士ポートランド公爵」。

黄色の車輪がついた目立つ二台のワゴン車は、〈トーマス・ティリング自動車レンタル株式会社〉から三年契約で借りていた。バタシー・ホームはさらに七台の荷馬車、六頭の馬を借り、また新たに六人の運転手を雇い入れた。運転手たちは「運転と、それぞれ担当する馬と荷馬車の手入れ」を、週に二十五シリングですることになり、彼らの仕事がはかどるように、ホームは「馬具、かいば、蹄鉄《ていてつ》」を提供した。

この取り決めには、「馬の仕事量が限界を超える」場合、ホームは余分の馬を一日七シリング六ペンスで借りられるという条項が含まれていた。新たに導入された輸送団が対応することになる走行距離を考えると、これは配慮のゆき届いた準備だった。

犬の規制が施行されてから、バタシー・ホームが対応する予定だった範囲はすっかり変わり、拡大していた。ヘンリー・ウォード事務局長によると、犬の捕獲エリアはロンドンの広大な範囲となり、「西はステーンズ、エプソム、バンステッドまで、南はケンリー、ベルヴェディアまで、東はイアリス、ベックスレーまである〔西のステーンズから東のイアリスまで、約五十二キロの距離〕」、と強い口調で述べた。そして新しいエリアは、バタシー・ホームが以前に対応するよう要請されていた範囲より「約半径三十キロメートル以上」広くなった、と付け加えた。

荷馬車は「ロンドンの州」内にある七十八の警察署から犬を集め、ワゴン車はアウター・ロンドン〔インナー・ロンドンをとり囲む十九の特別区〕の四十九の警察署を担当するよう要請された。南部のエリアをすべて回れるようにするため、ワゴン車のうち一台は、バタシーではなくハックブリッジ・ホームへ犬をつれて行くようになった。

ウォードは、これは欲張りな計画だったと認めた。「できるだろうと思いました。重要な任務ですし、年に二〇〇〇ポンドの経費がかかるようになるでしょう。警察はもちろん経費の一部を負担してくれますが、この業務を効率よくこなすには、支援者たちから多額の寄付を募らなければならないのは明らかです」。

新しい任務がはじまった最初の朝、二台のワゴン車が、予想していた数の半分、四十匹の犬をつれて来た。その数はすぐに増えたが、ある点では、ウォードはすでに成功していた。ウォードと委員会は、ロンドン市内でワゴン車を走らせれば、待望の世間の注目を集め、ホームへ寄付が増えることを願っていた。案の定、独特のワゴン車の写真は主だった新聞だけではなく、自動車関係の出版物にも掲載された。十月上旬、バタシー・ホームはワゴン車を見たいという多くの依頼を受けた。そこでウォードは、バタシー・パークでワゴン車の特別なパレードを催した。すると何百人ものひとが見にやって来て、同時に手持ちのお金を寄付してくれた。こうしてバタシー・ホームの目立つ赤いワゴン車は、まもなくロンドン市内のあちこちで学童たちの声援と笑顔に迎えられるようになった。

1909年10月から、デザインをそろえたバタシー・ホームのワゴン車を、ロンドンの通りでよく見かけるようになっていた。

ウォードにとって、これは苦労が報われたことを示す、おだやかなひとときとなった。数週間後、ウォードは十六年間務めた事務局長からの引退を発表する。ウォードの後任は、若手のガイ・ギラム・スコットになる予定だった。ウォードは控えめな人物だったが、引退時にはあらゆるところから送られた賞賛の言葉を受け入れた。十二月にウォードが退職する日には、新聞各紙がページを割いた。「ウォード氏が事務局長になった頃……犬が入れられていたのは、波型鉄板と木材で作った犬用の小屋だった。いまでは、すべての建物はレンガ造りで、最新式の設備が備わっている」と、『イヴニング・ニューズ』紙は伝えた。「きちんとした土台の上に建物を建てるよう、かなり注文をつけたかもしれません」と、ウォードは語っている。

バタシー・ホームの関係者が全員恐れていたように、ウォードが一番恐れていたのは、バタシー・ホームにいた犬が、解剖学者——もしくは、もっとよからぬ人物——に売られたかもしれないと判明することだった。しかしウォードは、飼い主に値しない人物に犬を売ったことはない、と知って幸せな気持ちで引退した。ウォードはある「外国人」の件を思い出して語っている。その外国人は、フランスのブドウ園で「ブドウをオコジョから守るために」八匹か九匹のフォックス・テリアを買いたいと、バタシー・ホームを訪ねてきた。ウォードはあやしいとにらみ、男を追い返したのだった。

ウォードには不愉快な思い出だけでなく、うれしい思い出もあった。『レノルズ』誌〔詳細不明〕に語ったのは、ブリストル〔イングランド南西部、エイヴォン川河口近くの商業都市〕からバタシー・ホームへやって来た一匹の犬の話である。その犬は、どうやら動いている列車に飛び乗るのが好きだったらしく、どういうわけかロンドンのパディントン駅行きの列車に乗りこんでしまい、ロンドンの通りで数か月を過ごしていた。ちょうどその頃、その犬の飼い主が、毎週ブリストルからロンドンまでやって来て、バタシー・ホームを定期的に訪問するようになっていた。「飼い主は、行方不明になった犬の詳細を手紙に書いて送ってくれました。そこでわたしたちは、その詳細を業務日誌に書きこみました。それから数日のうちに、探していた犬とそっくりな一匹の犬を、幸運なことにわたしたちの手元に引きとれました」。ウォードは、飼い主と犬の再会は「とても感動的」だったと語っている。またあるときは、ひとりの男性が、「平凡な犬種」の自分の犬と、一週間後に再会していた。「犬の顔に、感謝の気持ちがあれほどあふれているのを見たら、意外に思うでしょうね。飼い主がホームから帰ろうとしたそのとき、犬はうれしげに三回吠え、それからふと思いついたのか、世話係長のもとへ走って行き、まるで人間のような表情を見せると、お別れの前に彼の手をなめました」。

ウォードは、まったく異なる二匹の犬の話がお気に入りだった。一匹はスコッチ・テリアで、ある警部補に買われていった。この小さな犬は「ひとりで長い散歩をするのが大好きでした。何度も長い散歩をしていたので、ロンドンのあらゆる場所で救助されるようになっていました」。ウォードは十二月の引退数日前、ふたたびこの話をじっくりと新聞社に語って聞かせている。いずれにしてもこのスコッチ・テリアは、いつも無事に戻ってきていた。「テリアは小さな足が疲れると、通りで警官をつかまえ、座って前足を上げて見せました」と、ウォードは説明した。「警官が首輪の名前を探すことになるまで、なんとしてでも引きとめ、家へ送り届けるよう仕向けていたのです。こういうことが、何度もくり返されていました」。

ウォードお気に入りのもう一匹は、ロンドンの辻馬車の御者たちが引きとったネリーという犬だった。アイリッシュ・テリアのネリーは、見つかったショアディッチ〔ロンドン中北部、いまのハクニーの一部〕の「地元の悪ガキたちのいじめの的」だった。「御者たちがそんなネリーをかわいそうに思い、食べ物をやり、共同で金を出しあい、犬飼育許可証を取得したのです」。ウォードは続けて、ネリーがそんな御者たちの馬車の一台に無料で乗り、楽しそうにしている姿がよく目撃されていると語っている。

ウォードがホームに在任中に出会ったなかで一番勇敢だった犬は、一頭の黒いレトリーバーだった。そのレトリーバーは、バタシー・ホームからビルマ〔現ミャンマー〕へ送られ、イギリス陸軍の現役将校の飼い犬になった。ある日、その将校は、地元のギャング団に占拠された地域にいた。「武装していなかった将校たちは、これで最後だと思いました。するとそのレトリーバーが、すさまじい勢いでギャング団にとびかかったので、ギャング団は一瞬あわてたのです。それで将校たちは、逃げることができました」。レトリーバーは「槍《やり》で刺され」、飼い主はその後に戻って「犬の敵《かたき》を討った」と、ウォードは語っている。

ウォードは、ホームで一番人気があったスタッフだったのは確かで、いつになく盛大な送別会が開かれた。シェフィールド・シルバー〔イングランドの銀の生産地シェフィールドで生産された、銅製の本体に銀メッキをほどこした銀器〕の茶器ひとそろいを贈られただけではなく、さらにハックブリッジ・ホームで開催されたスペシャル・ディナーの主賓となった。そのディナーの晩は、かなりにぎやかになり、「その場のなりゆきを止める女性たちがいなかった」せいで、真夜中過ぎに男性たち全員が肩を組んで「ほたるの光」を歌ってお開きとなった。

ガイ・ギラム・スコット事務局長は、ウォードとまったく異なるタイプの人物だった。根っからの管理官で、さまざまな慈善事業を通して、委員会の仕事の経験を積んでいた。ほどなくしてスコットは、ホームで高い評価を得るようになる。一九一二年十月、バタシー・ホームで新しい習慣がはじまった。毎週火曜日と木曜日の午後、午後二時半頃になると、ホームの外に犬や猫の飼い主が列を作るようになり、具合の悪いペットたちは、飼い主の腕や、ケージ、さらには荷車のなかでまるくなっていた。スコットの提案で、ハックブリッジ・ホームで一目置かれているジョン・ストウ・ヤング獣医師が、バタシー・ホームまでやって来て、外来患畜診療所を開くようになったのだ。診療所は「専門家の診察料をとうてい支払えないひとたちのため、犬や猫のための専門家のアドバイスを無料で受けられるようにした」のだった。

一週間に二回、ストウ・ヤング獣医師は集まった具合の悪い動物たちを三、四時間かけて診察し、ノミや乾燥肌、下痢やジステンパーまで、あらゆる症状の診断をした。この診察会は、たちまち成功を収めた。ギラム・スコット事務局長はすぐに、ストウ・ヤング獣医師の診療所は「かなりの苦しみを減らしている」と報告した。数か月のうちに、より多くのひとが外来患畜診療を受けられるような支援制度が取り入れられた。ホームに登録されている、五シリングを寄付するすべての定期会員は、「貧しい人ひとりが、犬や猫の獣医師無料診察を受けられる権利」をゆずることができると、手紙で伝えたのだ。すると会員は早速この権限を行使し、おかげで多くの人びとが無料診察を利用できた。

外来患畜診療所の成功と、猫舎の残念な状況は、はっきりと明暗が分かれていた。新しい猫舎を開設してから猫の数は増えていたが、バタシー・ホームの猫たちには、ひき続き問題が絶えなかった。病気はずっと蔓延し、大流行していたので、一九一三年頃には早くもホームは、病気を防ごうとするのをほとんどあきらめていた。その年、委員会はつぎのように報告している。

適切に管理されていても、きわめて感染力の高い病気の大流行が、ロンドンの「猫のホーム」でほぼ決まって毎年のように発生しています。

感染症については、猫の病気の熟練した専門家のあいだでも、実際にほとんどわかっていないようです。どれほど世話をし、消毒殺菌し、または入念に清潔にしたとしても、病気の急な大流行を防ぐ有効な方法はないようです……いっぽうでよく知られているのは、猫はいったん病気になると、体質的に病気に対する抵抗力はほとんどなく、明らかな原因は不明のまま死んでしまうことです。

そのためバタシー・ホームでは、猫舎で「預かり」をするのをやめることにし、それからはずっと迷い猫だけを受け入れるようにした。

一九一四年、バタシー・ホームは、再生させたハックブリッジ・ホームの犬舎を、しだいに営利目的、特に「預かり」での業務で使用するようになっていた。その年の秋が終わる頃、郊外にあるハックブリッジ・ホームは、とてもめずらしいお客の一団を迎えていた。九十九匹のカナディアン・ハスキーだ。

ハスキーたちは、つぎの南極大陸遠征の最終調整をしていた冒険家アーネスト・シャックルトン〔一八七四−一九二二、イギリスの南極探検家〕からの依頼でやってきた。おおげさな名前の「英帝国南極大陸横断探検隊」は、初の南極大陸横断を目指していた。犬の一団には雑種もいたが、ほとんどはハスキーで、ハスキー・コリー、ハスキー・オオカミ、またはハスキー・セントバーナードなどもいて、シャックルトンの壮大な南極大陸横断の旅では、地上でのおもな移動手段となる予定だった。

犬のほとんどは半分野生で、世話がとても難しかった。幸い、バタシー・ホームにはこの挑戦にうってつけの人物がいた。オープンまもない頃から、バタシー・ホームには、いろいろと風変わりな働き手たちが集まってきた。犬と同じく、外の世界からホームへ避難してきたといった感じの人物が多かったが、ジョージ・ウィンドウほど興味深い人物はいなかった。

ウィンドウは、ハックブリッジ・ホームへやって来る前に、屋外催事場で何年も働いていた。そこでのおもな仕事は、どうやら「専売特許品の薬」――うさんくさい見た目の、のどの痛み止め用シロップや、あらゆる病に効きそうな錠剤――などを売ることだった。そしてこの仕事が、彼自身の健康によくない場合が何度かあった。

ウィンドウに会った者はみな、彼にはおしゃべりの才能があると認めていた。根っからの話上手で、呼び売りがうまくいった日には、薬がすべて売り切れになったことがある、と昔話を語ったことがある。そのときは、運よく空の瓶が何本かあったので水道の水を入れて売ったが、あるひとがこれに気づき、ウィンドウは必死で逃げなければならなかったという。

ウィンドウは、シャックルトンの気性の荒い犬の群れをすぐにしっかり理解し、世話を引き受けた。委員会は、ハックブリッジ・ホームで、犬たちを二か月間無料で引き受けることにした。これは計算ずくの冒険だったが、うまくいった。犬の滞在費よりも、世間の関心を集めることのほうが、ずっと価値があったのだ。ホームが計算したところ、シャックルトンの犬たちのおかげで、募金箱に入るお金が、前年より十二ポンド増えていた。

シャックルトンはたいへん人気のある有名人で、ハックブリッジ・ホームに彼の犬が滞在していることを知って大勢のひとが集まってきた。そこにウィンドウのにぎやかなおしゃべりが加わると、人びとはますます夢中になった。ウィンドウと、そり引き犬たちとの信頼はかなり深まり、探検のため南アメリカへ向け出港するとき、シャックルトンはウィンドウに、犬に同行してほしいと頼んだ。

一九一四年八月、ウィンドウは、犬とプリマス〔イングランド南西部デヴォン州の港市、軍港〕からブエノスアイレス〔アルゼンチンの首都〕へ船で向かった。そして、しばしば危険と隣り合わせの長い航海の旅で、どうやらすばらしい仕事をしたようだ。ウィンドウは、探検隊が南大西洋のさらに南へ向かって出発するまで、ブエノスアイレスにとどまり、シャックルトンの悲運の冒険には誘われなかった。その後、シャックルトンとその仲間は、約二年間氷の世界に閉

安心できる手のなかで。バタシー・ホームのワゴン車から出てきたばかりの新入り犬が、新しい家の様子をはじめて目にしたところ。

セレブ犬たち。アーネスト・シャックルトンの南極大陸探検隊のメンバー犬たちが、1914年にハックブリッジ・ホームに滞在していたとき、大勢のひとが見にやってきた。

じこめられ、イギリスへ無事に戻ったのは一九一六年の夏になるのだった。この時期、ウィンドウと、バタシー・ホームの同僚たちは、まったく別の遠征隊に採用されていた。

ウィンドウとシャックルトンと犬たちが航海に出る数日前、イギリスは戦争に踏み切っていたのである。

第11章◆国王と国のために

Chapter Eleven

一九一四年夏、ロンドン、イギリス本国、そしてイギリス帝国領〔かつての植民地、自治領などを含む領土、現在の英連邦の前身〕に、暗い影が落ちはじめていた。ボスニア・ヘルツェゴヴィナの州都サライェヴォにおいて、フランツ＝フェルディナンド大公〔オーストリア＝ハンガリーの帝位継承者〕が暗殺されると、「すべての戦争を終わらせるための戦争」と言われていた対立に、ヨーロッパの列強が集結した。

一九一四年八月、イギリスは西部戦線〔第一次世界大戦時、ドイツから見た西側の戦線〕ではじまっていた戦いに参戦した。それに続いて軍の国家総動員がはじまると、バタシー・ホームにたちまち大きな影響が出た。三人の委員会メンバー――ガイ・ギラム・スコット事務局長、執行役員のウィリアム・エリオット大佐、トーマス・コクラン中佐――はただちに入隊した。そしてホームのジョン・ストウ・ヤング獣医師も、軍の獣医部隊から打診されると同じくすぐに入隊した。

士官たちに続き、ホームの屈強なスタッフ三十人のうち十人が入隊した。そのなかにはアルゼンチンから戻ったジョージ・ウィンドウもいた。合計八人の犬舎係が、第十五軽騎兵連隊、王立工兵連隊、王立バークシャー歩兵連隊、第十八軽騎兵連隊に入った。彼ら全員が「通常業務ができないような身体的故障がないかぎり」、復員したら復職できると約束されていた。

国王ジョージ五世〔在位一九一〇－三六〕と国のために貢献せよと命じられたのは、ホームの人間だけではなかった。

一九一四年の初期、バタシー・ホームは、警察犬と軍用犬専門のトレーナー、E・H・リチャードソン中佐から手紙を受けとった。リチャードソン中佐は戦争前から警察上層部に圧力をかけ、特殊な犬部隊を編成

犬の入所数は増え、買われる数は減り、第一次世界大戦中にバタシー・ホームに残ったスタッフは手いっぱいだった。

するよう求めていた。はじめの予定では、犬はイギリス海峡を行き来する傷病兵輸送船といっしょに行動することになっていた。

　これより数年前、リチャードソン中佐は、貫禄のあるドイツ人がスコットランドの荒れ地で、最高品質のシープドッグを買い求めているところを偶然見かけていた。そのドイツ人は、ベルリンの新しい陸軍士官学校のために犬を求めていたのだ。一九一四年までにリチャードソン中佐は、トルコ軍とロシア軍が同じような施設をコンスタンティノープルとペトログラード〔サンクトペテルブルグの旧称〕に持っていると知った。リチャードソン中佐は巻き返しをはかり、できるだけ多くの犬を訓練したいと思い、そして最初に採用したのは、おもにバタシー・ホームの犬たちだった。

　リチャードソン中佐は、つれて行く犬の好みがかなりうるさかった。通称「密猟犬」ラーチャー〔コリーとグレーハウンドの交配種、密猟用に仕込まれた〕は、なんにでも役立つ軍用犬と考えられていたし、エアデール・テリア、コリー、シープドッグ、ホイペット〔グレーハウンドとテリアの交配種の小型犬〕、レトリーバー、ディアハウンド〔大型グレーハウンドの一種〕は、優秀な伝達係や番犬になると考えられていた。グレートデーン、ボアハウンド〔イノシシ狩りの大型猟犬〕、マスチフは番犬に最適だとされていた。プードルや「派手な巻き毛のしっぽ」を持つ犬は「気まぐれな性質で、厳しい任務にまったく向いていない！」ので、リチャードソン中佐はほとんど無視していた。

　一九一五年の初期には、ケント州のイギリス海峡からほど近いシューベリーネス〔テムズ川河口の町〕の近郊で、犬の大部隊が臨時キャンプに宿営していた。その場所が選ばれた理由は、イギリス海峡に向かって発砲する巨大な大砲の設置場所から近いためだった。犬の部隊はそのキャンプに五、六週間滞在した後、フランスへ送られた。五週間の訓練期間で、おしわけて進む、浅瀬や泥のなかを歩く、ジャンプする、せきとめられた水のなか障害物をよけて泳ぐ、有刺鉄線のフェンスを乗り越える、などを教えられていた。

当初、犬たちは、けがを負った兵士を探して運ぶ、傷病者運送用犬として働かされるはずだったが、しだいに優秀な伝達係でもあることがわかってきた。フランドル地方は、砲弾の破裂で生じた穴、泥、煙、ガス、水で地獄のような景色になっていたので、犬の卓越した方向感覚とスピードはなによりも重要だった。リチャードソン中佐の犬部隊は華々しく活躍し、「特報ニュースで報じられる」ことが何度もあった。ドイツ軍の大規模な攻撃があったとき、イギリス軍の前線は集中砲火攻撃を受けて孤立していた。そこで一匹のハイランド・シープドッグが増援部隊を要請するメッセージをたくされ、迫撃砲や大砲が飛びかうなか、約三キロの道のりを十分で走りぬき、フランス陸軍師団へたどりついた。フランス軍は増援部隊を派遣することができ、孤立していたイギリス軍の部隊は「痛ましい悲劇」になったかもしれない状況を避けられたのだった。

犬は、後衛戦のときにだけ役立っていたわけではない。イギリス側のある攻撃のとき、進軍の最中、一匹の犬が旅団司令部まで戻り、地図上の重要な情報を運んだことがあった。爆撃で穴だらけで泥まみれの道を、人間が行けば一時間半かかるところ、この犬は二十分でやりとげた。コリー、シープドッグ、ラーチャー、ウェルシュ・テリア、アイリッシュ・テリアはみな勇ましい働きをしたが、従軍したなかで一番有名なのは、バタシー・ホーム出身の一頭のエアデール・テリアで、名前はジャックといった。

ジャックを誇らしく思う司令官は、十年前の日露戦争〔一九〇四-〇五〕で、ジャックはすでに歴戦の勇者だったと語っている。ジャックと、もう一頭採用されたスコッティッシュ・シープドッグは、キビ畑のなかに倒れている仲間を探すロシア軍の担架兵たちにとって、大きな助けとなった、と司令官は明言している。背丈の高い作物のせいで、担架兵たちは負傷兵を見つけられなかったが、ジャックとシープドッグの二頭組は、兵士たちをにおいでたやすく探りあてたのだ。フランスに来る十四年も前に、遠く離れた外国の部隊に従軍して、任務にあたることができたのか、ちょっとした謎である。もしかしたら、このジャックは、日露戦争で活躍したジャックの子どもだったのかもしれない。真実がなんであれ、フランス駐留のシャーウッド・フォレスターズ連隊で任務にあたったジャックは、不屈の名声を得たのだった。

敵軍からの攻撃を受けて連隊が脱出できなくなったとき、援軍への要請を届けるため、ジャックは急いで送りだされた。ジャックはすさまじい砲撃を避けながら慎重に進み、およそ三キロの道を進む途中で二回撃たれた。それでもメッセージを届けると、直後にひどい傷のせいで息絶えた。ジャックの話は、戦争の物語のなかで一番人気となり、それから二十年たってもふたたび話題となっている。

ジャックは、英雄としてふさわしい動物だと考えていた『タイムズ』紙は、一九一八年十二月の社説で、「軍務についたイギリスの勇敢な犬たちが話題になるのは、まったく当然のことだ」と掲載した。

バタシー・ホームに残った者たちも、厳しい日々をおくっていた。ペッカム〔テムズ川南岸、ロンドンの一地区〕の〈ティリング自動車レンタル社〉は、バタシー・ホームが犬猫を集めるためのワゴン車や運転手をずっと提供していたが、つぎつぎと人員が軍に召集されていたので、業務の質はひどく落ちていた。そのためバタシー・ホームには、若く経験不足で、不注意な運転手が派遣されていた。

一九一五年四月、バタシー・ホームは〈ティリング社〉に手紙を書き、「ワゴン車の状態」、特にそのなかの一台は「御社とこちら双方の合格基準を満たしていない」と苦情を述べた。

〈ティリング社〉からは、「人員を確保するのが非常に難しい」というそっけない返事が来た。「とにかくいまのご時世では、車を運行できるだけで恵まれていると思います。辞める人物についていろいろと言われましても、それが労働市場の現状です。しかし弊社は、ホームのために最善を尽くしたいと思っています」。

それからまもなく、〈ティリング社〉は、物価が急に上がったので「大赤字」になったと苦情を訴えてきて、「かなり深刻で前例のない状況なので、お願いする次第です」と、社から出向しているふたりの「お抱え運転手」に週三シリングを余分に支払ってほしいと要求してきた。最終的にバタシー・ホームはその条件での支払いに応じ、〈ティリング社〉は「ワゴン車を管理し、車両から離れず、無謀な運転をしない、非の打ち所がないまじめな運転手を手配するようにした……最近では、車を少年たちの学ぶ場にしようとすることが多いが、少年は車を乱暴に扱い、あらゆる場所で危険な運転をするという傾向がかなり強い」と、ギラム・スコットは記している。

配給制度が実施され、ホームが頼っていた必需品を手に入れるのが困難になっていた。特に大打撃を受けたのは、餌の調達だった。ホームが必要としていた餌用の残飯や内臓肉は減っていて、同じく主食だった犬用ビスケットも手に入らなくなっていた。スタッフのひとり、バサースト大尉は、〈スプラッツ社〉のような犬用ビスケット製造元は、これまで使っていた小麦やライ麦の代わりとなる「小麦ふすまや傷んだ穀物を製粉業者から」まったく入手できなくなったのだ、と『フィールド』誌に語っている。その結果、犬への一日分の餌はぎりぎりまで減らされた。「いま支給している以上の餌を犬に与えることも、犬の健康を保つことも不可能です。大型犬には、残飯のほかにも一日に二二〇グラムほどの犬用ビスケットが必要です。近頃、犬はビスケットをもらうことができません」と、大尉は語っている。

ロンドンの男性たちが戦争へ突き進むなか、バタシー・ホームは平時よりも多くの犬を受け入れていた。バサースト大尉と世話係たちは、ロンドンの公園や通りに、手っ取り早く置き去りにされた何百匹ものペットを受け入れはじめていた。多くのひとがバタシー・ホームへ犬をつれて来ていて、追いつめられた飼い主のなかには、自分の犬から首輪を外し、首に紐を結びつけ、「迷い犬を見つけた」と嘘《うそ》をつき、バタシー・ホームに捨ててゆく者もいた。「先日、このようなことをしたある女性は、彼女について行こうと必死にな

1914年1月の新聞記事「犬たちの悲しい新年」に添えられていた写真。

大勢の犬がいて、ほんの少量の食料しかないとき、戦時中の食料の配分には正確な熟練の技が必要だった。

る犬を置き去りにしたとき、泣き崩れてしまいました」と、バサースト大尉は話している。

バタシー・ホームはその当時、平均して四〇〇匹の犬を抱えていた。開戦前は、多くの男性が、自分が従軍して留守のあいだ、家族を守る番犬を求めてやって来ていた。ところが戦争がはじまると、犬を買いたいという需要はしだいに減っていった。その結果、バサースト大尉と世話係たちは、犬を安楽死させる前に、まるまる七日間世話ができなくなっていた。例のごとく、バタシー・ホームの財政状況も悪化していた。一九一七年の年次報告書は、財産の遺贈や寄付金が減ったこと、同じくハックブリッジ・ホームの収益も減ったことを明らかにしていた。ハックブリッジ・ホームが、防疫のための犬の検疫隔離施設として機能しなくなることは、予想どおりだった。戦争が原因で船の輸送に問題が生じ、多くの犬がイギリス国内への入国を拒否されていたからである。さらに追い打ちをかけたのは、バタシー・ホームの優秀な資金調達係、一頭の黒いレトリーバー、サムが死んだことだった。委員会によると、サムは「とても賢く、鼻先でいろんなひとの手のひらを突っついていました」。サムの死は、「寄付者の住所と日付が入った領収書の受け取りが減ったことの、明らかな理由でした」。

さらに事態を悪化させたのは、兵士といっしょにフランスから帰国した犬の大多数が、健康上の問題を抱えていたことだった。一九一五年の夏のあいだ、ホームの犬舎はジステンパーの流行のため閉鎖された。世話係は「そういう迷い犬たちは、塹壕《ざんごう》や、村や、フランスのひと気のない農家から、軍隊が集めてきたものでした……そのうち数匹はハックブリッジ・ホームに割り当てられましたが、その後に続いて起きたことからして、その犬たちが病気を持ちこんだのは一目瞭然でした」と、言いはった。

さらに前線からは、さまざまな知らせが届いていた。自転車伝達係〔詳細不明〕として一九一一年にバタシー・ホームの一員になったジョージ・グリッドリーは、一九一六年に王立バークシャー歩兵連隊での任務中にフランスで死亡した。そして一九〇七年の大晦日《おおみそか》、十三年間ホームに勤めて事務職員長にまでなったシール氏が、敵軍の潜水艦に沈没させられた船で溺死した。犬舎係だったウィルキンズは、王立西ケント歩兵連隊に入隊し、「フランスの塹壕で戦っていたときに、どうやら重傷を負った」ようだった。

ほかのホームのスタッフについて、もっとましな知らせも届いていた。たとえば、ホームのジョン・ストウ・ヤング獣医師は、獣医部隊に参加し、若手の獣医師の部隊を指揮していたところ、北フランスのギイ地方の村の近くで、傷ついて苦痛にあえぐ馬の大集団に出くわした。馬たちは、大規模な砲撃があった後に先を争って逃げ出してきたようだった。ストウ・ヤング獣医師は、若手獣医師たちとその場で世話を引き受け、動けなくなった馬たちを一か所に集めた。その場には、負傷した大勢の兵士もいた。ストウ・ヤング獣医師と若手獣医師たちは、無傷の馬の背に負傷兵たちを乗せ、新たな砲撃がくり広げられるなか、安全な場所へつれて行った。それからストウ・ヤング獣医師たちは、貯蔵していた武器や装備が迫りくる敵軍の手に落ちないよう、馬で運び去った。ストウ・ヤング獣医師は、「著しい勇敢さと任務への献身」によって戦功十字章を授与された。

一九一八年、ストウ・ヤング獣医師、そして同じく三人の犬舎係――バタシー・ホームのボールとブレンチリー、ハックブリッジ・ホームのボール――がホームに戻ってくると、ホームには新しい事務局長がいた。フランスから無事に帰還したガイ・ギラム・スコットは、委員会メンバーは続けるものの、事務局長の役目を辞任すると決めていた。当面、バタシー・ホーム運営の責任を任されたのは、ガイ・ローリーだった。彼には最初の厳しい試練が待ち受けていた。

軍隊の帰還によって、バタシー・ホームにはさまざまな問題が生じていた。戦時中は「バタシー・ホームがこれまで直面したなかで、もっとも苦しくてつらい時期」だったと、一九一八年の年次報告書で委員会は認め、とりわけドッグフードの不足が一番の問題だった。何百人、何千人もの男女がロンドンやイングランド南東地方に戻ってくると、事態はさらに悪化した。すでに一九一八年の夏、内務省はバタシー・ホームに、引きとり手のいないすべての犬は、三日間だけ保護したのち殺処分するよう提案していた。この提案は、強い反発を引き起こした。なにはともあれ、世話係が犬を売りに出す準備をする状況ではなかっただろう。バタシー・ホームとしては、国王や国に対して非愛国的であるとか、裏切り者であると思われたくなかったが、堅苦しい言葉でつづった手紙で、自分たちがどれほど「提案を遺憾に思った」かを表明した。内務省はその手紙を受けとったと知らせると、二度とその提案をしてこなかった。

一九一八年末頃、みなの頭を悩ます、さらに差し迫った問題が浮上していた。スペイン風邪が、驚異的な速さでイギリスじゅうの町や都市に広まっていたのである。さらに、数年ぶりに狂犬病がふたたび発生し、デヴォン州とコーンウォール州で広まっていた。農業省は、厳罰をともなう規制を実行し、許可なく犬を移

この線画に描かれているように、戦争がようやく終わると、バタシー・ホームは数々の涙ながらの再会の場所になった。

動させることを禁じたが、あまり効果はなかった。

戦争から大勢の人びとが帰還し——その多くは、フランスで仲よくなった犬をつれていた——イギリス国内への犬の流入は、制御できない状態だった。ロンドンの鉄道駅では、スーツケースや背嚢《はいのう》の中に隠されていた数十匹もの犬が見つかっていたし、さらに多くの犬が、気づかれないままロンドンへ到着していた。

あるとき、助けを求める声がバタシー・ホームへ届いた。〈RSPCA〉は委員会と協定を結び、五〇〇匹の犬をハックブリッジ・ホームへ送って、ストウ・ヤング獣医師に管理してもらうようにした。その手数料として、一匹につき週に十シリングが支払われることになったので、ホームは新しい犬舎や建物を増設し、やってくる犬たちの受け入れに合意した。しかし狂犬病が流行すると、増設してもほとんど効果がなかった。

一九一九年四月、ハックブリッジ・ホームからさほど遠くない場所で狂犬病が流行し、一匹の狂犬病の犬がアクトン〔イングランド南東部の旧自治都市、現在はロンドンの自治都市の一地区〕に住むある家族を襲った。その結果、一家の母親、父親、娘は、緊急の予防接種が必要な状態となった。まもなくして全国で合計八〇〇件の症例が報告された。五月、ロンドンはふたたび、口輪令(The Muzzling Order)の対象地域となった。針金製の口輪の在庫はまったく足りず、ロンドンの通りはたちまち捨て犬であふれた。

バタシー・ホームのワゴン車は大忙しだった。「もう一台ワゴン車が追加され、何台かは通常の倍の距離

世話係のいないすきに！　猫舎で遊ぶ子猫たち。

を走り、さらに家具運搬車まで利用している」と、ホームは報告した。しかしロンドンの主要駅からは毎日、バタシー・ホームへ多くの犬が運ばれていた。特に週末と休暇中に、ペットといっしょに移動できないと駅で言われた飼い主たちが、数多くの犬を置き去りにしていたからである。

一九一九年には、一六八五六匹の犬を受け入れていたにもかかわらず、奇跡的にバタシー・ホームでは狂犬病は発生しなかった。しかしバタシー・ホームが受けた影響は、とりわけ財政面で大きかった。その年の五月から九月にかけて口輪令が施行されていたとき、ホームでは犬を一般市民に売ることが禁止されていたのだ。

バタシー・ホームが直面したほかの大問題は、スタッフについてだった。バタシーとハックブリッジで働いていた男性スタッフの多くは、第一次世界大戦の退役軍人だった。肉体的なけがを負って戻ってきた者もいれば、心に傷を負った者もいた。その結果、戦争以前のレベルで通常業務ができなくなっていたのである。とりわけハックブリッジ・ホームは、ひとことで言うと「無秩序」になっていて、それは「明らかに、戦争によって引き起こされた困難と、復員のせい」だった。双方のホームでは、以前から軍隊式の管理体制がとられていて、世話係たちは朝一番の点検のときに整列するよう求められていたし、監督官は教練係軍曹のようにふるまっていた。ハックブリッジ・ホームにはスチュアートという監督官がいて、監督官と世話係のあいだには不和が生じていた。世話係の仕事ぶりは「ふさわしくない」と判断され、スチュアート監督官は彼らを「一人前にするよう」言いわたされた。

この件は、世話係の多くからは受け入れられず、トムリンソンという男が反抗した。彼は監督官がさまざまな犯罪に加担していると非難し、「気配りができない」「下品で不潔な言葉」を使う、といったささいなことから、「肉を盗む」、血統のよい犬は訪問者から隠しておいて「なじみの愛犬家や業者」に個人的に売る、といった深刻な問題まで持ちだした。

トムリンソン世話係は業務命令違反で解雇されたが、スチュアート監督官はやり方を変えるように指示された。ホームで働く男性スタッフの多くは、国王と国のためにみごとに戦ってきた。「ホームのなかで秩序と規律を守ろうとしても、軍隊と同じやり方は、一般人の社会には適用できない」のだと、スチュアート監督官は忠告された。

それでも、戦争の終結は国にとって新しい夜明けとなった。すべてのイギリス国民と同じように、バタシー・ホームも、おだやかに前向きな気持ちで、新しい時代を迎えていた。

第12章◆見捨てられた迷い犬たち

Chapter Twelve

一九二〇年代は、バタシー・ホームにとってこの数年で一番うれしい知らせとともにはじまった。一九二〇年一月、通りで発見された飼い主のいない犬の数が、これまでの記録のなかで一番少なかった、とガイ・ローリーが報告している。「野良犬はほとんど姿を消しました」。この大きな変化の原因を突きとめるのは簡単だった。「戦時中の配給制限、食料品価格の高騰、狂犬病の取り締まりによって、ロンドンの犬の数は大幅に減少しました」と『モーニング・ポスト』紙〔一七七二－一九三七、イギリスの保守的な日刊紙〕にガイ・ローリーは説明している。

そしてバタシー・ホームとしてさらに喜ばしいことに、犬を欲しがるひとがホームにいる犬の数を上回っていた。一見、日常に戻ったようなイギリス国内では、戦時中に自分の犬を失ったり売ったりした人びとが、新しい仲間を求めるようになっていた。バタシー・ホームの外に行列ができるのはありふれた光景となり、多くのひとはがっかりして去っていた。「すべての犬は丈夫で健康で、売れる状態になるまで世話しています。過去二週間、犬が欲しいというたいへん多くの希望があり、もしもあと三〇〇から四〇〇匹の犬がいたら、売ることができたのですが」と、ガイ・ローリーは釈明した。

バタシー・ホームの財政面も、たいへん好調だった。ホームの業務は、過去六十年の歴史上、これまでで一番能率的で、収益があがっていた。一九二二年中に、バタシー・ホームは当座借り越し債務の二五〇〇ポンドを完済し、およそ一四〇〇ポンドを投資にまわした。いくつもの健全な経営判断をくだした結果である。一九二一年に、ワゴン車をレンタルしていた〈ティリング社〉との契約を解消し、三台の自前のワゴン車を購入して、年に一三〇〇ポンドを節約していたのだ。

さらに一九二二年、バタシー・ホームは広告を掲載するという大胆な一歩をふみ出すことにした。それも新しいワゴン車の側面だけではなく、バタシー・ホームの年次報告書にも載せることにしたのだ。その年の夏に出された最初の広告は、〈ガースティン社〉の〈トニック・ドッグ・ソープ〉と、〈スピラー社〉製の「最高品質のドッグフード」である〈オソコ〉のものだった。広告は、明らかに効果があったようである。その翌年、年次報告書には五ページにわたって広告が掲載され、〈スピラー社〉とそのライバルの〈スプラッツ社〉のドッグフードから、シャンプー、そしてあまり成功しそうに思えない会社、〈H・L・バークウェイ〉製のさまざまな「犬用の革製必需品」がならんでいた。

バタシー・ホームはもっと知名度をあげるため、より現代的な方法もとろうとしていた。一般の人びとが、犬や猫に強い愛情を抱いていること、そしてとりわけ心打たれる物語に夢中になることはわかっていた。こうしてバタシー・ホームは、自分たちのすばらしい仕事の話を広めることに、ようやく力を入れるようになった。もしくは偶然に、対象を正確に絞りこんだ話の持つ力に気づいたのかもしれない。一九一八年三月、『デイリー・ミラー』紙は、バタシー・ホームにやってきた一匹の黒いペキニーズの写真を掲載した。その写真のキャプションには、「プリンセスという名のペキニーズは、バタシー・ホームで一番小さな犬で、よい家がすぐに見つからなければ殺処分される運命」だと書いてあった。

ヘンリー・セルビーによると、この記事はバタシー・ホームの知らないうちに、きちんと許可を得ることなく書かれていた。これより数日前、男性がひとりやって来て、「バタシー・ホームを見学するための通常の手続きをとって、入場を許可された」。男性は犬舎を見てまわるあいだ、写真を撮る許可を得ていた。その新聞記事が掲載されてから数日のあいだに起きた反応は、バタシー・ホームの予想を超えていた。セルビーが言うには、合計で「一五〇〇通の手紙、八十八通の支払い済みの電報、四十通の未払いの電報を受け取りました……男性スタッフをひとり配置して、一日中電話に対応させました。それと同時に、かなりの人数がホームの外に集まりました。募金の額は十シリングから八ギニーまでいろいろでした」。最終的に――かなりあやしい話だが――そのペキニーズの飼い主がバタシー・ホームに連絡をしてきて、犬は「わたしのところから一月に盗まれた」のだと自信たっぷりに言った。

セルビーは言い訳じみた感じで、今回の件は「ほんとうに迷惑」だったと委員会に語った。しかしこの件でバタシー・ホームは、長年おぼろげに感じてはいても、試す覚悟がなかったあることにはっきり気がついた。バタシー・ホームには、幸せな――ときにはそれほど楽しくない――物語が、数えきれないほど眠っているのである。プリンセスの物語をきっかけに、バタシー・ホームは情報を公開し、少しずつ広めはじめた。

さらにバタシー・ホームは、有名人の力を利用することにした。イギリス王室のメンバーのほかに、この時期にバタシー・ホームと親交のあった重要人物は、首相のデヴィッド・ロイド・ジョージ〔一八六三－一九四五、イギリス自由党の政治家、首相、任期一九一六－二二〕だった。ロイド・ジョージ首相は、スイスでの休暇中に一頭のセントバーナードにほれこんで引きとり、帰国後の検疫期間中に犬をハックブリッジ・ホームに預けた。ハックブリッジ・ホームは、あまり知られていなかった検疫隔離施設としての役割を宣伝するよいチャンスだと、この話を公開した。こうしてセントバーナードのリッフェルは、ハックブリッジ・ホームを去ってダウニング・ストリート十番地〔首相官邸〕へ向かうまでの短いあいだ、有名犬になっていた。

ほどなくして、『スター』誌〔詳細不明〕は、「首相官邸のスタッフは、カーペットを補修したり、家具を元あった場所へ戻したりするのに忙しい」と報道した。そしてリッフェルが「内閣と外務省のメンバーを押し倒す」ことがないように、もっと大きな屋敷へ移らなければならなかったことが、のちにわかっている。

このような明るい話題による広報活動や、たくさんの勇敢な行動の物語は、まちがいなくバタシー・ホームのためになった。もっとも印象的だったのは、一九一九年の狂犬病流行の時期のできごとである。あるときふたりの女性が、地下鉄のグロスター・ロード駅の電流の通った線路の下に、一匹の犬が閉じこめられているのに気づいた。彼女たちが地下鉄職員に知らせると、「犬はしばらく前から、そこにいる」のだと言われた。何度も助けようとしていたが、すべて失敗していた。犬はすっかりおびえてしまい、持ち上げてもらえる場所まで近づくことができなかったのだ。

それから三日後、女性たちがふたたびやって来た。犬の悲しげな鳴き声が、相変わらず地下鉄のトンネルに響くのを聞いた彼女たちは、自分たちでなんとかしようと決心した。その翌晩、夜中の一時過ぎに電源装置が切られた直後、ふたりの女性は、グロスター・ロード駅の上の通りのマンホールから地下へどうにかもぐりこんだ。オーバーオール姿で、丈夫なロープ、とっておきの肉の切れ端、懐中電灯、犬用の首輪を装備していた。ふたりは、ゆっくり慎重に薄暗いプラットフォームを進み、ついに犬を発見した。しかしここまできても、救出劇は終わらなかった。やっと上の通りへ出ようとしたとき、犬が身をくねらせて逃げたので、ふたりは地下鉄駅まで戻り、ふたたび犬をつかまえなければならなかったのである。犬はバタシー・ホームへつれてゆかれ、すぐに元気になると、まもなくよい家庭に譲渡された。

　バタシー・ホームの犬の話は、イギリスの新聞で定番の記事となった。特に人びとを楽しませたのは、チャンピオン犬のグレーハウンド、オーク・トップについての話だ。オーク・トップはロンドン南西部のキャットフォード・スタジアムから盗まれ、世間の注目を集めていた。新聞各紙は、犬にいったいなにが起きたのかとあれこれ推測した。ところがだれもが驚いたことに、そのオーク・トップがバタシー・ホームにひょっこりと現れたのである。ある朝、犬を集めるワゴン車に乗せられて、赤茶色でしま模様のグレーハウンドが一頭やってくると、世話係たちはなにかおかしいと思い、犬を頭から尻尾までくまなく洗ってみた。するとその犬がオーク・トップだったのである。犬泥棒たちはオーク・トップの毛を赤茶色に染めたのだが、色がぬけはじめると、オーク・トップを捨てたのだった。

　有名人が飼っている犬は、当然新聞の紙面で一番大きく取り上げられていた。一九二〇年代の人気者のひとりで、俳優、軽業師、歌手だったルピノ・レーン〔一八九二－一九五九〕は、バタシー・ホームを訪問して一匹のブルテリアをひきとったときの、愉快な——やや疑わしい——話を語っている。ホームから歩いて帰宅していると、犬が激しくハアハアと息をし、ひどく弱っているようだったので、レーンは心配になってきた。動物病院を通りかかったので、レーンは犬を診てもらおうとそこをたずねた。一時間後、レーンは一匹ではなく、五匹の犬といっしょに出てきた。メスのブルテリアは、四匹の子犬を産んだのだ。バタシー・ホームの獣医師が、どういうわけで妊娠を見逃したのかについて、きちんとした説明はまったくされていない。

あるとき、アレクサンダー・コルダ〔一八九三－一九五六、ハンガリー出身、イギリスで活動した映画監督、制作者〕は、撮影技師バーナード・ブラウンに、計画中の映画『波止場と野良犬』〔一九三五年〕のために新しいスターを探してほしいと頼んだ。そこでブラウンは、最終的にバタシー・ホームに行きついた。コルダが求めていたのは、かわいらしい雑種犬だったが、ブラウンがイギリス各地で四〇〇〇匹以上の犬をオーディションしても、コルダが望むような特徴を持つ一匹は見つかっていなかった。ブラウンの運命は、バタシー・ホームで一転した。ホームの犬舎にブラウンが入ったとたん、一匹のスコティッシュ・テリアとシープドッグの雑種犬に出迎えられた。スクラッフィーという名のその犬は、後ろ足で立ってキャンキャンと鳴いていた。

ブラウンはすぐに、「この犬だ」と確信し、家へつれ帰った。スクラッフィーの訓練は簡単ではなかった。ブラウンが最初の撮影にスクラッフィーをつれて行くと、ふつうの犬とは違って、缶詰のサーモンをごほうびにすれば、言うことをきくとわかった。とはいえスクラッフィーには、役者の素質があったのだ。こうしてコルダは、『スクラッフィーの私生活』を含む六本の映画の契約を、スクラッフィーと結んだ。

コルダは、ブラウンに犬の代金として七シリング六ペンス支払ったが、スクラッフィーはたちまち人気者になったので、四〇〇ポンドの保険をかけなければならなかった。

スクラッフィーは、バタシー・ホーム出身で最初の演技をする犬となり、その後も続いて同じような犬が登場している。一九三二年、歌手のグレイシー・フィールズ〔一八九八‐一九七九〕は当時売り出し中の大人気歌手のひとりで、映画『明るいほうを見ながら』〔一九三二、ミュージカルコメディ映画〕に出演させるため、バタシー・ホームから何匹もの犬を借りた。新聞各紙は、「出演した犬の何匹かは、映画公開前に新しい家を見つけられなかったら殺処分されてしまうのだろうか」と書き立てた。すると当然の結果として、バタシー・ホームには犬を引きとるという申し出が殺到した。一頭のエアデール・テリアは、グレイシー・フィールズのもとに残り、生涯の友となった。

やがてバタシー・ホームの犬は、思いがけない役を演じられる、と知られるようになった。スクラッフィーが有名になってから数年後、クラブという犬がシェイクスピア劇に配役された。当時一流の喜劇俳優ジェイ・ローリエ〔一八七九‐一九六九〕に選ばれたクラブは、メモリアル・シアター〔シェイクスピア・メモリアル・シアター、ストラットフォード・アポン＝エイヴォンにある劇場〕で上演された、『ヴェローナの二紳士』でローリエと共演した。赤茶色の小さな雑種犬の役は、ローリエのおどけたしぐさに合わせていっしょに遊ぶことだった。クラブは大絶賛され、ある有名な批評家は「この犬は無自覚のコメディアンである」と評した。

新聞にとってもうひとつ主なネタとなったのは、バタシー・ホームで定期的に起きていた、悲しく涙を誘う物語だった。一九二三年、ある犬が新聞の見出しを飾った。小さなフォックス・テリアが、何年ものあいだロンドンの王立裁判所の地下で暮らしていて、裁判所の職員たちがこっそり餌を与えていた。しかし〈RSPCA〉につかまり、殺処分されるところをバタシー・ホームが介入し、ヘンドン〔イングランド南東部〕に新しい家を探してやった。それからしばらくして、王立裁判所にやってきた職工たちは、フォックス・テリアの隠れ家

FILM STAR FROM THE BATTERSEA DOGS' HOME

Scruffy Climbs the Ladder to Fame

A MONGREL

Tinned Salmon Was he Way to His Heart

new film star who will soon have all the world at his feet has been found in the Battersea Dogs' Home.

He has no resounding high-born name and no ponderous pedigree stands to his credit.

His name is Scruffy, rescued from obscurity for a paltry seven and sixpence, and last of all he is the world's merriest mongrel.

From a Special Correspondent

THE story of Scruffy, who will very shortly be famous, was told to me by his master, Mr. Bernard Brown, camera-man to Mr

"Scruffy."

Mr. Bernard Brown.

He ignored them. They offered him quite expensive chocolates. Scruffy intimated that they made him sick.

As a last resort they tried him on tinned salmon, and he sold himself body and soul for a portion of it.

After that Scruffy discovered what hard work was for the first time. Mr. Brown had never tried training a dog for film work in

新聞や雑誌は、映画スターになったバタシー・ホーム出身の犬、スクラッフィーの話でもりあがった。

THE DAILY MIRROR, JANUARY 1, 1924

DARK DAYS FOR LITTLE DOG LOVERS

子どもとその飼い犬の心打たれる物語や写真は、バタシー・ホームの仕事の宣伝に役立った。

と、そして約一〇〇キロもの餌の骨の山を発見したという。

フローリーという犬の話は、ほんとうに切ない。フローリーは、元軍人のジョージ・クラークという男と住んでいた。戦地から帰還してからクラークは仕事探しに苦労し、一九二〇年代から三〇年代にかけて経済状況が悪化すると、絶望してしまった。とうとう彼は、ロンドンのみすぼらしい一間のアパートのコイン式ガス栓〔コインを入れた分だけガスが使えるガスメーター〕に最後の小銭を何枚か入れると、オーブンに火をつけてそこに自分の頭をつっこんだ。フローリーが悲しげな吠え声で近所に危険を知らせ、警察がクラークを発見した。

フローリーはバタシー・ホームへ送られ、すぐにチェルシー〔テムズ川北岸の西部の地区〕に住む裕福な家族に譲渡されたが、そこに落ち着こうとしなかった。少なくとも二回、この忠実な犬は、もとのアパートへ急いで戻り、前の飼い主が帰ってくるのをじっと待っていた。

この時期に語られたバタシー・ホームの犬に関する数々の話のなかで、一番読者の心をとらえたのは、「子ライオン」ピップの話だった。ピップの冒険物語は、動物写真家で冒険家、そして猛獣ハンターのチェリー・カートン〔一八七一-一九四〇〕が、バタシー・ホームへやって来たときにはじまった。カートンは、アフリカ遠征にいっしょにつれて行く小型犬がほしいと思っていた。ピップを選んだのは、「太くて短いおかしな尻尾をしていて、ぼくを見たとたん、ぱたぱたとふりはじめたからです。ピップのいる犬舎の前へ行って笑うと、尻尾がもっと速くふられました」。

カートンの冒険の旅は、アフリカ東部、ケニアのマサイ族の領土、タンザニア北部を目指していて、タンザニアでは自然の生息地にいるライオンの写真をたくさん撮る予定だった。怖いもの知らずのカートンは、ある日、野営地の近くの茂みにいるのを見かけていた、二頭の大きなライオンを写真に撮ろうと出発した。カートンには、槍を携えた十一人のマサイ族の戦士と、馬に乗った四人のソマリ族がつき従った。茂みのなかへ勇ましく進んでゆくとき、ピップは彼らのそばを走り、楽しげに吠え、冒険に興奮しているようだった。

一行は、すぐに二頭のライオンに遭遇した。ライオンはカートンたちにすさまじく反応した。そうこうするうち一頭は逃げていったが、もう一頭は乾いた川床のほうに姿を消した。カートンはピップに後を追わせ、ピップがライオンの居場所を教えてくれるだけでよい、と思っていた。ところが、冒険家とマサイ族が驚いたことに、小さな犬はライオンの隠れているところへまっすぐ向かっていった。

そのすぐ後に大きな吠え声がとどろき、カートンは最悪の事態を思って川床へ近づいた。しかしそこで目にしたのは死んだライオンと、その尻尾をくわえているピップだった。ピップの働きのおかげで、マサイ族のひとりは攻撃を受けたときライオンの後方になんとかまわりこみ、槍で突く準備ができたのだ。ピップはライオンの尻尾のほうへ向かい、気をそらせようとし、マサイ族の戦士は、必殺の一撃を加える十分な時間が稼げたのだった。

マサイ族の風習では、ライオンの尻尾をもらう者は、さらにたてがみも得る権利があった。こうしてバタシー・ホーム出身の小さな犬は、正式に栄誉を与えられ、スワヒリ語で「ライオン」という意味の「シンバ」というニックネームをつけられた。

ロンドンに戻ったカートンは、ピップのお手柄について発表し、その話をイギリスじゅうの新聞や雑誌が取りあげた。ピップ――もしくは「子ライオンのシンバ」として広く知られた犬――は、つかのま、文句なしにイギリスで一番有名で賞賛されたペットになった。

ピップやスクラッフィーのような話は、バタシー・ホームにいつもプラスに働いた。そして、とりわけ胸がはりさけるような話が新聞などに載ると、必ずそのあとにぽつぽつと寄付があり、または――さらにうれしいことに――遺贈金が送られてきた。しかし、バタシー・ホームが事業のプラスの側面を宣伝していたのには、もっと深い目的があった。バタシー・ホームが、ごくありふれた犬の生き方を一変させるのに成功しているということは、犬のような「下層階級の生き物」はイギリス社会に存在するに値しない、といまだに主張する人びとへの反論に役に立っていたのである。犬は価値のない生き物だ、と議会で型通りに審議されてから六十年たったものの、やはりハードウィック伯爵〔第1章〕の考えを引き継ぐ者は大勢いた。一九二二年、『ドッグ・ワールド』紙〔一九〇二年創刊、純血種犬専門の週刊紙〕の編集者フィリス・ロブソンは、すべての雑種犬の絶滅を呼びかける、驚きの記事を書いた。これは『ピープル』紙〔一八八一年創刊の日曜版大衆紙〕に載ったハンネン・スワッファー〔一八七九－一九六二、イギリスのジャーナリスト〕の記事に対する反論だった。スワッファーは、雑種犬は「あなたを受け入れる」から血統書付きの犬より実際にすぐれている、という楽観的な意見を述べていた。ロブソンは、「雑種犬がすべていなくなればよいと思う。そして一般市民は、血統書付きの犬だけを飼育するよう教育されるべきである。血統書付きの犬は、

迷い犬のうちの1匹。無力な犬が、バタシー・ホームの世話係になぐさめてもらっている。

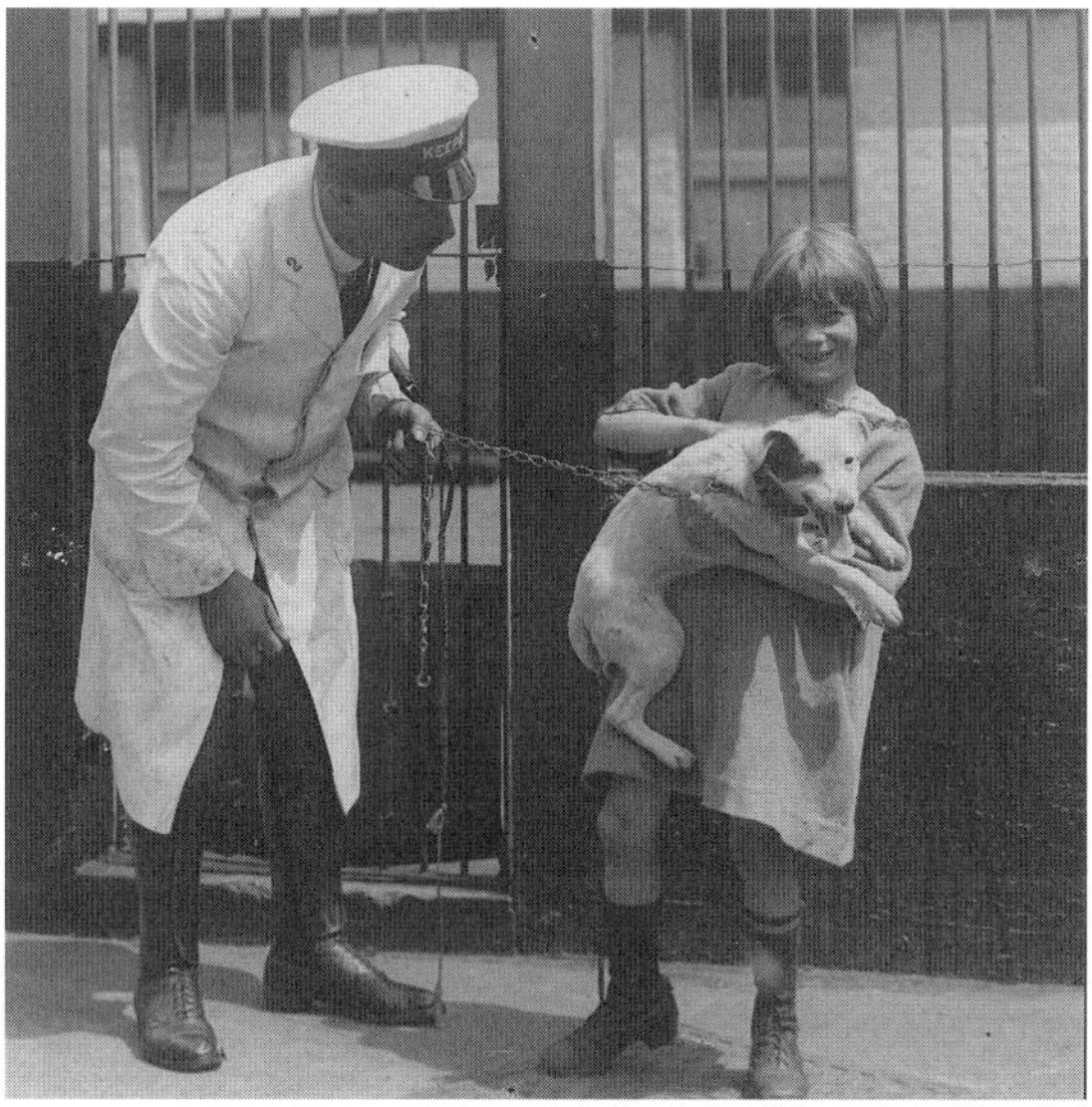

すべてのひとに犬を。貧しいロンドン市民でも、バタシー・ホームでは友だちと出会えた。

その血統を維持するだけの価値があり、愛犬家の国民の伝統として飼うに値する」と述べた。当時流行していた、優生学の思想に影響を受けていたのは明らかだった。優生学とは「遺伝的欠陥」があると認められた者が子孫を残さないよう阻止または予防したら、人類の発展のためになると主張する考え方である。優生学は一九二〇年代に広がり、ナチス・ドイツが陰惨で極端な政策を実施したのち、ようやく一九四〇年代に下火になった。ロブソンはこう主張している。

> 通りに暮らす社会の最下層の犬は、食べ物や寝床を得るためにこざかしく生きていて、ときに機敏だと誤解されるキツネのようなずる賢さを持ちあわせていることを、否定できないだろう。犬に住む場所を与えるような行為は、情にもろいスワッファー氏のような人物がやるのにふさわしいのだ。しかし、どれほど熱心に訴えられても、すぐれた性質を受け継いだ、完璧な特徴と最高水準の知能を備えた先祖犬の子孫である純血種の犬より、いろいろな血が混じった雑種犬のほうが、どんな場合でも、より本質的にずっと賢く、従順で、忠実で、かわいらしいとは、わたしには思えない。

『ピープル』紙はロブソンの意見を公表したものの、それと並べてバタシー・ホームの別の話を掲載した。ラブラドール・レトリーバーのウィジョン〔マヌケの意味〕は、その年の初めに拾われてバタシー・ホームへつれて来られた。そのあとすぐにサーズビー氏という人物がバタシー・ホームへやって来て、ウィジョンを十二シリング六ペンスで買い取った。それから数か月しないうちに、サーズビー氏は犬をドッグショーで披露し、ウィジョンはあっというまに有名になった。「ウィジョンは、二回チャンピオン犬になり、四回一等賞を獲得した。おかげでウィジョンの価格ははねあがり、体重と同じ重さの金と同等の価格となった」と、『ピープル』紙は報道した。サーズビー氏は自分の新しい飼い犬に大満足し、ウィジョンの肖像画を頼んで描いてもらい、それをバタシー・ホームへ寄贈した。『ピープル』紙の伝えたメッセージは明らかだった。もしもすべての雑種犬が「まとめて」皆殺しになっていたら、スクラッフィーやシンバがいる世界に出会うことはなかっただろう。『ピープル』紙は、こう書いている。「見捨てられた無数の迷い犬たちには、尻尾をいばってふるだけの理由があるのだ」。

第13章◆犬飼育許可証の発行日

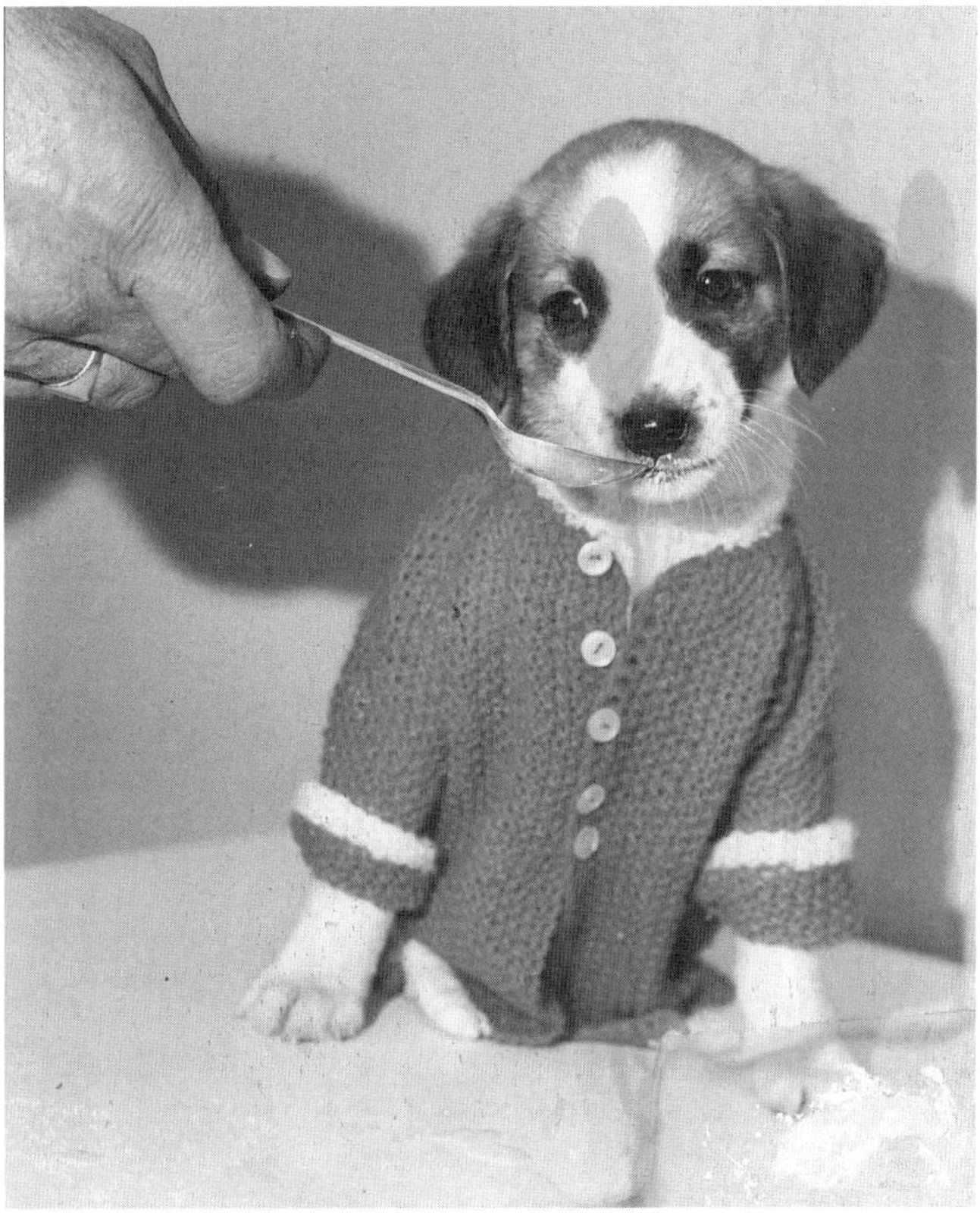

Chapter Thirteen

一九二〇年代初期の楽観的な時代は、すぐに終わった。一九二九年、アメリカのウォール街ではじまった株の大暴落は、世界的な経済不況へとつながった。アメリカの大恐慌は大西洋を越え、一九三〇年代初期にはイギリスの失業者数は一〇〇万人から二五〇万人へと増加し、一年間で三〇〇万人に達した。バタシー・ホームの財政状況は、突然また危機に瀕した。

ありがたいことに、国の中核地域であるロンドンとイングランド南西部は、スコットランド、ウェールズ、イングランド北部と比べるとましな状況だった。一九三〇年だけで、バタシー・ホームは二〇〇〇ポンドを超える遺産を受けとっていて、これはとんでもない大金だった。さらにバタシー・ホームは、これまでとは異なる方法で資金を稼ぐやりかたを学んでいた。その年、セント・ジョンズ・ウッド〔ロンドン北西部の高級住宅街〕で発見され、バタシー・ホームで一週間保護していたキツネを売却していたし、さらに、ジェラルド・ロード〔ロンドンのハイド・パーク南の高級住宅地区〕警察署に持ちこまれていた灰色のオウムの飼い主からは、寄付金をたくさん受けとっていた。しかし、イギリス国内外の危機的経済状況から逃れることはできず、その結果として、かなり大がかりな改変がすみやかに行われた。

一九三一年、商会の規制（the Companies Act）のもと、新しい規定をうまく利用すれば、バタシー・ホームは登録慈善団体になれると判明した。議論を重ねた結果、その年にバタシー・ホームの法人化で同意したものの、法人化の許可は一九三三年八月まで出なかった。法人化にあたって、健全な法体制とビジネスセンスが必要となり、〈RSPCA〉のようなほかの慈善団体の例にならうことにした。それでも、委員会メンバーの数名はひどく反発し、バタシー・ホームが金もうけ会社になり下がってしまうと信じこんでいた。ほかのメンバーは、「本団体のかかげる目標はまったく変わっていないし、七十年以上にわたって守られてきた方針は、いかなることがあっても変更されない」と、反対派を安心させる必要があった。

迫りくる経済的苦境を乗りきろうと備えている、ほかの公共機関のうちのひとつが、ロンドン警視庁だった。一九三三年七月、警視庁長官は、一九〇六年の犬の規制（1906 Dogs Act）に基づいて結ばれた、迷い犬を引きとって世話をするという、ホームとの契約を解消すると通知した。バタシー・ホームとは別の犬の保護慈善団体で、ロンドン北部ウィルズデンで保護施設を運営していた〈もの言わぬ友の連盟〉〔ＯＤＦＬ、一八九七年、ロンドン市内の働く馬の保護を目的に発足、一九五〇年からは〈ブルー・クロス〉として活動開始、現在に至る〕や、イースト・エンド地区で犬を保護していたセラー氏なども、同じ通知を受けとった。そうして警視庁は、管轄していた複数の地区を新しく監督するための入札を募集した。バタシー・ホームは、ロンドン南部と北東部を請け負う契約に入札し獲得したが、それにはセラー氏の死亡も関係している。ロンドン北西部の契約は〈もの言わぬ友の連盟〉が維持したものの、警視庁はバタシー・ホームにロンドン北東部にホームを開いてほしいと熱心で、何年にもわたりホーム側に働きかけていた。

しかし、さしあたってバタシー・ホームにとって、新しい犬の捕獲エリアだけで十分だった。そして新たに押しよせる犬たちに対応するため、ロンドン東部からすぐに行ける距離にあるテムズ川北岸に、新しい施設を手に入れる必要があった。そのためには、代償が必要だった。やがて委員会にも、郊外のハックブリッジ・ホームを閉鎖しなければならないことがわかってきた。

ハックブリッジ・ホームを運営するうえでずっと経済的負担となっていた。過去十年以上、ハックブリッジ・ホームの維持費は、バタシー・ホームの財政をぎりぎりの状況にまで追いこんでいた。ハックブリッジ・ホームには多くの問題があり、特にそこで行っていた預かりの費用や、検疫隔離の費用をきちんと支払わないひとが絶えずいたことが挙げられる。さらにハックブリッジ・ホームの立地と、宣伝が足りなかったせいで、犬舎はたいてい空きがあり、犬が一匹もいないこともあった。一九二一年、小委員会が開かれ、「ハックブリッジ・ホームを維持するよう委員会に勧める」かどうかが決議された。その結論が維持となった場合、「ほかにどのような使い道を提案できるだろうか？」。そのときは、利益が見こめるペット預かりを増やし、利用者にもっと魅力のある場所にしようということになった。

一九三一年、ハックブリッジ・ホームの、軍用犬の犬舎と呼べそうな施設を最新式にするため資金が投入され、使用されていない犬舎が、「おそらく世界一豪華な猫舎だと言われるだろう」と、委員会も認める猫舎へと生まれ変わった。すべての猫に、個室と専用の運動場がついていた。それでも、ハックブリッジ・ホームが遠くて不便な場所にあったため、バタシー・ホームの訪問者と同じだけの数のひとは集まらなかった。希望としては、ハックブリッジ・ホームを改善したことで、「犬や猫を飼う多くのひとにとって魅力的な場所となり、将来的に十分な数の犬猫がハックブリッジ・ホームに預けられ、多額の諸経費を赤字にする〔原文のまま引用〕」ことだった。

ハックブリッジ・ホームの利用者数は依然として減ってゆき、一九三三年、ついにハックブリッジ・ホームの一切合財を売却することになった。預かりの犬舎と、検疫隔離施設を近所で運営していた、ドッグフードの〈スプラッツ社〉と取引がまとまり、委員会は安心した。〈スプラッツ社〉は、ハックブリッジ・ホームと敷地に対して一〇〇〇〇ポンドを提示し、さらに、ハックブリッジ・ホームのスタッフ全員の採用も承諾した――しかし、有名なホームの獣医師、ストウ・ヤング大尉は含まれていなかった。〈スプラッツ社〉には、社内に獣医師チームがそろっていたのである。

ジョン・ストウ・ヤング獣医師は、そろそろ引退する年齢だった。ストウ・ヤング獣医師のハックブリッジ・ホームへの貢献をたたえて、バタシー・ホームの委員会は彼へ報奨金を支払うことで合意した。三十年におよぶ勤めを終えたのち、ストウ・ヤング獣医師はホームを引退し、しずかな余生を送った。

その後、ロンドン東部、ボウ地区に新しいホームが設立された。ハックブリッジ・ホームよりずっと小規模で、設備も少なかったが、ロンドン東寄りの地区からすぐに行ける範囲にあったのが強みだった。やがて、そこはすぐ大忙しになった。

大恐慌は深刻になり、失業者が増えるなか、バタシー・ホームの事務所スタッフは、対応しきれないほどの仕事を抱えていた。ひどく取り乱した飼い主たちから、何百通もの懇願の手紙を受けとっていたのだ。それまでは、クリスマスと新年が近づくにつれ、飼い主からの手紙はますます悲痛になっていた。一月一日は犬飼育許可証(the dog licence)の申請日で、この時期に飼い主は、法律で年に一度の犬飼育税(dog tax)を支払う義務があったからである。少なくとも、その重圧に限っては、しだいに軽減されつつあった。

犬飼育許可証は、一七九六年に首相ウィリアム・ピット〔一七五九－一八〇六、イギリスの政治家〕と、デント下院議員によって導入された。デント議員は、この法によって国じゅうをうろつく狂犬病の犬が減少すると主張した。当初は半クラウンだった犬飼育税のおかげで、デント議員は「犬のデント」というあだ名がついた。この法令が導入されたのは、ひとつには、当時国じゅうで野放しになっていた一〇〇万匹以上の犬を通して税収を増やすことであり、またひとつには、そのほかの社会的、財政的問題に取りくむためだった。

犬飼育税は、つねに物議をかもしてきた。最初にこの税制が導入されてからというもの、政治家はこの税の廃止、税率の引き下げや増加などについて、議論してきた。特定の血統や種類の犬、たとえば仕事を持っている犬などは除外される、といった修正案が出るのもよくあることだった。議論はときに、イギリス国民の犬に対する特別な思い、とにかく血統のよい犬を好むところを明らかにした。たとえば一八七八年、財務大臣が下院に提出した予算案では、犬飼育許可証の一年の料金は、五シリングから七シリング六ペンスに値上げされた。その頃には、一五〇万匹の犬が税の対象となると考えられていた。目が不自由なひとのための盲導犬や、羊飼いや酪農家が使っていたコリーなどを除外しても、半クラウン〔二シリング六ペンス〕分の値上げによって、何百、何千ポンドもの資金が集まることになる。議員のなかには、倍の十シリングにすべきだと主張する者もいた。ある議員は、そうすることで「およそ四分の三の国内の犬を減らす効果がある」と考え

GOOD-BYE: Poor children waiting for the doors of Battersea Dogs' Home to open to admit their pets, licences for which they are unable to afford—a heart-breaking necessity when January comes along

1月1日になると、心配そうな飼い主たちが列を作った。たいてい飼い主は子どもで、「犬飼育許可証申請日」に犬を引きわたす準備をしていた。

NEW YEAR DEATH KNELL
FOR HOMELESS
DOGS.

FAITHFUL PETS
WHICH CANNOT
BE PAID FOR.

HEARTBROKEN
OWNERS.

IF you have a hard heart you can stand on Chelsea Bridge these days and watch heart-broken dog-owners leading their pets to the Battersea Dogs' Home.

NOT A DOG'S CHANCE remains for these little chaps unless they are

イギリスが大恐慌のとき、多くのロンドン市民は、7シリング6ペンスの犬飼育許可証の費用を支払えなかった。

た。この議員は犬を「一般市民にとって不愉快で迷惑な存在」と考えていたのだ。

犬飼育税の引き上げの提案に、国会の重鎮議員たちは、予想通り激しく抗議した。ただし、その多くが猟犬を何十匹も飼っていたし、広大な農地の所有者でもあった。ランドルフ・チャーチル卿〔一八四九－九五、イギリスの政治家、ウィンストン・チャーチルの父〕はそのひとりで、彼の場合、猟犬の飼主は税を割り引かれるという、特別な配慮をするように申し立てている。財務大臣に訴えたその理由は、チャーチル卿が「この王国で最良の狩場のひとつ――デヴォンシャー州、野外競技とアカシカの本場――を代表している」議員だからである。

最終的に犬飼育税の引き上げは承認され、七シリング六ペンスになり、当初提案された生後二か月ではなく、生後六か月以上のすべての犬に適用されるようになった。

バタシー・ホームは、この税制によってすぐに影響を受けた。毎年クリスマスの時期、迷い犬の数は急上昇し、ホーム入口の門には、犬をもう飼えないと訴える人びとがやって来た。犬飼育許可証を更新しなければならない一月一日は、いつもホームに来る人数が急に増えていた。犬飼育許可証の更新日は、バタシー・ホームのカレンダーでは、つねに不吉な一日だった。

一九〇五年、バタシー・ホームの事務局長ヘンリー・J・ウォードは、『タイムズ』紙に不満を表した手紙を書いている。「犬飼育許可証の期限が近づくと、かなりの数の犬が遺棄されています。バタシー・ホームは過密状態で、一日平均一七一匹の犬を受け入れています（今月は、二日間で二〇〇匹を超える犬を引きとりました）」。しかし一九二〇年代になると、状況はますます悪化していった。

バタシー・ホームは、援助をもっとも必要としている人びとに手を差し伸べようと、つねに最善を尽くしてきた。一九二〇年頃から、バタシー・ホームは定期的に犬飼育許可証を少数買いとり、それを無償で配布していた。その相手は、「ロンドンの都市部に暮らす貧しい人びとで、許可証がなければ、犬を手放さなければならなくなる」からだった。何百何千もの人びとが失業していたので、どうしても全員に許可証を渡せなかった。その結果、毎年一月一日になると、おなじみの気の滅入るような光景がくり返された。どんな天気でも、スタッフがホームの入口を開けると、心配そうな飼い主とその犬の長い列が、蛇行しながらバタシー・パークへ続いている光景が広がっていた。大勢の男性、女性、子どもが、涙を流しながら自分の犬にぴったり寄り添っていた。この頃、定期的に出現するようになった、この痛ましい光景に気づいた新聞社は、その様子を取材しようと待ちかまえていた。自分の犬にお別れのキスをしてホームを立ち去ったあと、親友の姿を最後に一目見ようと、ホーム入口の下のすき間をのぞきこんでいる子どもの写真は、新聞紙上で定番になった。

新聞各紙はいつも――都合よく――ほとんどの犬が新しい家を見つけているという、大事な事実を無視していて、バタシー・ホームは困惑していた。新聞が掲載する数少ない例外は、ほぼ毎年起こる感傷的なハッピーエンドの物語だった。たとえば、テリアのペギーは、小さな女の子グラディス・ヒッグズに捨てられた――グラディスは一九二九年末、犬飼育許可証の費用を調達できなかったのだ。『サウス・ロンドン・プレス』紙〔一八六五年創刊の隔週新聞〕によると、「少女がホームから出たあとすぐに扉が閉ざされ、長い時間が過ぎても」、グラディスは「外に立ったままずっと泣き叫び」、「ホームの入口から離れるよう言っても動かなかった」。

ウエスト・エンドのグローブ劇場〔現在のギールグッド劇場か〕の舞台監督、バーナード・ハワードが新作『街の風景』に出演させる犬を探しにバタシー・ホームにやってきたとき、ペギーは安楽死させられる寸前だったようである。ハワード監督はすぐにペギーに目を留め、ウエスト・エンドへつれて行き、ペギーは「肉のついた骨、おやつ、ビスケットを食べさせてもらうと、演技を教えられた」。ペギーにはどうやら生まれつき演技の才能があったらしく、「ニューヨークのフラットに住む雑種犬、クイーニー」の役で雇われた。バタシー・ホームの犬が有名になったというニュースは、新しいウエスト・エンドのスターの写真つきの記事で、たちまちあらゆる新聞に載った。

その写真を見たグラディスは、グローブ劇場へすぐに向かった。ある記事によると、ペギーは「以前の飼い主だった少女の周りを大はしゃぎで跳ねまわり、彼女の顔中にキスをし、ペギー用のおやつをいつも入れていたコートのポケットに鼻をつっこんだ」。ペギーは劇場にとどまって、まるまるとした姿の人気者となり、グラディスはいつでも好きなときにペギーに会いに行けた。

しかし、そのような話が出てきても、毎年一月一日に犬が押しよせてくる歯止めとはならなかった。一九二〇年代の終わり頃には、イギリスじゅうで膨大な数の犬が捨てられるか、または獣医や保護団体に引きわたされるという状況だった。一九二八年十二月、二十五万匹の犬がロンドンの通りに捨てられたと見積もられている。十二月三十一日が近くなると、バタシー・ホームには犬飼育許可証の費用負担を求める飼い

1920年、バタシー・ホームは、「犬を手放すしかない」貧しい人びとのために、犬飼育許可証の費用を出すようにした。

主たちからの手紙が殺到していた。

その訴えに応じて、バタシー・ホームは犬飼育許可証のための特別基金を設置した。その年、二十三ポンド七シリング六ペンスというかなりの額の特別基金が集まった。このなかには、トーキー〔イングランド南西部の海岸保養地〕の中等学校の生徒が集めた、一匹分の許可証代に相当する七シリング六ペンス〔現在の約十七ポンド〕も含まれていた。生徒たちは、クリスマス劇の入場料をとって寄付金を集めていた。バタシー・ホームは、みずからの資金を使って一七六匹分の許可証代として五十一ポンド以上を支払ったが、これは必要な額のほんの一部にすぎなかった。一九三〇年代半ばになると、バタシー・ホームはその三倍の許可証代を支払っている。たとえば一九三二年には、五四三匹分の許可証代の資金を出している。しかしこのたいへんな業務は、しだいに手に負えない規模になっていった。「許可証に関わる援助を求める声は、毎年ますます増えている。その理由は疑いもなく、失業によるところが非常に大きい」と、委員会はその年に報告している。ここにきてはじめて、バタシー・ホームはほかの保護団体に援助を求めたのである。

助けの手は身近なところにふたつあり、どちらも一九二八年に設立された団体だった。〈ナショナル・ドッグ・ウィーク運動団体〉〔第一次世界大戦に従軍した犬をたたえるため、一九二八年にアメリカで発足した団体。毎年九月の第四週に犬のためのさまざまな活動を行うことを提唱〕は、はじめての支部をイギリスに開設した国際的な組織の一部で、慈善事業として動物保護団体に資金を提供していた。さらに重要な役割を果たしたのは、〈テイルワガーズ・クラブ〉〔wag a tail「犬が尻尾をふる」の意味〕だった。H・E・ホッブス大尉がロンドンのシティーに創設した〈テイルワガーズ・クラブ〉は雑誌を発行したり、『デイリー・ミラー』紙と取引して自分たちの活動を記

バタシー・ホームの子犬たち、お風呂の時間にばしゃばしゃ。

DOGS HOME.
FOUNDED 1860.
One last look: what dog-lover's heart does not go out to these youngsters as they try to catch another glimpse of the friend whom they have just delivered to the Dogs' Home, Battersea.

バタシー・ホーム入口の下のすき間から、飼い犬の姿を一目見ようと必死になっている子どもたち。

事にしてもらったりしていた。クラブの終身会費はわずか半クラウン〔現在の約六ポンド〕で、飼い主は返礼品として、自分の犬の名前が刻印されたチェーン付き金属製メダルをもらえた。やがてクラブには、七〇〇〇〇人の会員が登録された。

〈テイルワガーズ・クラブ〉は、会員が一年を通して犬飼育許可証の費用を貯められるよう、入念な計画を立てた。すると、その影響はすぐに現れた。一九二六年から三〇年にかけて、バタシー・ホームにやって来る犬の数は大幅に減少した。〈テイルワガーズ・クラブ〉が創設された一九二八年と翌年二九年、警察署を含むあらゆる場所から引きとった犬の数は二五二二〇匹となり、前年より一七七一匹減った。一九三〇年は、前年よりさらに三三二〇匹、減少した。

バタシー・ホームに長年勤め、毎年一月一日の騒動をよく知るスタッフのひとりは、一九三一年一月一日に持ちこまれた犬はたった七十三匹だった、と伝えている。一九三四年、バタシー・ホームは「ほんのわずかな例外を除いて、すべての犬飼育許可証は、ホームの管理経営部門で対処できている」と報告した。バタシー・ホームは、それからもずっと、飼い主が飼育許可証を購入する手助けを続けたのである。

一九三六年、バタシー・ホームは、五十年ぶりに王室の後援者を失うという、大きな挫折を味わった。一八八五年にヴィクトリア女王がバタシー・ホームの名目上のトップとなってから、女王の後継者ふたりも支援を続けてきた。エドワード七世は、一九〇一年に王位を継ぎ、すぐに女王の後任を引き受けることを承諾した。その息子ジョージ五世も同様で、ホームの支援を二十六年間続けた。ジョージ五世の長男、エドワード八世〔一八九四－一九七二、在位一九三六年一月－十二月、後のウィンザー公〕が一九三六年一月に王位を継いだとき、ホームは新国王が伝統も引き継ぐだろうと信じていた。ところが新国王は、最初から過去と決別したがっていて、たびたび王室の決まりを破っていた。そのうえ、前国王が在位中に支援していた数多くの慈善事業にも無関心だった。

五月、委員会はエドワード八世に手紙を送り、バタシー・ホームと王室との伝統あるつながりを明らかにし、「このご厚意を、慈悲深くもお続けくださる」かどうかお尋ねした。

やがて来た国王からの冷たい返答に、ホームは落胆した。一九三六年六月、国王手許金管理官は返事を送ってきて、「国王陛下が後援する協会や団体の数を制限する必要があるため、陛下はバタシー・ホームへの後援を続けることが不可能であることを残念に思われている」のだと説明した。ホームにとって、どうやらこの決定は思いもよらないものだったようである。ホームの支援者のひとりは、ショックをやわらげようと委員会メンバーのひとりに手紙を出し、「ここだけの話ですが、国王は管財人を召集して、財政的義務をともなう責務を徹底的にやめるよう指示されました」と知らせている。

しかし、すでにホームがダメージを受けたことは、はっきりしていた。別の手紙では、委員会メンバーのひとりは「王室の後援を五十年以上ずっと享受してきたので、王室が手を引くと、バタシー・ホームは落ち目になったという疑いを招き、そういう印象を持たれるだろう。そして、このとてもすぐれた、財政的援助に値する組織は、その立派な仕事ができなくなるだろう」と認めている。

その後、国王の代わりとなる王室メンバーはだれだろうか、と委員会は審議を続けた。望ましい候補は国王の弟、ヨーク公アルバート殿下だったが、後援者になってもらえる可能性は低いのでは、と言うメンバーもいた。「ヨーク公は、兄君から後援者として引き継いだ職務に忙殺されているので、別の弟君にあたるほうがよいのではないかと思います」と、バタシー・ホームの支援者のひとりが、委員会メンバーのフランク・エリオットに手紙を送っている。

しかし、このアドバイスは無視され、その秋にバタシー・ホームは、ヨーク公に後援者になってほしいと依頼している。ふたたびバタシー・ホームは、悲しい知らせを受け取った。一九三六年十月二十一日、セント・ジェームズ宮殿〔イギリス宮廷の公式名〕からバタシー・ホームに手紙が届いた。ヨーク公の「後援する団体のリストはすでに埋まっており、これ以上追加するべきではないとお考えです……殿下は、この件で失望させて申し訳なく思っていることを、伝えてほしいとおっしゃっています」。

もしも、もう少し待っていたら、まったく別の状況になっていたかもしれない、とわかったとき、バタシー・ホームの失望はさらに深まった。国王エドワード八世と、既婚のアメリカ人女性ウォリス・シンプソンとの関係は、政府と王室関係者をはやくも困惑させていた。一九三六年十月、バタシー・ホームがヨーク公に手紙を送ったのと同時期に、シンプソン夫人は国王との結婚を見すえて、急いで離婚を成立させた。十一月には、ふたりの関係は憲法上の問題という大騒動にまでなり、十二月十日にエドワード八世は退位を迫られた〔イギリス国教会の長でもある国王が、離婚歴のある女性を王妃にすることを当時の政府や世論が強く反対したので、結婚するには退位するしかなかった〕。

ヨーク公はジョージ六世〔一八九五－一九五二、在位一九三六－五二〕となった。もしかしたら父王ジョージ五世のように、バタシー・ホームの後援者になりたいと思ったかもしれない。しかし、ホームはジョージ六世に一度依頼をしていたので、同じことはできなかった。こうしてホームがふたたびイギリス王室の後援を得られるようになるまで、それから二十年かかることになる。やがてバタシー・ホームは、このときの王室と同じように、存在そのものがおびやかされる事態に飲みこまれてゆく。

第14章◆一番よかった時代

Chapter Fourteen

一九四〇年、バタシー・ホームとイギリス国内の雰囲気は、どんどん暗くなっていった。年次報告書の広告を見ると、その変化がよくわかる。その前年の一九三九年は、紳士服の〈アイザック・ウォルトン商会〉が広告を出し、おしゃれな「船旅と熱帯地方向き」の紳士服を宣伝していた。しかし一九四〇年になると、同じ店は将校の制服や「完璧な兵士用品一式」などを宣伝している。

二十五年前の第一次世界大戦時と同じような気配が、不気味なほどはっきり感じられた。一九四〇年四月の年次総会で、新委員長チャールズ・ハーディング男爵は、「戦争はクリスマスまでには終わるだろう」という一九一四年の楽観論をそのままくり返した。「次回の年次総会を開くときまでに、この忌まわしい戦争はイギリスの勝利で終わるでしょう。そして戦争の責任者たちは、ふさわしい報いを受けるでしょう」と願った。またしても、これは世間知らずの甘い希望だった。

第二次世界大戦によって最初に被害を受けたのはボウ・ホームで、九月に閉鎖された。そこのすべてのスタッフと犬はバタシー・ホームに移され、ボウ・ホームの土地建物は警察と消防補助部隊（ＡＦＳ）に「戦時中」使ってもらうようにした。しかしそれから数か月後、ＡＦＳはホームの申し出を断ってきた。委員会はひどく不満だったが、建物が無人になるよりは、と、地元の年配者ふたりにボウ・ホームを監督してもらうようにした。

一九一四年のときと同じように、ホームのほぼすべての健康な男性スタッフが召集された。五人の犬舎係がただちに戦地へ向かい、そのうち三人が、失敗に終わったイギリス海外派遣軍（ＢＥＦ）として北部フラ

1939年、国が混乱に陥るなか、長年勤める世話係のヴィーニー氏は、日々の業務を変わらずこなそうとしていた。

ぼくの親友。大きな友だちに乗せてもらう小型犬。

ンスへ送られた。一九三九年九月には、さらに六人が続いて出兵した。軍から支払われる給料がホームの給料より少ない場合、バタシー・ホームが不足分の埋め合わせをすると約束し、現金を「妻たちに毎週送付する」とした。ときに妻たちは、戦地のスタッフたちの最新の消息をホームに伝えていたが、その詳細は不明なことが多く、たとえばある世話係は砲兵下士官として「イングランドのどこか」にいた。

配給制度がふたたびはじまり、食料が不足し、資金も不足した。一九一四年のときのように、寄付金額が「かなり落ちこみ」、株式相場の急激な下落で投資による収入も減る結果となった。バタシー・ホームの財政状況はかなり厳しかったので、年間報告書に載るよくある寄付のお願いが、通常よりずっと切羽つまったものになっていた。

委員会は、本団体の現会員のみなさまに、寄付金の増額と引き続きのご支援をお願いいたします。そしてホームの友人に、可能なすべての手段で援助していただけるよう、お願い申し上げます。ホームの従業員たちは、「必要とされる公共事業」をはたしているという自負があり、それは社会の利益にもなり、このホームにいる、家もなくおなかをすかせた犬や猫たちのためにもなります。

ホームのスタッフや、委員会メンバーの多くが軍に召集されていたので、ハーディング男爵は、戦時中は、戦時非常事態実行委員会にホームを運営してもらい、委員会の会議を月に一度とした。日々のホームの運営は、エドワード・ヒーリー＝タットに任された。ヒーリー＝タットは温厚で、銀行で事務仕事をしているのがぴったりといった性格で、一九三一年七月から事務局長の仕事を引き継いだ。十年にわたる変化の時代に、みなを落ち着かせてくれるような人物だった。ヒーリー＝タットの献身と決断力を侮ってはならず、それはこれからの六年間でわかることになる。彼の冷静なリーダーシップを最初に見る機会は、早々にやってきた。

ネヴィル・チェンバレン首相〔一八六九－一九四〇、首相一九三七－四〇、ナチ・ドイツに宥和政策をとった〕がドイツに宣戦布告したとき、大パニックになったロンドン市民がバタシー・ホームにやって来て、ペットの安楽死を頼んできた。一九一四年と似た暗い雰囲気になったが、今回はさらにひどかった。ドイツ軍がロンドンを爆撃して征服しようとするなか、毎晩、爆撃音が響くのはあたりまえになったロンドンでは、犬は生きているより死んだほうがましだろうと、大勢の人びとが心から信じていた。ヒーリー＝タットは、そんな人びとに「急いで犬を安楽死させようとしないでください」と、じっくり時間をかけて説得した。やがて彼のオフィスには「感謝の手紙」がたくさん届けられた。

バタシー・ホームが、さまざまな意味でいつも通り通常業務を続けていたという事実は、見落とされがちである。そして業務を続けていたおかげで、相変わらずハッピーエンドがいくつも生まれていた。一九四〇年初期、ひとりの女性がバタシー・ホームに毎日訪れるようになっていた。彼女は飼い犬をキルバーン〔ロンドン北西部〕で見失っていた。やがて世話係のひとりバート・コレットが、犬を注意して見ておくと彼女に伝え、毎日来なくてすむようにした。「女性は写真を一枚くれ、ホームとずっと連絡をとっていました」と、コレットは、何年もたった後に思い出を語っている。

それからおよそ十八か月後の一九四一年八月、三日前にバタシー・ホームにやって来た小さな犬に餌をやっていたとき、コレットはその犬が写真の犬に似ていると思った。そして写真を確認し、ひと目で同じ犬だとわかった。こうして女性とその飼い犬はまもなく再会した。

第二次世界大戦開戦時、バタシー・ホームに殺到したロンドン市民の不安は正しかったと、そのうちわかってきた。一九四〇年の秋になると、ドイツ空軍機が、バタシー・ホーム上空をうるさい音をたてながら夜間に飛んでいた。空襲防護巡視隊（ＡＲＰ）は、空襲のとき、ペットの犬猫を家に入れておくよう飼い主に忠告した。そして犬や猫が小型で、けがも軽傷の場合、地元にいくつか配置された緊急「治療室」へ飼い主の責任でつれて行くようになっていた。「治療室」は、馬屋、動物病院、〈ＲＳＰＣＡ〉、そのほかの慈善治療院にＡＲＰが設置したもので、バタシー・ホームもこのような認可済みの施設のひとつとしてリストに載っていた。

ＡＲＰの動物管理係は早くから、バタシー・ホームを自分たちの本部として使わせてほしいと、委員会を説得しようとした。さらに、ロザーハイズ〔テムズ川南岸の地区〕からクラパムまでの地域で犬を捕獲する新しい体制を考

チェンバレン首相がドイツに宣戦すると、多くのロンドン市民がパニックになり、犬を捨てた。

いつものように営業中。爆撃を受けながらも、バタシー・ホームは迷い犬たちに居場所を提供しつづけた。

えたが、バタシー・ホームから「実際に計画を行うことは無理で」、「非現実的だ」として却下されている。それでなくともバタシー・ホームは、ひき続き犬をつれて来ていたロンドン警視庁と契約を結んでいたのだ。

ドイツ空軍によるロンドン大空襲がはじまると、バタシー・ホームには家を爆撃で失った動物たちがどっと押しよせてきた。数百匹の犬が悲しげに吠える声や、遠吠えの声が、空襲警報のサイレンや対空砲火射撃の音でよくかき消されていた。バタシー・ホームそのものも、攻撃されやすい場所にあった。ガス会社のガスタンクや鉄道のすぐそばにあっただけではなく、過去十年間その隣には、ロンドンの重要な発電所があったのである。

一九二五年、政府は新しい「全国的な送電網システム」建設を決定し、既存の小さな電力会社の送電網システムをいくつもの「超出力発電所」と取り換える計画が立案された。初期の計画には、バタシー・ホームの目と鼻の先に発電所を建てるというものがあった。〈サウスウォーク&ヴォクスオール水道会社〉が所有していた約六〇〇〇〇平方メートルの土地を、新しい〈ロンドン電力会社〉が購入し、四十万キロワットの電力を発電できる発電所の建設を、一九二七年に計画した。将来ロンドンの中心部に巨大な発電所ができるということの計画に、つぎつぎと抗議の声があがった。発電所が景観を損なうかもしれない、汚染物質でバタシー・パークの草花から、一・五キロほど離れた〈テート・ギャラリー〉〔一八九七年開館、現在のテート・ブリテン〕の絵まで、すべてが被害を受けるかもしれない、といったことなどが懸念された。

しかし、抗議の声は相手にされなかった。やがて、発電所がその姿を現しはじめると、まずふたつの巨大な白い煙突がバタシーの空にそびえ立ち、さらにふたつの煙突が建てられた。バタシー発電所にそびえ立つ煙突は、ほどなくしてナチスのドイツ空軍の標的になり、爆弾が落とされるようになった。発電所の周辺は、毎晩爆弾が雨のように落とされ、そのためバタシー・ホームにも爆弾が落ちるのは避けられそうになかった。

ヒーリー＝タット事務局長と委員会は、延期爆弾がホーム内に落ちた場合の手順をとりあえず検討した。すべての建物から避難するまで「三分か五分」の余裕はあるだろうという案が出たが、その時間内に犬舎の犬をすべて移動させるのは不可能だったので、この案は断念した。もしも延期爆弾がホーム内に落ちたら、ヒーリー＝タットとスタッフが、できるだけのことをしなければならなかった。

ヒーリー＝タット事務局長は、代わりに別のアイデアを思いついた。毎晩、ロンドン大空襲で家々が破壊され、人びとが死んでゆくなか、大勢のロンドンの子どもたちは地方へ疎開していた。子どもたちをいっぱい乗せた列車が、ウェールズ、スコットランド、イングランド南西部へ毎日向かっていた。一九四〇年十一月、ヒーリー＝タットは、郊外の家庭へ犬たちを送る計画に取りかかった。こうしてホームの犬のほとんどは、ロンドンから避難する前に飼い犬を捨てるか、安楽死させるしかなかった家庭へと送られた。犬を引きとるときに必要だったのは、「犬の鉄道料金」だけだった。ヒーリー＝タットは、ロンドンの主要駅へ犬を運ぶ臨時のスタッフを雇い、主要駅からは、何十匹もの犬が爆撃を逃れて運ばれて行った。

一九四〇年九月十五日、午後十一時四十五分頃、バタシー・ホームの運は尽きた。入口の中庭で爆弾が爆発し、世話係の小屋、スタッフ部屋、事務所がひどく損壊した。ドアは吹きとばされ、ガラスはあたり一面に粉々に砕け散り、一番大きな犬舎内にも飛び散っていた。爆発の直後、「多くの犬」が中庭に逃げこみ、そのとき唯一ホームにいたヒーリー＝タット事務局長とふたりの夜警が、なんとかひとまとめに捕まえたのだった。しかし、おびえた五匹の犬が通りに走って逃げだしてしまい、その後姿を見ることはなかった。ヒーリー＝タットは無傷で危機を逃れ、同じく奇跡的に、すべての犬も無傷だった。その翌週、建築業者が呼ばれ、ドアの蝶番《ちょうつがい》をつけ直し、割れた窓ガラスの代わりに板をはめ直し、屋根のスレート〔屋根ふき用の粘板岩の建築材〕をもと通りにした。中央の事務室や、帳簿係の事務室を調べると、「修理できないので、あきらめるしかないだろう」と建築業者は判断した。

修理したところは、すぐにもとに戻ってしまった。十月一日の夜、また別の爆弾が落ち、ホーム敷地内で爆発した。前回の爆撃で破壊されたガラス窓の代わりにはめていた板が、爆風で破壊された。このような爆撃はそれから六週間くり返され、爆弾がつぎつぎと落とされて新しく爆発が起きるたび、「修理したところがもとに戻された」。ヒーリー＝タット事務局長と、やつれたスタッフは、この間ずっと無傷のままだった。

ホームの仕事量では足りないとでも言うように、ヒーリー＝タット事務局長は、さらにＡＦＳの運転手として働きはじめた。週に二晩、ＡＦＳの目立つ消防車「緑の女神」〔軍用消防車の通称、深緑色の車体が特徴〕に乗ってロンドンじゅうを運転してまわり、火を消し、給水設備に水を補給していた。彼が引き受けた負担の多さは、やがて明らかになった。十一月、委員会メンバーのカーター少佐が、バタシー・ホームへ不意にやって来て、ヒーリー＝タット事務局長とスタッフ数名が、庭園エリアに「大きな穴」を掘っているところに出くわした。ロンドン大空襲のあいだ、ホームは、重傷を負った犬や死んだ犬を数多く引きとっていた。通常であれば、請負業者の〈ハリソン・バーバー商会〉が集めて処理をするのだが、この商会の建物が爆撃され、しばらくのあいだ運転手が犬を引きとりに来られなくなっていた。ヒーリー＝タットは、犬の死体をホーム敷地内に埋めなければならないのだ、とカーター少佐に語った。

カーター少佐は、ヒーリー＝タット事務局長の暮らしぶりにショックを受けた。バタシー・ホーム内に山積みになっていた犬の死体の悪臭のせいで、ヒーリー＝タットはスタッフ用の食堂で眠るのをやめ、「防水シートで作った小屋」にベッドを作り、そこで「缶詰から直接食べていた」。さらに、AFSで週に四晩働くようになっていて、これは「約束の倍」の仕事量だった。危機感を覚えたカーター少佐は、ほかの委員会メンバーに連絡をとると、メンバーたちは明らかに疲れ切っているヒーリー＝タットに、医師に診てもらうよう勧めた。医師は、AFSの仕事量を減らさないといけないとはっきりと告げ、休むように言った。するとヒーリー＝タットは、暇ができたら休むようにすると答えた。

一九四一年四月十六日、バタシー・ホームは、またも運よく難を逃れた。爆弾が近くのガスタンクに落とされた。もしもそれが爆発していたら、バタシー・ホームと、そしてかなりの確率でバタシー地区のほとんどが、爆破の影響によって破壊されていただろう。しかし、破壊されたのは木造部分と、建物の窓に残っていたガラス部分だけにとどまった。今回、建築業者たちは窓を帆布でふさいだ。

一九四二年四月、ＡＦＳの仕事で外出中、ヒーリー＝タット事務局長は爆風を受けてけがをした。今回は、回復のために休暇をとるかどうかを選ぶわがままは許されなかった。彼を診た医師は傷を治すために休むよう命じ、妻のもとで過ごすべく送り出された。そして数週間の休みをとることになった。

ヒーリー＝タット事務局長のけがをきっかけに、委員会は反省した。バタシー・ホームが無傷で戦争を乗り切るには、事務局長に無事でいてもらう必要があった。さらにヒーリー＝タットが戻ってきても、防水シート製の小屋に寝かせるわけにはゆかなかった。そこで委員会は、リッチモンド地区〔ロンドン南西部の住宅地〕にヒーリー＝タットと家族のための家を借りることを承認した。そのうえ、委員会で承認された金額を謝礼として贈った。委員長のチャールズ・ハーディング男爵は、この苦難のときにホームを指揮する人物に「人徳」があるのは、どれほど「犬と会員にとって幸運なことだろう」と語った。そしてヒーリー＝タット事務局長が示したような「すばらしい勇敢さを持つ人物を、賞賛する言葉が見つからない」と述べた。委員会では「全員が、なんとしても事務局長に必要な休暇をとって、休んでもらいたいと思っていた」。

第一次世界大戦のときと同じく、健康な男女が召集されてゆき、ホームのスタッフ数はしだいに減っていた。除隊して戻ってきた者も何人かいたが、出征前に比べると状態を悪くしている者が多かった。一九四三年秋、タイラーという世話係は「十二指腸潰瘍」で除隊され、コマンド部隊から戻っている。バタシー・ホームで働くひとの平均年齢は、どうしても上がっていた。ヒーリー＝タット事務局長の一番の味方たち

持ち場から逃げる犬。戦時中のガソリン配給のせいで、あまり快適ではない移動方法を押しつけられたが、バタシー・ホームにいるすべての犬が受け入れたわけではなかった。

は、補佐役のウィザロウ夫人、そしてボウ・ホームから転属してきた世話係のふたり、ボール氏とカーステアズ氏だった。

平和なときよりも仕事量が少なかったら、スタッフ不足はそれほど問題にはならなかっただろう。しかし実際には、バタシー・ホームは戦争前と同じだけの数の犬を受け入れていた。わずかなスタッフで、戦争が続くなかバタシー・ホームに送られてきた十四万五〇〇〇匹の犬に、なんとか餌をあげ、世話をしていたのである。

つねに難題だったのは必要な物資を確保することで、ひとの厚意や、裏工作に頼ることがよくあった。しかし多くの場合、犬の優先順位は高くないと、バタシー・ホームははっきり言われていた。

ガソリンの配給はつねに不足していて、あるときヒーリー＝タット事務局長は、個人的に嘆願をしに行かなければならなかった。相手は、〈アルバート・ブリッジ製粉所〉に本部があるガソリン部署の小管区責任者、ロバーツ大尉だった。しかし、戦争がはじまった頃と同じ量のガソリンを配給してもらいたい、というヒーリー＝タットの要請はすぐに却下された。ヒーリー＝タットは、犬を保護している警察署をすべてまわるため、バタシー・ホームにはガソリンが必要なのだと訴えた。ロバーツ大尉の答えは、警察署には移動式安楽死施設が設置されているはずだから、犬はさっさと処分できるはずだ、という思いやりがあるとはお世辞にも言えないものだった。戦時中の規制で買いだめは禁止されていたが、ヒーリー＝タット事務局長と彼のチームは、なんとか切りつめ、節約し、必要なだけの食料とガソリンでどうにか乗り切った。ありがたいことにヒーリー＝タットは、ロンドン警視庁長官から、エッセンシャル・ワーク令（Essential Work Order）〔一九四一年、必要不可欠とされる産業（軍事、鉱業、農業など）から技術の流出を防ぐ目的で施行され、それらに関わる労働者を登録する制度〕のもとでバタシー・ホームの運転手を必要不可欠の仕事《エッセンシャル・ワーク》とみなしてもらうという、ある程度の援助を得られたのだった。

食料不足は深刻で、バタシー・ホームは何度も施し物をもらう必要に迫られた。あるときは、食糧省〔第一次と第二次世界大戦の、戦中と戦後に設置され、おもに食糧生産と供給を管理した〕から大量の「傷んだ小麦」を提供してもらった。しかし、実験的な新商品の餌をやってみてほしい、と言ってきたドッグフード会社からの提供は断っていた。

第一次世界大戦とは異なり、今回は犬を前線で活躍させようという要請がなかった。これにとまどったのは、一九一四年から一八年に犬部隊で支援にあたったE・H・リチャードソン少佐〔第11章〕だった。リチャードソン少佐はすでに犬を採用しはじめていた。その多くはバタシー・ホームの犬で、ふたたびシューベリーネスのキャンプで訓練をはじめていたところだった。いっぽうドイツ軍は、第一次世界大戦時の倍、一二〇〇〇匹の犬を訓練していた。ドイツ軍最高司令部は、六歳以下、体高五十〜七十センチのすべての犬をドイツ国防軍〔一九一九-三五〕に引きわたすよう命じていた。ジャーマン・シェパードが、探索犬としてモーゼル川流域〔フランス北東部からドイツ西部を流れる〕で大活躍しているという報告がすでにあがっていた。今回、リチャードソン少佐と彼の犬部隊は、外地で活動させてもらえなかった。

しかし、本土防衛体制の一部として犬が必要とされることになった。一九四二年十一月、国防義勇軍補助隊（ATS）は、バタシー・ホームに「番犬となり、弾薬置き場などを夜間にパトロールする歩哨《ほしょう》につきそう」

犬をもらいたいと提案してきた。希望したのは「大型犬の血をひく犬」で、ホームはこれに応じた。

これより前に、G・リックス空軍中尉が、十四頭の犬の一隊（ジャーマン・シェパード七頭、エアデール・テリア七頭）に、ノッティンガム空軍基地で番犬として働いてもらうため、バタシー・ホームに正式な要請をしていた。リックス中尉は、犬の餌用費用として一日二ペンスの予算を確保していたし、そのうえ犬は兵士たちから残飯をもらえた。一九四〇年三月、地方紙の『ノッティンガム・イヴニング・ニューズ』紙は、犬たちが「自分の任務をすぐに覚えられると証明してみせた」と記事にした。犬は基地入口で番犬として役立ち、さらに夜間には最重要の建物内にいた。

このようにバタシー・ホームの犬が活躍していたので、ほかにも、ほとんどは「番犬」として犬を求める声は続いた。たとえば一九四三年、ロンドン北部の女性照空灯チームに犬が提供され、「照空灯がある場所を守り、監視」したし、のちに陸軍省はバタシー・ホームから数多くの犬を買い入れた。

一九四五年五月八日、みなが待ち望んでいたニュースが届いた。連合国は、ドイツ軍の無条件降伏を受け入れたのだ。何百万もの人びとが通りにとびだしてヨーロッパ戦勝記念日を祝い、ヒーリー＝タット事務局長とスタッフは、自分たちだけでお祝いの会を開いた。もっとも、これからたいへんな仕事がはじまるだろうと、みなわかっていたのだが。

忠実な友。1940年代を通して、海外で兵役に就いていた飼い主と犬の再会という感動的な場面が、バタシー・ホームで数多く見られた。

意外にも、バタシー・ホームは戦時中ずっと営業していた。イギリス空軍の軍人が、バタシー・ホームの入口に犬をつれて来たところ。

ロンドンの通りには戦争の傷跡が残り、爆撃による穴がいまだに目についた。同じようにバタシー・ホームも、戦前とはまったく異なる姿になっていた。爆撃による被害が、ひどいままだったのだ。委員会は、バタシー・ホームは「ひどくみすぼらしい」ことと、「壊れた窓の多くは取りかえたし、もと通りになったが、現在はまにあわせの修繕しかできない」ことを認めた。ホームの修繕費用の申請は、戦災委員会に提出された。

しかし、たとえ資金が調達できたとしても、バタシー・ホームを戦前と同じように維持するのは不可能だった。依然として、スタッフ不足だったからだ。一九四五年末、ホームの四人のスタッフが除隊になって戻ってきたが、まだほかに数名が兵役についていた。

それでも、かろうじて機能していたバタシー・ホームに対して、ボウ・ホームは休業中だった。ボウ・ホームの土地や建物に興味がある部隊や居住者に貸し出すよりほかになく、そのときは国防市民軍〔一九四〇－五七、地方防衛義勇隊を改組したもの〕のロンドン東支部が所有するブタの群れが入っていた。

一九四六年、ようやく委員会は、ふたたび正式な年次報告書を出すことができた。そこではじめて、一九三九年から七年間のヒーリー＝タット事務局長と彼のチームによるすばらしい仕事ぶりを紹介した。ロンドン大空襲とその後を通じて、ヒーリー＝タット自身とスタッフが難局を乗り切ることができたのは、冷静沈着で、どんな困難でもくじけない、ヒーリー＝タットの仕事ぶりのおかげで、それは変わらず健在だった。年次報告書は、ようやく復興しはじめた、忘れられないつらい時代を、短いふたつの段落の文章にまとめた。

第二次世界大戦時、警察やほかの機関から引きとった犬の数を見れば、引きとり数は戦前から減っていないことは明らかです。さらに犬の引きとり作業は、深刻なスタッフ不足や、ロンドン市内の空爆を受けた通りをワゴン車で走るという難題があっても、絶えず続けられました。

バタシー・ホームのある周辺は何度も何度も爆撃を受けましたが、近隣地区とホームの中庭に爆弾が落ちて犬舎と中庭の扉が吹きとばされたとき、わずか数匹の犬が夜中に通りへ逃げただけでした。いくつもの焼夷弾が犬舎の犬のところへ落ちてきたことがありましたが、そのときも、一匹もけがを負わず、死にませんでした。

イギリス国内のほかのところと同じく、バタシー・ホームも、一番よかった時代と同じやり方にこだわる余裕がないのはまちがいなかった。たとえ望んだとしても……。

一九四八年、戦災委員会は、バタシー・ホームの再建開始のための資金を提供することを最終的に認めた。最初の配分金は、爆撃で最大の被害を受けていたBブロックの犬舎の再建費用に割り当てられた。作業は一九四八年の夏に行われた。戦災委員会は翌年、Bブロックの再建もふくむ、追加の修繕作業にあてる一七〇〇ポンド相当の追加予算を認めた。そして戦時中放っておかれた猫舎は、正常に使用できる状態に戻された。

戦争が終わってからの数年は、厳しい財政状況と困難な生活の時代になった。需給にかんする法律が引き続き施行され、食料不足のせいで犬と猫の餌代はかさむ一方だった。

戦争の終わりは、バタシー・ホーム運営を全体的に見直す、うってつけの機会になった。バタシー・ホームの委員会は、急いで広報活動と宣伝のプロ、フランク・ゴシュオークに依頼し、外部の目でホームの業務をチェックしてもらった。ゴシュオークはホーム内を歩きまわり、財政状態を点検した。そして一九四五年十二月に彼が提出した報告書は、ホームが期待していたよりもやや大胆だったが、非常に助けになるものだった。

一九一九年のときと同じように、戦争が終わって犬を希望するひとが増えたことは、よいニュースだった。バタシー・ホームが犬につけた値段は強気の設定で、七シリング六ペンスから一ポンドだった。「いまのところ、人びとは戦前よりも犬にお金を使う気でいます。事実、空襲から避難していてロンドンへ戻ってきた人びとが、犬をとても欲しがっています。売りに出されている犬の数よりも、ずっと多くのひとが買いにきています」。その結果、繁殖用のメス犬の需要がいつもより高まった、とゴシュオークは付け加え、「バタシー・ホームは業務を続けることができるのは明らか」だと述べた。

しかし、バタシー・ホームには徹底的な復旧作業が必要だったことは、残念なニュースだった。バタシー・ホームは「ホームの実態に即した拡張と近代化を実質的に可能にする」ために、新しい財源を確保しはじめるべきだと、ゴシュオークは確信していた。そしてイギリス赤十字社が、五年半におよぶ戦時中に、一七〇〇万ポンドの寄付金を集めた例をあげている。赤十字社が設置していた小銭の募金箱にはかなりの額が集まり、募金箱だけで四〇〇万ポンド以上を占めていた。「赤十字、赤十字、赤十字、と言われるのにうんざりしているひともいて、戦争が終わったいま、赤十字へ寄付するのをやめようとしているひともいます。規則的に寄付する習慣が完全に失われてしまう前に、そのうちの何人かの関心を、ロンドンのバタシー・ホームへ切り替えさせられるかもしれません。やってみないとわかりませんよ?」と、ゴシュオークは言っている。

ゴシュオークが勧めたのは、バタシー・ホームへの緊急の募金のお願いと、ホームの活動を宣伝する計画に着手することだった。そのアイデアは、たとえば、バタシー・ホームへ行くための道路標識をもっと設置する、大きな広告掲示板をホーム屋外のすぐそばに立てる、犬引きとり用のワゴン車にもっと目立つシンボルマークをつける、といったものだった。「品がよく、派手ではないマークをつければ、通りを行くみんなにすぐ気づいてもらえる」からである。さらに、ロンドン市内の学校で「ペットの犬の世話と訓練」について教えることと、年に一回、雑誌『ドッグズ・ディナーズ』を発行することも提案した。雑誌は「有名人」による楽しい話が満載で、「巨額の寄付者」になるかもしれないペットフード製造業者と関係を築くためのものである。そして、ゴシュオークは、新聞の編集発行人に「強く心を動かされる話のネタ」を提供するよう、ホームを説得した。またそのほかに、ホームでの日々についての映画を作る、ミュージック・ホールにスライドショーを持ちこんでホームを宣伝する、といった案もあった。おまけにバタシー・ホームの敷地内に広告スペースを設け、そこを売りに出すよう持ちかけた。この方法で「かなり高額の請求」ができると確信していたのだ。

ところで、ゴシュオークの提案のなかでもっとも議論の的になったのは、ホームの名称変更についてだった。ロンドン市民のほとんどと同じく、ゴシュオークも〈バタシー・ドッグズ・ホーム〉という名前に長年親しんでいたが、委員会メンバーたちが〈ロンドン・ドッグズ・ホーム〉と呼ぶのを耳にした。そこで当時九〇〇万人いたロンドン市民とつながりを持たせるため、〈ロンドン・ドッグズ・ホーム、バタシー・パーク〉という大幅な名称変更を提案した。こちらのほうが「ださくない」というのが、彼の意見だった。

ゴシュオークのアイデアの数々は、時代を三十年先どりしていた、と言ってもよいだろう。バタシー・ホームは、平和な時代をもう少し慎重に、ゆっくりと進むことにしたのだった。

第15章◆改革に熱心な新事務局長

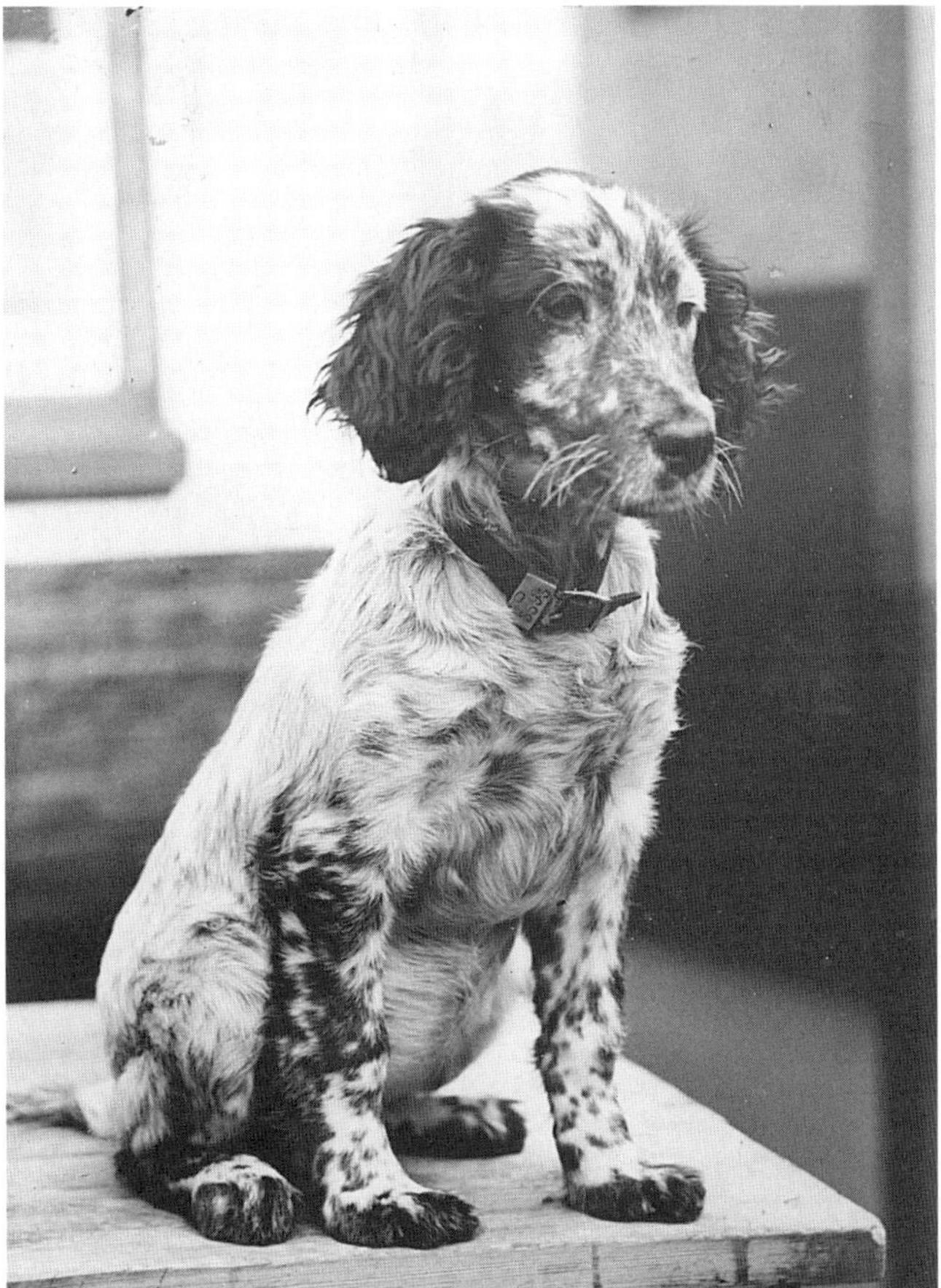

Chapter Fifteen

一九五〇年代になると、エドワード・ヒーリー＝タット事務局長の体調は急速に悪化した。しばらく前から、パーキンソン病の徴候を示していて、戦中の不屈の人物が見る影もなく衰えていた。そこに妻の死が追い打ちをかけた。バタシー・ホームは、この人物がほかのだれよりも、第二次世界大戦中の暗い時代にバタシー・ホームを導いた恩人であることをよくわかっていた。委員会は、ヒーリー＝タットがたまに失敗することを大目に見て、事務局長として残れるようにした。しかし一九五三年、ヒーリー＝タットは、バタシー・ホームの仕事がとうとうできない状態になった。そして、娘が住んでいる南アフリカで引退生活をおくると発表した。

委員会は、ヒーリー＝タットが十分な年金を確実に受け取れるようにし、彼のすてきな肖像画を在任中最後となる一九五四年度の年次報告書に載せた。バタシー・ホームに忠実なスタッフが、またいなくなってしまった。

戦時中の控えめな英雄だった事務局長の後任は、なかなか見つかりそうになかった。合計七十から八十人の候補者が、新事務局長の面接を受けた。ヒーリー＝タットの後任選びは、ホーム内ではとても珍しく、激しい対立を招いたのだった。

議長を務めていたハーディング男爵は、ヒーリー＝タット事務局長の補佐をし、バタシー・ホームで二十五年間働いていたウィザロウ夫人に後を継がせ事務局長にしようとした。ところが委員会はこの任命を拒否し、元海軍士官のベンジャミン・ナイト少佐のほうがよいと主張した。この決定には、ほぼ確実に明らかな女性に対する性差別があった。女性が設立したバタシー・ホームだったが、ホームの幹部たちは、そこを男性のための高級会員制クラブのようにしていた。これまで幹部になった女性はひとりもいなかったし、世話係にも女性はいなかった。創設して九十年以上たっていたが、バタシー・ホームの犬舎や中庭は、完全に男性の領域のままだった。

ハーディング男爵とウィザロウ夫人は、この指名にかなり不満で、それから数か月のうちに、ウィザロウ夫人は退職し、ハーディング男爵は議長職を辞任して、バタシー・ホームを去っていった。ふたりの反発は、よく理解できる。ところがふたを開けてみると、委員会は先見の明がある選択をしたとわかった。ベンジャミン・ナイトは、戦後の時代とつぎの世紀で舵取りをするのに、うってつけのリーダーだと判明したのである。そのうえ皮肉なことに、ほかのどの前任者より、性差別をなくすよう努めることになるのだった。

長身でエネルギーにあふれ、経験ゆたかな貿易商人でイギリス海軍士官だったナイトは、一九四二年にマルタ輸送船団での任務中に背骨を折ったのち、一九四九年に傷病兵として除隊となっていた。しかし彼が虚弱な人物だったという形跡はほぼ見当たらず、もっとも大胆な改革をした指導者のひとりという地位を、あっというまに築いたのだった。戦後の厳しい財政状況が終わりつつあるとき、彼こそまさにバタシー・ホームが必要とする人物だった。

ナイトは、退役海軍士官協会からバタシー・ホームでの仕事について打診されていたが、そこでの仕事が自分に向いているかどうか確信がもてず、バタシー・ホームをはじめて訪問したとき、特にそう感じていた。「陰鬱な十一月の日でした」と、ナイトは最初の訪問日を思い起こしている。「灰色のバタシー・ホームの建物が、もっと暗い灰色のバタシー地区に溶けこんでひとつになっている様子を、はじめて見ました。発電所から吐きだされる煙で、そこらじゅうがちりやごみにまみれていました」。そしてヒーリー＝タットが残した「ツタに覆われたヴィクトリア朝のみごとな家屋」に、気持ちが明るくなった。「それでもほんの少し辺りを見まわすと、すさまじい勢いで、また暗い気持ちになってしまいました」と述べている。

ナイトの反応は、予想どおりのものだった。バタシー・ホームの建物は荒れはてていて、前世紀へ急速に逆行しているようだった。戦後すぐに数年かけて再建したにもかかわらず、犬舎はうす汚れ、時間が止まったかのような雰囲気だったし、石壁の状態から見て、冬のあいだ何か月も寒さに凍えることになりそうだった。

ナイトは建物を詳しく調べ、ショックを受けた。そして後に、「わたしの手のひらの厚さと、同じはばのひびが入っていた」と語っている。「この建物がわれわれの周りに崩れ落ちるまで、十年もたせよう」と、当時の彼は自分に言い聞かせていた。

バタシー・ホーム事務局長の候補者の数が多かったので、ナイトは自分がその任務についたことを聞き知るまで、二か月間待たなければならなかった。ついに事務局長職を依頼され受けると、ナイトは犬舎の改築から開始した。そして、より断熱防音効果にすぐれた天井と壁を備えつけ、わらとおがくずで作った犬用のベッドを、材木製のベンチに取りかえ、さらにホームの悪臭問題も改善した。

全員集合。バタシー・ホームのスタッフが、新しくペンキが塗られた正面入口で、集合写真撮影のためポーズをとっている。

新しいワゴン車の車両は、戦後の近代化の最初のたしかな手ごたえだった。

バタシー・ホームの隣の土地の一部は、〈堅忍ブタ共済会〉に貸し出されていた。大量の堆肥が積まれ、特に暑い天候のとき戸外はハエだらけだった。悪臭はどうしようもないほどひどく、建物のなかまで漂っていた。ホームのスタッフや犬や猫にとって、日々の生活は不快なものになっていた。ナイト事務局長が土地の所有者に会いに行き伝えると、所有者はブタの飼育者に、すぐ立ち退きを言いわたした。

ナイト事務局長は、バタシー・ホームを現代化するという、大がかりな計画の数々に取りかかると同時に、自分が柔軟で、問題解決能力があり、驚くほど進歩的な考えの経営者であることを証明してみせた。はじめてやって来たとき、ナイトは多くの犬が栄養失調で「収容所の囚人みたいにやせている」と気づいた。犬の日々の食事はおもに馬肉と穀物で、戦時中といまだにほぼ同じ内容だったのだ。

ナイト事務局長は、バタシー・ホームの台所を「人間の食事を調理できる」まで清潔にし、それからもっと栄養価の高い犬用の食事を作りはじめた。ナイトが考案したメイン・ディッシュは、「バタシー風ビーフシチュー」で、これは約三十キロの牛肉を一晩かけて煮込み、骨の髄からとれる煮こごりからブイヨンを作っていた。それと同時に、出産したメス犬とその子犬たちや、病気の犬や猫に与えるため、卵、ミルク、ブドウ糖、魚類で作った特別食を取り入れた。「人間だろうと動物だろうと、ろくに食事をもらえず、栄養不良になっている生き物を元気にするには、どんな薬より、基本的で健康的な食事を与えるほうがよい、というわたしの意見に、たぶんこれからも、だれも反論できないでしょう」と、ナイトは語っている。

ナイトはさらに、現代風の画期的な取り組みをどんどん進めた。当然だとして染みついていたバタシー・

ホームの習慣や決まりごとには、受け入れられるものもあれば、変更されるものもあった。ナイト事務局長は軍隊式の管理形態を維持し、スタッフに点呼のときは一列に並ぶことや、制服の着用を言いわたした。そのいっぽうで、ホームの考え方や慣例を、アップデートしようと決めていた。ナイトの助言により、たとえば委員会は、より短時間ですみ、効果的で苦痛の少ない安楽死の方法の調査をはじめることで合意した。そしてバタシー・ホームは、イギリス獣医師協会の認可を受けた、動物を一瞬のうちに安楽死させる電気ショック室を推められた。

ナイト事務局長による最大の仕事は、ヒーリー＝タット時代の後半に定着した、決まりきった習慣の数々の改革だった。ナイトは、ワゴン車の運転手に問題があるとつきとめ、彼らが「非常にいいかげん」に通常業務をこなしていると判断した。警察署からホームへ犬をつれて来るのに、時間がかかりすぎていたのだ。ワゴン車の後部車両で六時間過ごした犬もいる、とナイトは抗議した。ナイトの着任とほぼ同時に、運転手による休業手当の大幅な値上げ要求があり、ホグベンという一番古参の運転手は、要求が通らなければ自分たちはやめると脅していた。

ナイト事務局長は迅速に、毅然と対応にあたった。一九五五年五月、ある土曜日の朝に運転手全員を集めると、解雇した。これではまだ手ぬるいとでも言うように、ナイトによる運転手の交代計画は革命的だった。「女性運転手限定」という募集をかけたのである。「犬が手荒に扱われないようにするための、確実な方法に思えました」と、ナイトは後に語っている。

当初、ナイト事務局長はこの決断を後悔したことだろう。一番の問題は、犬を集めるために使っていたベッドフォード社製の車両「緑の女神」だった。車両の一台はかなり傷んでいて、「女性運転手には、体力的に操作が無理だった」。ある女性運転手は、手に負えない車体を運転しようとして指を骨折し、また別の女性は膝を痛めた。そしてひとりは、車体の状態を理由に辞職した。

あるとき、ナイト事務局長はオフィスでの通常業務につく前に、巨大な緑のワゴン車を運転し、夜明けとともにロンドン市内の警察署からバタシー・ホームへ犬を運んだ。「がたがたよくゆれながら進む、慣れていない怪物を運転してロンドンの通りをまわると考えたら、いやな予感がしました」と、ナイトは語っている。「ロンドンの波止場の、丸石が敷かれたでこぼこ道を運転しているとき、角を曲がり損ねるたびに、それに気づいて怖がる、気の毒な犬たちの声がしたのを覚えています」。

二週間のうちに、事故が三件起きた。まずミス・コックスがハリンゲー地区〔ロンドン北部の地区〕で運転中に歩行者をはね、警察に起訴された。それから四日後、彼女はパン屋の車との事故に巻きこまれた。その四日後、別の運転手、ミス・ワイズがサットン地区で車体をへこませた。

ようやくバタシー・ホームは新しい車両の必要性を認め、新しい車両とガレージを注文した。まもなくすると、女性運転手の採用は大成功を収めた。「車の運転が上手で、犬をやさしくしっかりと扱える、この仕事向きでまじめな女性たちを、徐々にひとりずつ、希望通りの運転手として雇いました」とナイト事務局長は述べ、一九五六年の年次報告書ではつぎのように言及している。「女性運転手が、ワゴン車を上手に運転

新しい友だち。バタシー・ホームの熟練の世話係が、新しく飼う犬の世話の方法を、若い飼い主にアドバイスしている。

し、集めた迷い犬にうまく対応しているという、すばらしい報告がいくつも届けられ、記録されました」。ナイトはまもなく、新しい女性運転手が男性運転手よりもすぐれているという話を、聞きたがるひとにはだれにでも話すようになった――しかし、女性運転手が男性と同じ額の給料をもらうのは、まだ何年も先のことだった。

ナイト事務局長の新しい改革案によって、ほかの戦前の遺物が一掃された。一九五五年、委員会はついに財政上の重荷だったボウ・ホームを手放すことができた。バタシー・ホームがロンドン東部地区まで範囲を広げて犬を集める仕事を請け負っていたときは、ボウ・ホームは役にたったのだが、戦時中から費用に見合う施設ではなくなっていた。売却したことで「本団体の財源にとって大きなストレス」を取りのぞいた、とナイトは述べている。一九五五年初期、旅行用トランク製作会社が、一五〇〇〇ポンドで買うと申し出てきたが、土壇場で手を引いた。七月、ボウ・ホームを競売にかけると、入札の最高額はわずか八五〇〇ポンドで、ホームが設定していた一〇〇〇〇ポンドをはるかに下回っていた。

九月、金属めっき加工会社が一四〇〇〇ポンドで買うと申し出て、承諾された。そこで得た資金は、バタシー・ホームのほかの部分を現代化するために使われた。電力供給システムが変更され、ガレージは建て直された。少しずつだが確実に、新しいバタシー・ホームができはじめていた。

加えてナイト事務局長は、バタシー・ホームに、専任の広報担当者を雇用しようと計画した。四社の一流のPR会社が、バタシー・ホームの仕事を手がけたいと売りこんでいて、そのうちの一社――〈プリチャード・ウッド社〉と、〈4Dアソシエイツ社〉――が面談を受けた。しかし当時は、委員会のもっとも保守的なグループが勝ち、「PR会社は、いまもこれからもバタシー・ホームには必要ない」と決まってしまった。

幸運にも、ナイト事務局長はインタビューの受け答えが非常にうまく、喜んで報道関係者と話をした。自分は「船長」、ホームのスタッフを「水兵たち」、自分と妻が使っているホームの玄関上にある住まいを「犬舎ナンバー4」と呼んでいた。

広報活動の重要性を本能的に理解していたナイト事務局長は、犬が飼い主と再会した、新しい家を見つけた、といった気持ちが明るくなるような話を、つねに報道関係者に提供していた。これまでと変わらず、そのような話は山ほどあり、なかでも特に人気だったのはキツネの話だった。その子ギツネを見つけたのは、エセックス州のキャンベイ島〔テムズ川河口にある人工の埋め立て地〕をドライブしていたある男性だった。有刺鉄線にからまって窒息死しているメスのキツネと、そのそばで震え、悲しげに鼻を鳴らし、たよりなさげにぽつんと取り残されている子ギツネを見つけ、その子ギツネを飼いならそうとしたができずに、結局バタシー・ホームへつれて来たのだった。フレディと名付けられたその子ギツネは、またたくまに人気者となった。世話係は、ミルク、パン、新鮮な生肉などの餌を毎日やった。

バタシー・ホームに子ギツネのフレディがいるというニュースに新聞各紙は大喜びし、とにかく一番有名な入居者を見ようと、たちまち人びとが押しよせて来た。そしてついに、ナイト事務局長がすばらしいアイデアを思いつき、イギリス空軍第十二飛行中隊に連絡した。元海軍士官だったナイトは、第十二飛行中隊のバッジがキツネだと知っていたので、フレディをマスコットとして引きとりたいかどうかを打診したのだ。第十二飛行中隊はすぐに承諾し、こうしてフレディは、リンカンシャー州の空軍本部で豪華な贈呈式をして空軍の仲間入りをした。

一九五六年五月十八日、イギリス王室は、エリザベス二世女王〔一九二六－　在位一九五二－〕がバタシー・ホームの後援者になると正式に認めた。二十五年間の中断のあと、ふたたびイギリス王室はもっとも大事な後援者となった。その一週間前、バタシー・ホームの委員長は王室に手紙を書き、「わが委員会は、バタシー・ホームが王室の後援を受けられず遺憾に思っていることを、あらゆる機会において表明してきました」とはっきり述べていた。委員長は、エドワード八世の短くも波乱に満ちた治世については触れず、女王陛下の父王ジョージ六世が「後援者になるという特別措置にあたり、協会や団体の数を制限する必要があると考えられた」のは理解すると述べた。そのうえで、バタシー・ホームは「健全な財政状態」であり、「価値ある公共事業を行っていると断言できます。よってわが委員会が心から願うのは、女王陛下に慈悲深くもふたたびご後援いただくことなのです」と強調した。

数日中に返事が届いた。エリザベス女王が、バタシー・ホームの依頼を承諾したのだった。

キツネのフレディ。バタシー・ホームの有名な入居者は、イギリス空軍の代表に託された。

第16章◆わたしが好きなら、わたしの犬も

Chapter Sixteen

一九六〇年十月、バタシー・ホームのスタッフ、委員会メンバー、招待客といった小さな集団が、新しい贈り物が発表されるのを見ようと中庭に集まっていた。贈り物は、〈ロンドン水飲み場&家畜用水桶協会〉〔一八五九年、S・ガーニー議員が設立、ロンドン市民に清潔な水を無料で飲める場を提供。一八六七年、馬や犬も水を飲める場を提供し、この名称に改名〕というあまり耳慣れないところからで、バタシー・ホームの人間と犬が使える特別仕様の水飲み場を注文してくれたのだった。栄誉ある贈呈の役目を務めたのは、ポートランド公爵だった。

しかし、水飲み場よりもっと大きな意味があったのは、公爵が同じく除幕式を行った記念プレートである。そこには、一八六〇年十月二日、ホロウェイのホリングワース・ストリートで最初にホームが設立されて一〇〇周年であることが表示されていた。一〇〇年前とまったく同じく、報道関係者の関心は、この催しにあまり集まらなかったが、今回はがっかりしなくてもよかった。『タイムズ』紙をふくむ新聞数紙が、その年になってからバタシー・ホームをすでに訪問していたのだ。『タイムズ』紙記者は、ホーム一〇〇周年についてスタッフに取材し、長い記事を一月に発表していた。『タイムズ』紙、別名〝大きな声をあげるひと《ザ・サンダラー》〟〔社会への警告を大きくとりあげる新聞としての異名〕が、かつて全力をあげて、設立したばかりのホームをつぶそうとしたのは確かだった。一八六〇年の社説では、メアリー・ティールビーとその同僚を笑いものにし、チャールズ・ディケンズが深い同情の気持ちを表明するまで、世論を操作していた。

それから一〇〇年後、『タイムズ』紙の論調はまったくちがっていた。「バタシー・ホームが行っている仕事は何物にも代えがたい、という意見に反対する者はいない。ロンドンじゅうの迷い犬が、飼い主に引きと

100年たっても、犬にぴったりの新しい飼い主を見つける喜びは、変わらずすばらしいものだった。

新しくやってきた犬が、様子をうかがい、バタシー・ホームの環境をチェックしている。

られるか、新しい家へ売られるか、または(年老いて、不治の病にかかっている場合)安楽死させられるまで、きちんと世話をされるこのような施設が存在し、ロンドンに暮らす人びとは恵まれている」と、『タイムズ』紙の記者は書き、さらに掘りさげて、「イギリスらしさ」の典型であるバタシー・ホームの姿や、犬とホームの間にある驚くほど強くてしなやかな結びつきについて述べている。

バタシー・ホームは多くの点で、イギリス人の悪い意味でよく知られた動物への向き合い方の典型的な姿である。確かに、「犬は人間の名誉ある友」ではなく「犬は狂犬病を媒介する厄介もの」という見方がはるかに強かった時代にホームを設立するということは、ことわざの「わたしが好きなら、わたしの犬も」にみられる伝統を確かなものにすることに寄与した。

バタシー・ホームの日常のほかの点は、前世紀そのままで、とりわけ委員会の女性に対する態度は変わらなかった。その年の年次報告書には、見下した口調でつぎのように指摘してある。「四人の女性運転手も、卓越した運転技術でバタシー・ホームに対してよく貢献している」。

バタシー・ホームの業務で、初期の頃と比べてはっきり異なる点があるすれば、賃借対照表《バランスシート》だった。一九六〇年末、バタシー・ホームの投資金額と貯蓄額が三十万ポンドを超え、つぎの一〇〇年に突入するバタシー・ホームが、新しい建物を建設する資金にする予定だった。

それでも、バタシー・ホームの扉の向こうには邪悪な秘密がある、と信じて疑わないひとも、まだ存在していた。ナイト事務局長が述べたように、一番ありがちだったのは「バタシー・ホームが受け入れたすべての犬は、飼い主が引きとらない場合、健康でもそうでなくても、安楽死させられているという、かなり広まっていた誤解」だった。実際に安楽死となった犬は、これまで以上に少なくなっていた。一九六〇年には、一〇九六三匹の犬がバタシー・ホームにやって来て、そのうち六七七七匹はゆっくり時間をかけて飼い主のもとへ戻ったか、新しい家を見つけていた。そして、さらに多くの犬が「入所中の犬」として生かされていた。しかし、このような中傷は止められなかった。

ずっとつきまとってきた根拠のない別の話は、バタシー・ホームと生体実験にまつわるものだった。ときおりバタシー・ホームは、みずからを守るため、相手と同じ方法で戦わなければならなかった。一九六一年一月『デイリー・メイル』紙は、「食中毒の病原菌に伝染させられた」あとに実験室から逃げだした、一匹の犬についての記事を載せた。この記事といっしょに、もっと全般的な生体実験についての話を掲載し、内務省の認可のもとで一年に七〇〇〇匹の犬が生体実験で使われていると主張した。「そのうちの何百匹もの犬が、バタシー・ドッグズ・ホームから送られている。ロンドンだけで、警察は一〇三〇九匹の犬をバタシー・ホームへ送っている。その多くは飼い主が引きとったが、七日間以内に引きとりがなかった犬は、ガンの研究や、薬の効果を調査する研究室や実験施設に送られることが多い」。これは十分な根拠のない、ひどい言いがかりだったので、バタシー・ホームは、ただちに名誉棄損で訴訟を起こすほかなかった。

その年の十月、高等法院でこの事件が審理された。バタシー・ホーム側の抗弁は、何十年も前と同じだった。研究施設へ犬を引きわたすことは、バタシー・ホームの規則に反するだけでなく、一九〇六年の犬の規制(1906 Dogs Act)にも反する。さらに犬の規制では「いかなる犬も……生体実験を目的として譲渡したり、売却したりできない」と規定している。ヒルベリー判事は、バタシー・ホームの勝訴とし、『デイリー・メイル』紙に「高額な損害賠償金」と、ホーム側の裁判費用を支払うよう命じた。

煙のないところに火はたたない、と考えているひとがいるのは明らかだった。それから一年もしないうちに、バタシー・ホームはまた別の名誉棄損訴訟を起こすことになったのである。今回の相手は、ホームが生体実験にかかわっていると小説に書いた作家、レディー・ロイド・パッカー〔詳細不明〕だった。「ホームの仕事の目的は、可能な限りやさしくていねいに、責任をもって犬を世話し、できるだけ多くの犬に家を見つける努力をすることです」と、バタシー・ホーム側のデイヴィッド弁護士は、ヘイヴァーズ判事に主張した。「ホームの設立から、生体実験のために売った犬は一匹もいません」。またもやバタシー・ホームは勝訴し、今回は損害賠償金だけではなく、すべての本を訂正するか「正誤表」をはさむ、という判決が出た。

ホームへの攻撃が続くのは、けっしてうれしいものではなかったが、名誉棄損罪で勝訴して受け取れる賠償金は、また別の話だった。

2匹は仲間。バタシー・ホームのベテラン監督官の腕でくつろぐ、新しくやってきた2匹。

バタシー・ホームは、会員にずっと支えてもらっていた。会員のなかには、ホームにいる犬や猫のように個性豊かで、何をするのか予想できない人物もいた。十一月のある寒い朝、ベンジャミン・ナイト事務局長は、バークシャー州〔イングランド南部の州〕、ウィンザーの郊外にある、立ち並ぶテラスハウス〔長屋建住宅〕の外に立っていた。のちにナイトは、つぎのように説明している。「世界一忙しい、迷い犬のための避難所を代表し、数多くのわけのわからない要望書に応じてきました。とはいえ、このときは、思いがけない状況を見回し、オフィスへ戻らないほうがよいだろうな、という不思議な気持ちになっていました」。

それより数日前に受けとった謎めいた手紙に、ナイト事務局長は返事を出していた。その手紙には、つぎのようにそっけなく書いてあるだけだった。「ホームの代表がうちを訪ねてこられたら、ホームのためになるとわかります」。ナイトが小さな家のドアをノックすると、「年配の女性に、とても小さな応接間に通されました。彼女は以前、バタシーのホームの向かいに住んでいたと言い、ホームが抱えている問題を知っていました」と、のちに語っている。女性はナイトに「大きくて、じっとりした、ほこりまみれの包み」を手わたした。ナイトが包みを調べると、ポンド紙幣の束が落ちてきた。「そこで、薄暗い小さな部屋に腰かけ、わたしはこれまでで一番変わった寄付金を数えあげました――使い古された三〇一ポンドの旧紙幣で、少しじめっとしていました。お札は、どうやら何年もかけて、大切に貯めたもののようでした」。

その後、女性の夫は郊外に何軒もの家を所有しているとわかった。女性は、バタシー・ホームに寄付するため、家賃の一部を何年もかけて貯めていたのだ。ナイト事務局長がこの事実を知ったのは、それからしばらくして、新しい犬舎のお披露目に女性がやって来たときだった。彼女はじっとり湿った封筒に、また別のお札の束を入れて現れたのだった。

❦

一九六八年六月の末、薄汚れた一頭のプードルが、たどたどしい字で書かれたメモを首に結びつけてバタシー・ホームにやって来た。メモにはこう書いてあった。

ホームのひとへ。どうかうちの犬、キムのめんどうをみてください。こうえいのアパートに住んでいて、かんりにんさんが犬のキムをすてないといけないと言います。犬をかってはいけないからです。お母さんは犬のことが心配で、ころすことをいやがっています。お父さんはいません。でもお母さんはわたしたちにやさしいし、ただ年をとっているだけです。四十五さいで、いつもぐあいがわるいです、そして犬のことを大事にしています。わたしは十一さいでおとうとは七さいです。キムは九さいで、とてもよい番犬です。みんなキムがだいすきです。

ついしん。もしも自分の家があれば、キムをかいます。どうかキムをころさないでください。

あいをこめて　　　　　　　　　　ルイーズ、ジミーこのプードルは、ロンドン北部ハムステッドの、高所得者層が住む辺りの通りをうろついていたところを発見された。やがて手紙の差出人、マクギリス家のきょうだいルイーズとジミーが、「どこかのお金持ちの女のひと」のところで犬が暮らせるようにと願い、その場所で放ったのだとわかった。お金持ちのところではなく、プードルは警察官に見つかり、バタシー・ホームにつれてゆかれた。

バタシー・ホームは、専用のPR会社を利用するという考え方に長年抵抗していたが、この頃にはようやく問題は解決していた。過去四年間、マスメディア向けの話は、〈セントラル・ニューズ・エージェンシー〉を通して提供されていた。〈セントラル・ニューズ・エージェンシー〉は、年間二〇〇ポンドの料金で全国の報道機関に向けてホームの明るい話題を配信していて、このプードルの話は、PRの絶好の機会だと、すぐに気がついた。

その翌日、胸を打つ手紙が公開されると、たちまち驚くべき反応が起こった。フリート・ストリート〔ロンドン中央部、新聞社が集まっていた街〕は、まず子どもの家を突きとめ、それから大好きなプードルと再会させようと、にわかに盛りあがった。『イヴニング・スタンダード』紙が、ホームから約一・五キロのところにある、バタシー地区の住宅用高層ビルに住んでいる子どもたちを発見した。そして、ルイーズが「神経の病気」を抱えていると母親のソフィアが話したことで、もともとの物語よりも、一段と感動的な記事になった。管理組合の規則を破るとわかっていたが、娘のためになると思い、母親はプードルを手に入れた。「キムは、ルイーズにとってずっと一番の薬でした」と、『デイリー・エクスプレス』紙〔一九〇〇年創刊のイギリスの日刊大衆紙〕の記者が訪問すると母親は語った。「だけどキムがいなくなってから、娘の病気はあっというまに悪くなりました」。

当然ながら、地元ウォンズワースの区議会は、すぐ意見を変えた。「小さな女の子にはやや酷なことだと理解していますが、規則には従わなければなりません」と、議会の役人は言い、少女の家族の引っ越しについてすでに検討をはじめていると付け加えた。「今回の場合、例外的な事情があるようなので、援助できることはするつもりです」。

しかし、新聞はこれだけでは満足しなかった。その翌日、『サン』紙は地区の住宅課から、積極的に「マクギリス家が、犬といっしょに暮らせる家を探す」という約束をとりつけた。

家の手配に二か月かかったものの、九月の終わり、マクギリス家は引っ越しをすませ、キムは一家のもとへ戻ってきた。そのときカメラマンの集団は、ルイーズ、ジミー、キムが再会する感動の場面の写真を撮ろうと待ちかまえていた。

この話は、いくつかの面でバタシー・ホームに役立った。一番わかりやすい面は、求められた場合、子どもと動物が登場する話には、これまでと同じく力強い影響力があると、またもや証明されたことだった。そのうえ、ホームに山ほどいる犬や猫はさっさと安楽死させればよいと、いまだに考える頑固な少数派の意見に反し、飼い主と犬を再会させるため、進んでたいへんな仕事をしているバタシー・ホームの姿を、再度強く印象づけることにもなったのだ。

より深い社会的な面では、キムとマクギリス家の話は、バタシー・ホームがとっくに気づいていた大きな社会の変化を示していた。一九六〇年代のイギリスは、経済的に豊かになり、これまでより流動的でずっと物質欲に満ちた社会になっていた。一九五〇年代にアメリカで起きた消費ブームが、大西洋をわたってきた。するとイギリスでは、公営住宅や高層ビル住宅が爆発的に増え、数十万もの人びとが都市部へ移りマクギリス家が住んでいたような公営アパートに住んだ。そういう住宅の多くは犬の飼育を禁止していた。いっぽうでイギリスは国として、犬への対応をさりげなく転換する様子を見せていた。そしてふたたび、バタシー・ホームは難題を解決しようとしていた。

人びとが高層ビル住宅や、ご近所とのつながりが薄い団地に移った影響は、火を見るよりも明らかだった。犬の群れが大型公営住宅内をうろついているという報告が、当たり前になった。一九六八年、エセックス州ハロルド・ヒルのある公営住宅内に警察が立ち入り、子どものいる母親たちを怖がらせていた犬の群れを捕獲するはめになった。犬たちは、朝になると飼い主が仕事に出かけるので部屋の外へ出され、公営住宅内を自由にうろついていた。「一日中、犬は悩みの種です」。その年の九月、ひとりの警官が『ヘイヴァリング〔ロンドンの地区のひとつ〕・エクスプレス』紙に語っている。「朝になると、犬は部屋から追いだされ、夜になると口笛でまた呼ばれて戻ってゆきます。飼い主が休暇で出かけるとき、自力で生きるよう置き去りにされる犬もたまにいました」。

同じく、ロンドン南部クロイドンのフィールドウェイ住宅では、地元の下院議員が「子どもへの大きな問題」として、うろつく犬に対する苦情に対応していた。警察もその年の十月に同様の傾向を注視していて、

車もおめかし。バタシー・ホームのワゴン車は、創立100周年を祝って飾り付けられた。

バタシー・ホームに迷い犬をおもにつれて来たのは、いまだに警察だった。親切な警官が、犬に門を越えさせようとしているところ。

「本年、犬の問題が生じていた公営住宅において、三十四件の交通事故が起きた」という例をあげていた。社会にとって脅威となる犬を捕獲するのは、いまだに警察の役目だった。その結果、バタシー・ホームにやって来る犬の数は増加していた。

通りをうろつく犬の数がますます増えてきたため、一八七八年の導入以来はじめて、犬飼育許可証(the dog licence)の登録料を七シリング六ペンスから値上げするよう、国会へ要求が集まった。十一月、エイルウィン卿は、上院でこの件について、熱のこもった演説をした。イギリスには四七五万匹の犬がいるが、二七五万匹しか登録されていないという数字を示した。そして二〇〇万匹の未登録の犬が通りをうろつく状況なので、犬の管理者にさらに二ポンドを支払わせて警察の仕事を援助し、登録料を支払わない者にはもっと厳しい罰金を科すことを求めた。エイルウィン卿は、登録料が値上げされれば「地方自治体の積立金に年に五〇〇万ポンド」まわせるようになるだろうと述べた。

フェラーズ卿はこれに反対し、値上げされたら、人びとは登録料を支払わないだけだろうと主張した。「許可証代が七シリング六ペンスで支払わないひとがいるのに、二ポンドに値上げされたら、もっと多くのひとが支払わなくなるだけではないでしょうか? もっと迷い犬が増えるだけでしょう」。

この頃、物議をかもしたピル(経口避妊薬)が、女性たちに広まりはじめたところだった。アラン伯爵は「犬用のピル」を提案し、つぎのように述べた。「とても熱心で信心深い人物でも、反対はしないでしょう。犬や猫が、あまりにも増えすぎています」。

犬飼育許可証の値上げ要請にはかなり大きな反響があり、イギリス国内で動物や犬の保護活動をしている有力な慈善団体のあいだでも、大きく意見が分かれた。〈RSPCA〉は、「望まれない犬の数を減らす」という理由から、基本的に新しい登録料金を支持した。〈全英犬保護協会〉（NCDL、一八九一年設立、動物福祉を目的とする慈善団体。二〇〇三年に〈ドッグズ・トラスト〉（Dogs Trust）へ名称変更）は、「この提案には全面的に反対」で、唯一支持していた変更点は、当時、生後八か月時に登録しなければならなかったのを、生後八週間からにする点だった。〈イギリス動物実験廃止連盟〉（BUAV、一八九八年、フランシス・パワー・コッブが設立した動物保護団体。二〇一二年にアメリカの〈動物実験反対協会〉と合併し、二〇一五年より〈クルエルティー・フリー・インターナショナル〉（CFI）として活動）は、不妊手術を受けた犬は登録料を免除され、繁殖可能とされた犬はより高額な料金を払うべきだと提案した。〈ケネル・クラブ〉（一八七三年設立、当時流行していたドッグショーなどのルール策定のために設立。現在はブリーダー規制、マイクロチップ装着普及活動などを行う）は、許可証の支払い制度そのものを廃止すべきだと主張した。

議論が白熱してきたところでナイト事務局長が論争に加わり、数々のインタビューに応じた。ナイトは、登録料金は年間五ポンドに値上げすべきだと考えていた。「もちろん、高齢の年金受給者、盲導犬を使う目の不自由なひとたちなどに対しては、割引料金にするべきです」と、『ドッグズ・ライフ』の記者に十二月に語っている。ナイトの考えは個人的なもので、「バタシー・ホームの委員会とはこの件を話し合っていませんから、委員会で承認されたものではありません」と認めている。「ですが、わたしとホームの獣医師双方が……登録料金がそのくらい値上げされるよう、心から願っているのです。そうすれば、犬の予防接種代が捻出できるようになります。バタシー・ホームにいたら、犬に予防接種を受けさせるための法律を導入するために、なんでもしようとするでしょう」。

ナイト事務局長の言葉は、世間の関心をかなり集めたが、新しい法整備にはほとんど影響をあたえなかった。登録料金の値上げの提案は、国会であっというまに立ち消えてしまった。そしてこの提案が日の目を見るまで、それから二十年かかることになる。

犬を飼うことが、これまでとはちがう、暗い時代に入りこんでいると思われるふしが、他にもあった。長年にわたる伝統を存続させるため、ナイト事務局長は刑事被告人所有物管理室と「紳士協定」を締結し、不定期刑で拘留中の男女の飼い犬を世話することにした。「管理室は、バタシー・ホームに送る犬一匹につき、一日四シリングを支払っています」と、ナイトは説明した。

管理室からは、数は多くないが絶え間なくつぎつぎと犬が送られてきた。たとえば一九六五年八月、ビューティーという気立てのよい黒の雑種犬がホームへやって来た。飼い主が殺人事件の裁判にかけられているあいだ、ビューティーはホームで六か月過ごした。そして飼い主が終身刑となると、ビューティーは売りに出され、ケント州に住む夫婦にすぐに買われていった。

管理室が送ってきた犬のなかには、バタシー・ホームで二年間世話された犬もいた。一九六九年四月には、ナイト事務局長とスタッフは、十四頭のドーベルマン・ピンシャー〔中型の軍用・警察犬〕の受け入れを要請された。警備会社の所有者で、地方税不払いの罪でブリクストン刑務所送りとなった人物の飼い犬だった。かなり攻撃的な犬たちがやってくると、バタシー・ホームの財政はたちまち厳しくなった。ホームにいた犬たちと別の犬舎に入れる必要があったし、犬一匹につき一日四シリングという支給額では餌代が足りなかったからだ。ナイトは、新聞各紙に泣き言を言った。「犬の飼い主が釈放されるまで、ドーベルマンたちを世話しなければなりません。ほかにできることはありません……しかも、何百ポンドにもなる世話代を払ってもらえる保証はどこにもないのです」。

ナイト事務局長が泣き言ではなく、安心させるような話をしていたら、自分の犬の世話をしてもらってい る飼い主が、少しは感謝したかもしれない。しかしドーベルマンたちの飼い主は、事務弁護士を通して連絡してきただけだった。「飼い主は、犬が一頭でも死んだら訴えると、われわれを脅してきました」と、ナイトは仏頂面で報道関係者に告げた。

六〇年代最後の年、一九六九年のクリスマスから新年にかけて、社会のペットに対する考え方があまりよくないほうへ変わっている、という確かな証拠があがってきていた。クリスマス前後に捨てられる犬と猫の数は、ずっと前から確実に増えていたが、バタシー・ホーム——そしてイギリスじゅうの動物を愛する者たちがショックを受けたのは、その当時の子犬や子猫の捨てられ方だった。

一九六九年十二月末、さまざまなことが立て続けに起きた。ウスターシャー州レディッチの燃えるゴミ捨て場から、飼い主が捨てた二匹の子猫が救助された。〈RSPCA〉は、国道沿いで子犬が発見される件数が急増したと報告した。「子犬の遺棄は増加しています。車を所持する家庭が増えるにつれ、このように心ない犯罪が同じく増えているのです」と、〈RSPCA〉の広報担当官トム・リチャードソンは述べている。

このような事件のなかでも特に心が痛むのは、バーミンガムの女性の話である。彼女は地元の〈RSPCA〉

のセンターを訪れると、もらった子犬を安楽死させてほしいと要求した。その理由は、子犬が「子どものクリスマスプレゼントをかじった」からだった。

一九六九年末にナイト事務局長が発表した数字は、社会が変わってしまった証拠となった。クリスマスの一週間でバタシー・ホームにやってきた迷い犬は五七六匹となり、平均して一日八十匹以上を受け入れ、ある新聞はこれを「悲痛な記録」と呼んだ。受け入れ数の増加は、単純に経済状況のせい――そして、ほんとうに愚かな人間の性質のせいだと、ナイトは確信していた。現代の人びとは自分にお金をかけることに夢中で、犬にはもうお金をかけたくないのだと、ナイトは述べている。

ナイト事務局長が発表した数字は、強烈な反応を引きおこし、犬飼育許可証の料金についての議論が再燃した。フリート・ストリートで当時一番有名だったコラムニスト、『デイリー・エクスプレス』紙所属のジーン・ルークは、怒りに燃える文章を書いた。

クリスマスのささやかな幸せを感じる朝を過ごしたあと、孤独でだれからも望まれない犬を死なせようとするのは、どういう人間だろう。わたしたちだ。何百人ものわたしたちだ。どう見ても普通で、家族を愛するバーミンガムの主婦が、子犬を死なせる。わたしたちの行動は、制限されるべきである。法的に。

胸が締めつけられるような写真を見れば、わたしたちの厚顔から恥がはがれ落ちるなどと思わないように。ジョーンジズ家に見てもらい、わたしたちの正体をあばいてもらおう。一家の飼うスパニエルは十四歳で、いまでも元気で、ほんとうに痛いところに一撃をくわえている――わたしたちの財布に。

一番人気があった犬の専門雑誌『ドッグズ・ライフ』に載った専門家の記事は、かなり共感をよんだ。その見出しは「六〇年代の恥」となっている。

過去十年間は、記録と偉業に彩られた十年だった。フランシス・チチェスター卿〔一九〇一-七二、イギリスの海洋冒険家、六十五歳での単独世界一周航海の功績でナイトの爵位を得た〕は単独で世界一周航海〔一九六六-六七、イギリスのプリマス港から二二六日かけて三大岬を航行し、プリマス港に戻った〕を成功させ、アメリカ人は月面着陸し、イングランドはサッカーのワールドカップで優勝した〔一九六六年、第八回目の大会〕。一九六九年の最後の日々がしずかに過ぎ去るなか、バタシーのドッグズ・ホームの事務局長、ベンジャミン・ナイト中佐は、またしても新たな記録を発表した。わたしたちが、心の底から恥じるべき記録のひとつを。

ナイト中佐は、この史上最高記録が出てしまった理由は、クリスマスにかける費用が増え、その結果として「犬を捨てて、もっと自分たちにお金を使おう」という流れができたためではないかと考えている。悲劇なのは、彼がおそらく正しいということである。

記事では、イギリス人は「犬好きの国民」とはもう呼べない、と続けて主張している。

クリスマスから新年にかけての時期、わたしたちはのんびりとくつろげただろう。過去十年間をじっくり思い返し、犬についての努力が実ったことに満足できたはずだった。ところが、わたしたちはナイト中佐に、事業の計画を考え直すという、不愉快な仕事を押しつけたのである。

ロンドンの小売店で消費された金額は史上最高額に達したという報告があるので、それほど景気が悪いわけではない。犬を飼うため、ひとが犠牲を払うことはめったにない。多くのひとは、冷蔵庫、洗濯機、テレビ一式、車などを買える余裕があるようだ。しかしどうやら、犬を飼う余裕はないらしく、飼いはじめてからそれに気づく場合が多い。

一九七〇年代がはじまり、ナイト中佐の発表を取り消すことはできない。すでに被害は起きている。しかしわたしたちは、ナイト中佐があのようにむごい記録をふたたび発表する機会がないよう、よく気をつけることはできる。七〇年代には、犬を袋に入れて川で溺れさせたり、車のバンパーにつないで置き去りにしたり、高速道路や通りに捨てたりすることを、やめようではないか。ナイト中佐と、ドッグ・ホームのスタッフ全員が安心して堂々と引退ができるよう、力を合わせよう。バタシー・パーク・ロード四番の建物を、犬の預かり所にしようではないか。さもないと、ビンゴ会場になるのが落ちだ。さて、どうだろうか?

言うまでもなくこの記事は、過去一一〇年間いつもくり返されてきた、行動を促す呼びかけの一種だった。そして、これまでの呼びかけと同じほどの影響しかなかったようである……。

第17章◆世代交代

Chapter Seventeen

一九七〇年六月二十二日、ボーフォート公爵夫人は、バタシー・ホーム史上もっとも近代的な最新の犬舎をお披露目した。公爵夫人の名前が付けられた一連の建物の建築は、前年の四月にはじまっていた。五つのビルで構成され、Gブロックには深刻な感染症にかかった犬用の三十五の隔離用犬舎、診療所、調剤室だけではなく、外来患畜用の待合室も備わっていた。B、C、D、Eブロックには、八匹のメス犬を預かれる子犬出産用の犬舎、ホーム付属の店舗、台所、八十六匹分の犬舎、三十匹まで入居できる猫舎で構成されていた。犬と猫の部屋はぜいたくな造りで、温度がつねに十度に管理されたサーモスタット式の床暖房、一四〇ワットの赤外線ランプ、ガラス繊維製の犬用ベッドや猫のための小部屋などが備わっていた。建物全体の費用は、五八〇〇〇〇ポンドだった。

もうこの頃には、バタシー・ホームに専任のPR担当官、オリーヴ・ドーズがいた。彼女は、詳細な設計計画書を報道陣に配布していた。計画書が忠実に伝えたところによると、各犬舎の平均的な大きさは、幅約一・二メートル、奥行き約二メートル、高さ約二・七メートルで、正面は金網になっていて、そこには「H・ブルッカーシュ夫妻、ボビーの思い出に」といったように、寄付者の名前が添えてあった。新しいボーフォート・ケネルができたので、犬や猫は個々の居住スペースをもらえて、よりよい医学的処置を受けられることになった。

ボーフォート・ケネルのオープンはよい宣伝となり、好意的な報道をしたところがほとんどだった。しかし、バタシー・ホームが事業を拡張しなければならないのはみっともない、と考えるところもあった。『ドッ

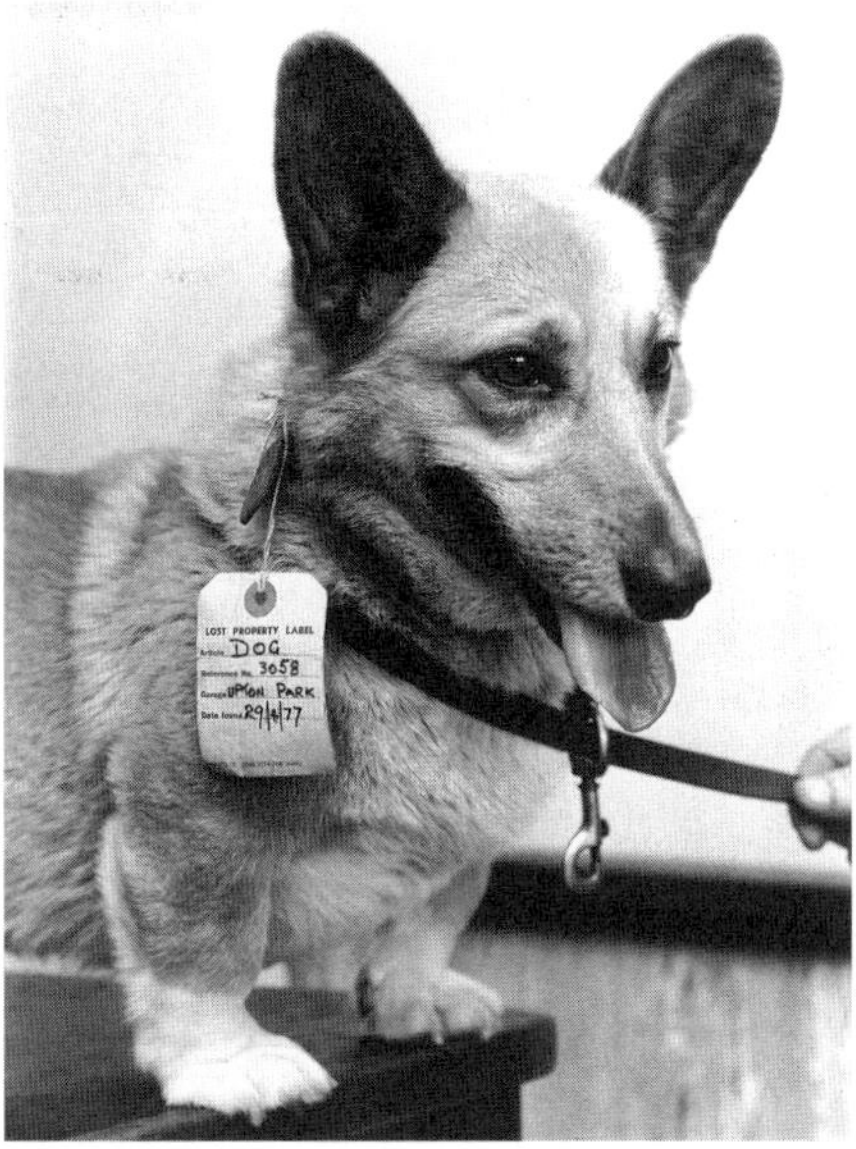

この子によい名前をつけよう。バタシー・ホームにやってきた、犬それぞれの首には、個体識別のためのラベルがついていた。

1970年6月、新しいボーフォート・ケネルの落成式を、いまかいまかと待つ大勢の人びと。

グズ・ライフ』は新しい建物を「嘆きの五八〇〇〇ポンド」と呼び、「一九六九年、バタシー・ホームで安楽死させられた犬は一一〇〇〇匹以上になり、機械のスイッチを入れたのは、いわゆる〝犬好きのイギリス国民〟である。イギリス全土で、動物福祉関連の団体は同じ問題に直面していて、同じように心を痛めている。もしもイギリス国民がよりよい方法を考えつかないと、かなり不幸な状況になる」と述べ、六か月前の話題をずっと取りあげていた。そのとおりかもしれなかった。

バタシー・ホームは、その当時、平均して一日四十匹の犬を受け入れていた。新しい犬舎には平均して三〇〇匹の犬がいて、維持費は安くなく、犬一匹の世話代は、週に約三ポンド十五シリングかかっていた。バタシー・ホームで高騰していた別の費用も、大きな心配になっていた。バタシーの土地へ移転してから一〇〇年たち、ホームは思いもよらない新しい問題に直面していた。ベンジャミン・ナイト事務局長は一九七二年二月の会合で、その悩ましい問題を「ふさわしい人物の雇用」と簡潔に言い表した。ナイトは、「通常より多い」数の男性スタッフを、過去数か月で解雇しなければならなかったことを明らかにした。「飲酒問題、薬物使用、でたらめな時間管理がおもな理由で、そのすべてが非常に若い男性による問題」だった。

これは、バタシー・ホームだけの話ではなかった。バタシー・ホーム、そしてどこの雇用主も、ジェームズ・パヴィットのように生涯かけてつくしてくれる献身的な人物を期待するような日々は、終わりを迎えていた。当時のホームの給料は、ほかの肉体労働の給料と比べると安かったし、ロンドンでの生活費はすぐに高くなるので、若者はあらゆるところで仕事を探すはめになっていた。ナイト事務局長によれば、人材の流出は「若い世話係が結婚し、住む場所を得るために新しい町へ引っ越すことで深刻化している」とのことだった。

ナイト事務局長は、バタシー・ホームでの研修生を募集するにあたり、『デイリー・ミラー』紙といった購読者数の多い新聞に広告を載せるというこれまでにない手段を使ったが、うまくゆかなかった。「週に二十二ポンドから二十四ポンドの給料で世話係を募集しましたが、完全に失敗しました」と、ナイトは認めている。さらに地元の職業安定所でも募集をかけたが、これもまた「まったく不向きのスタッフを送ってくるか、応募者なし」という状態だった。長時間労働で体力的にも精神的にも消耗する業務のうえ、安い給料とくては、新しいスタッフには過酷すぎて、六か月以上ホームに残った者はいなかった。

そこでナイト事務局長は、当時としては歴史的に重要な決断をした。ホーム敷地内に、またビルを建てていたとき、ナイトは「子犬出産用の犬舎を改装し、女性スタッフ八名を受け入れられるための施設にできる」かどうか相談を持ちかけた。本書で紹介したように、一九五〇年代からずっと、バタシー・ホームのワゴン車を運転していたのは女性だった。また一九三〇年代にさかのぼると、かつてハックブリッジ・ホームには、非常に手際のよい犬舎係の女性たちがいた。しかしバタシー・ホームの歴史では、ホームの中庭はずっと男性のための聖域となっていた。少し前の一九六八年まで、新聞ではお決まりのように「業務はあまりにも重労働なので、女性スタッフは犬舎係に雇われない」と書いていた。その流れは変わりつつあった。

委員会はその変化を受け入れ、わざわざ以下のように定めた。「事務局長は、女性スタッフを雇用する場合、男性スタッフと同額の給料を支払うこととする」。

最初の女性犬舎係は、バタシー・ホームにすぐにやって来て、ジャニス・コンプトンがその先駆けとなった。女性犬舎係が足をふみ入れた男性優位の世界は、「動物のための避難所」であると同時に「軍隊の兵舎」でもあるという環境だった。「業務は、まるで軍事作戦のようでした」と、ジューン・ヘインズは回想している。「男性スタッフ全員が、灰色の制服と帽子を着ていて、その格好にとても自信を持っていたんです。ワイシャツにネクタイを締めて、磨いた靴を履いていました。さらに、服装がきちんとしているかどうか、よくチェックをしていました」。

一週間の手順も、服装と同じように画一的に管理されていた。犬舎のある建物は、以前と同じように七つの区画に整理され、それぞれの区画に月曜日から日曜日までのラベルが貼ってあった。「五十年以上前にやっていたのと同じ方法でした」と、ヘインズは回想する。「ワゴン車の運転手は午前六時に出発すると、帰ってくるのは午前十一時半で、たいてい五十匹の犬をつれて戻ってきました。新しく来た犬は、到着した曜日の囲いに入れられました。犬はきっかり七日間犬舎にいて、期限が過ぎるとよそへ移し、また翌週にやって来た犬と入れ替えていました」。

ヘインズが一番衝撃を受けたのは、業務の規模の大きさだった。「バタシー・ホームで仕事に就いたとき、規模の大きさが信じられませんでした。その当時は、犬舎棟がひたすら並んでいて、それぞれの棟には三十の小さい囲いがあり、部屋の中央を走る下水溝を挟んで向かい合わせで配置されていました」。

世話係のリーダー、フレッド・ハーンは、バタシー・ホームに長く勤めたひとり。新しくやってきた子犬に挨拶しているところ。

バタシー・ホームの規則もまた、設立当時の時代へ後戻りしているようなものだった。世話係が休憩し昼食をとる小屋は、男性スタッフしか使えなかった。女性スタッフには、狭い更衣室と部屋があっただけである。「世話係の小屋は、男性用のティールームになっていました。女性スタッフがそこへ行けたのは週末だけでした。

「それにしても、さまざまな性格の男性がいました。チャーリー・ヘンダーソンというお年寄りがいて、紫の服を着たふしぎな女性を見たと、よく言っていました。その女性は、夜明け前に0棟をうろついていたらしく、彼はずっとメアリー・ティールビーの幽霊だと考えていました」と、ヘインズは思い出を語っている。「男性犬舎係は、みなわたしにいろいろ教えてくれました。それでも多くの男性は自分のやり方にこだわって、変えようとはしませんでした」。

女性犬舎係たちの唯一の望みは、バタシー・ホームでの自分たちの地位を確かなものにすることで、そのためにはつねにプロでいなければならないとわかっていた。「一番いやな仕事は、餌を作ることでした。料理係が、牛のほほ肉の大きな塊を切り分け、巨大な金属製の桶で煮込み、それから雑穀ビスケットと混ぜるのですが、ひどい臭いでした」。

最初の女性犬舎係たちが着任したとき、男性世話係の多くはよく思わなかった。「女性は情にもろすぎると、男性は思っていたんです」と、ヘインズは語る。彼女は、バタシー・ホームで働きはじめた頃に、世話係のリーダー、フレッド・ハーンと、H・J・スウィーニー大佐・戦功十字章受勲者と衝突したさい、感情に流されやすいと非難された。スウィーニー大佐は、ナイト事務局長から任務を引き継いだ元軍人で、当初は総括管理者と事務局長を兼任したが、一九七六年からはバタシー・ホーム初の所長になった。「フレッド・ハーンと大げんかしたのを覚えています。とても気に入っていた雑種犬が一匹いたのですが、ある朝ホームに来たら、その犬がいなくなっているのに気づきました。フレッドにつめよったら、その犬はジステンパーにかかったので安楽死させられたとのことでした。その後、スウィーニー大佐はわたしを厳しく叱りつけ、フレッドにあのような態度で話すべきではないと、はっきり言いました。フレッドは優秀な人物です。子どもの頃にポリオにかかり、足をひきずって歩いていました。思いやりがあるひとで、ただ自分の仕事をしただけだったんです」。

唯一けんかのもとにならなかったのは、ホームの飼い犬だった。ホームで犬を飼うという伝統は、ずっと昔のパヴィットの時代までさかのぼり、後には大泥棒チャールズ・ピース〔第8章〕の番犬もホームの飼い犬になっていた。一九七〇年代半ば、ホームの飼い犬のボスは、ジャーマン・シェパードのトランプと、別種の犬のラクーンだった。「一時期、バタシー・ホームでは五匹の犬を飼っていました。ドットという若い女性犬舎係は、ティナという犬をホームで飼っていました。ティナは十四匹の子犬を生んだので、ドットはいつも大忙しでした」と、ヘインズは回想している。

ジューン・ヘインズ自身も、一頭の黒いラブラドール系の雑種犬、ブラッキーをホームで飼っていた。「ブラッキーのせいで、男性世話係からずいぶん文句を言われました。ブラッキーは、自分の居住スペースからジャンプして抜けだし、発情期に入っていたメスの居住スペースに一度入りこんだことがあって、あまりよく思われていなかったんです」と、ヘインズは語っている。「ブラッキーとは親友になりましたが、わたしの仕事が休みの日、ブラッキーがバタシー・ホームからいなくなってしまいました。最終的にフラム地区〔ロンドン南西部、テムズ川北岸〕の警察がブラッキーを発見し、つれて来てくれました。わたしが住んでいたのはフラム地区で、ブラッキーはそちらへ向かっていったのです。最後は後ろ脚を悪くしていましたが、すばらしい犬で、死んだときは胸がつぶれる思いでした」。

バタシー・ホームへの女性の参入は、男性スタッフのあいだに物議をかもし、すぐに影響が出はじめた。一九七三年九月、ナイト事務局長はバタシー・ホームの組織を改革し、その体制を永続させるよう勧告した。「少なくとも十名、またはそれ以上の女性犬舎係と、五名の女性運転手」がいるべきで、対照的に、男性スタッフは「六名の世話係、七名から八名の犬舎係」にするという提案だった。さらに女性犬舎係のリーダーは、調剤室と診療所の責任者になった。おそらくもっとも大きな変化は、女性スタッフが新しくて大きな食堂を使い、男性犬舎係がもと女性犬舎係用だった小さな部屋へ移ったことだろう。

一九七四年五月、ナイト事務局長が年次総会で報告書を提出しようというとき、事務局長を新たな人物に変える時期になっていたのは明らかだった。数年前に起こった、スタッフ雇用に関する緊急事態がこのところ解決したと、ナイトは喜んで委員会に報告した。「犬舎係スタッフの勤労意欲は依然高い水準のままであり、離職率は下がりつつあります。これは、十分に長くホームで働く意志のある、女性犬舎係を採用す

計画は進行中。二匹の犬が、
新しい犬舎の計画を承認して
くれた。

バタシー・ホームのワゴン車の運転手の
ひとり、ポーラ・カーヴァーが、新しく
受け入れた子犬たちを歓迎している

るという方針の賜物です」。その効果は一目瞭然で、すぐに現れたと、ナイトは述べている。「スタッフが入れ替わらないことで、仕事の効率が上がり、さらなる動物の幸福にもつながりました」

ナイト事務局長によるバタシー・ホームへの最後の大きな貢献のひとつが、女性犬舎係の導入だった。二十年以上バタシー・ホームで働いたあと、ベンジャミン・ナイトは一九七四年十月に引退した。九月に行われたナイト事務局長の最後の委員会会議は、感動的だった。委員長のコッテスロー卿は、心からの敬意を表した。「過去を思い出してみれば、この三十年のあいだに起きた変化に驚くかたもいるでしょう。ナイト中佐ご自身も、誇りをもってふり返ることができるでしょう」。感謝の気持ちを表すため、ホームはナイトに退職祝いとして車をプレゼントした。

ナイト事務局長はスピーチを書いて準備していたが、すっかり気が動転してしまって読めなかった。そのため、スピーチは議事録で発表された。

委員長、そして皆さまがた

二十年の勤務のあいだ、変化の風は、バタシーのドッグズ・ホームに強く吹いてきました。妻とわたしは、自分たちの運命を味わってきました――なかには、まぎれもなく苦いものもありましたが、ワイン鑑定家の言葉を引用すれば、さっぱりとしたやや辛口の、ブドウ風味の強いワインは、熟成させるとよりよいものになるそうです。ですが、年月を重ねると澱《おり》が生じるので、よく冷やして、ゆっくり飲むのです。

ことわざで「比較はするものではない」、と申しますが、バタシー・ホームはこの近年、ロンドン、イギリス全国、そして世界中で一目置かれるようになりました。そしてほんとうに控えめに、でもはっきりと、この動物福祉の仕事において、世界に方向性を示しています。

妻とわたしは、後任者のかたが、勇気と粘り強さ——そして幸せな気持ちで務められるよう、心から願います。皆さまどうもありがとうございました。

ナイトは、その功績を称えて副長官に任命された。統括管理者そして事務局長だったナイトの後任は、元軍人で、イギリス陸軍のロイヤル・グリーン・ジャケット連隊〔一八六六年創設、イギリス陸軍連隊のひとつ〕出身の、H・J・スウィーニー大佐だった。一九七六年五月、彼の肩書はもっと単純な「所長」に変わった。スウィーニーは、どちらかというとナイトより連隊式の統制を強く望んでいて、「多くの点で、歩兵大隊を指揮するのと同じです」と、バタシー・ホームに着任後すぐに述べている。「毎日、わたしは点呼を実施します。作り付けの寝台のそばにいる控えの五〇〇人の兵士が、犬舎の犬になったというわけです」。しかしスウィーニーは、ナイトがはじめた努力を無駄にするつもりはなかった。バタシー・ホームが男性優位社会だった時代は、終わりを迎えつつあった。

これまでと変わらず、バタシー・ホームには、心温まる愉快な話がつねにあふれていた。バタシー・ホームは、そういった話をあらゆる新聞のコラム用に提供していた。一九七六年六月、歌手で俳優のトミー・スティール〔一九三六年－〕が、とても不安そうな七歳の娘エマにつれられて、バタシー・ホームにやって来た。スティール家最愛のヨークシャーテリア、トランプが、リッチモンド・アポン・テムズ〔ロンドン郊外南西部の自治区〕から十キロほど離れた自宅から、三日前に姿を消してしまったのだ。ふたりは最悪の事態を恐れながら、最後の頼みの綱であるホームへやって来た。そして数分後、ふたりはペットの犬と再会できた。二日前、リッチモンド警察がその犬を見つけて、ホームへつれて来ていたのだった。「この子はほんとうに毛がぼさぼさなんですよ。トランプ〔「放浪する」という意味がある〕と呼ぶのは、いつだってお風呂に入らないといけないような姿をしているからです」。スティールはのちに『デイリー・ミラー』紙にこのような話をし、スティールとエマが嬉々として語った話は、ホームのよい宣伝になった。「でも、エマはずっと心配していました。トランプが誘拐されたか、車にひかれたんじゃないかと思っていたんです」。

それから数か月後の一九七七年のはじめ、別の話が新聞の注意を引いた。裕福なスルタン、アル・ダーリが、犬を探し求めてバタシー・ホームへやって来たのだ。保護されている純血種の犬から一匹選ぶのかと思ったが、意外にもスルタンは生後五か月の白い雑種犬、マーガレットに心を奪われた。「スルタンは、ど

犬をつれて来た警官に手伝ってもらいながら、世話係のフレッド・ハーンが新しく入居する犬の全身をチェックしている。

ういうわけか、白い犬をお探しでした」と、お付きのひとりは当惑気味に語っている。

バタシー・ホームのスタッフは、マーガレットについて、スルタンに詳しく説明することができなかった。彼女は一週間くらい前にホームの入口の外に置き去りにされていて、首周りに結んであった身元確認ができる厚紙のラベルをかじってしまっていたからだ。マーガレットがホームを去ったときの様子は、やって来たときとは比べものにならなかった。マーガレットはリムジンの後部座席に乗って去ってゆき、スルタンのお抱え運転手からラム肉とチキンをもらえることになった。「スルタンのこれまでの生活から考えると、マーガレットはきっと幸せに暮らすでしょう」と、ジム・オブライエンは新聞各社に語った。

『デイリー・ミラー』紙は、マーガレットを「大物《モグール》になった雑種犬《モングラル》」と名付けた。


バタシー・ホームは、その歴史上で、もっとも迅速に拡大する時期を迎えながら、選択肢はあまり残されていなかった。いままでより広く、快適な犬舎で犬が保護されていたので、受け入れる犬の数が大きく増えるようなことがあれば、場所の確保に困るのは目に見えていた。

幸いにも、〈イギリス鉄道〉不動産部門が、鉄道高架に隣接する三八〇平方メートルの土地を買わないかと提案してきた。こうして一九七一年、一四〇〇ポンドの売買契約が結ばれた。それからほぼ同時に、バタシー・ホームがこれまで考えたこともなかった、非常に大がかりな最大級のビル建設計画が実行に移された。

支払いは簡単ではなかった。当時の厳しい経済状況のせいで寄付金額は減少し、投資した金融商品の価格も下落していたので、バタシー・ホームは異例のオークションを行うと世間にアピールし、どうにか必要額を集めた。そして一九七五年十月十六日、四五〇人のゲストに見守られながら、グロスター公爵夫人アリスは、彼女の名前にちなんだ新しい建物の落成式でテープカットを行った。

グロスター・ケネルには、四五六室の最新の犬舎、新しい猫舎、調剤室、店舗、最新の職員宿舎などがあった。バタシー・ホームにとっていちばん大切な建物が完成したが、ホームの拡大はまだ続いていた。一九三四年にハックブリッジ・ホームを売却してからずっと、郊外に新しいホームを持とうという声が上がっていた。バタシー・ホームはいまでは高度な専門家がいる、設備の整った総合施設となっていたが、第二のホームがあれば、もっと広い場所や、回復期の犬にずっと穏やかな雰囲気を提供できるというわけである。そのうえ第二のホームは、検疫隔離施設またはペット預かり所として飼い主から利用料をもらい、利益をあげられる可能性があったのだ。バタシー・ホームを改築しているあいだは、最適な場所を探すための機会と資金は、ほとんどなかった。大がかりな新しい建物がひとまず無事に完成すると、ロンドン市内で行われている業務を補完するため、委員会は郊外の地所を探すという問題に目を向けた。

一九七九年、ついにふさわしい土地が見つかった。バークシャー州のオールド・ウィンザーにあるベル・ミードは、長年にわたって定評のある質の高い犬のホームだった。偶然の一致だが、ハックブリッジ・ホームが閉鎖された一九三〇年代半ばに話はさかのぼる。ジェーン・トレフューシス・フォーブズは、サリー州のハスルミアにケネルを創設し、そこで世界各国の犬のホームで働く女性犬舎係を訓練してきた。第二次世界大戦が勃発すると、空軍婦人部隊の仕事と両立できなかったため、彼女は犬舎を閉鎖しなくてはならなかった。

ケネルは、マイルズ夫人が引き継いで運営し、オールド・ウィンザーの現在の場所へ拠点を移していた。もっともマイルズ夫人と、前任のトレフューシス・フォーブズは共同経営者としてともに働くほか、有名なダンディー・ディンモント・テリア〔胴が長く足の短い小型テリア〕を繁殖させていた。

そしてベル・ミードは事業を拡大しつづけ、一九七〇年代終わりには、たいへん評判のよい女性犬舎係の訓練学校となり、優秀な女性を年に二十四人送りだしていた。さらに二〇〇匹以上の犬や猫を預かれる快適な犬舎や猫舎を誇っていた。

ベル・ミードの買取は、双方に利益をもたらした。ベル・ミードの訓練生は週に二日、バタシー・ホームで修業し、なかでも長毛で、手入れされず、毛がからまっている犬のグルーミングやトリミングのこつを覚えた。その代わり、バタシー・ホームで長期保護されている犬は、オールド・ウィンザーのベル・ミードへ送られ、そこでのどかな田舎の雰囲気を堪能した。

第18章◆使い捨て社会の影響

Chapter Eighteen

一九八三年九月十三日、バタシー・ホームの受け入れ担当部署は、運ばれてきた一匹の薄茶色の雑種犬を引きとった。その前日、ロンドン東部ハクニーの通りをうろついていたところを発見された犬だった。急いで手入れをし、獣医師の診察を受けさせると、マネージャーのエリック・ストーンズ少佐とスタッフは、その犬の首にボードをかけた。そして、中庭に集まっている数名の取材記者やカメラマンのところへ、犬をつれて出て行った。そのボードには「No: 2,500,000」とだけ書いてあった。うれしくてたまらないといった笑顔のストーンズ少佐は、取材記者たちに犬の名前はラッキーだと告げた。

バタシー・ホームは、マスメディアとのつきあい方がどんどんうまくなっていた。バタシー・ホームの門をくぐった二五〇万匹目の犬、ラッキーのとても悲しげな表情が、その翌日のほとんどの新聞の朝刊に載り、ラッキーが打ち立てた歴史的な記録についても取りあげられた。そして、規則通り七日間の待機期間中に飼い主が引きとりに来なかった場合、ラッキーは十ポンドで売りに出されるという話が、どの新聞にも書かれていた。

当然ながら、バタシー・ホームの電話回線には、ラッキーを引きとりたいという人びとからの電話が殺到した。しかし、だれも彼を引きとれなかった。ホームに来て六日後、ラッキーは、今回はもっと明るい話題でふたたび世間の注目をあびた。ホームによると、ラッキーの飼い主でサリー州サンベリーに住むアンダーソン家が、七日間の保護期間が終了する前にやって来たということだった。一家は、六週間前に見失った犬だとまちがいなく確認した。犬の実際の名前は、スカンプ〔「わんぱく」という意味〕だった。

この話に作り物のにおいが少しあったとしても、だれも責めようとはしなかった。人びとが思い描くバタシー・ホームという場所の人気は、これまでで一番高くなっていた。そして犬の飼育一般にまつわるいやなニュースばかりあるなかで、ラッキーのケースはまたとない機会となったのだ。

設立された初期の頃から、バタシー・ホームは、犬に対する一般の人びとの態度のバロメーターとなってきた。ラッキーのような話が公表されると、ホームには、さまざまな犬に対する感情的な意見がたくさん寄せられていた。しかし現実には、犬はいまでも、まだ人びとの記憶に残っているひと昔前に起きていた虐待と同じあつかいを受けていたのである。

受け入れ数は年によってつねに変化するものだったが、バタシー・ホームへやって来る捨て犬や迷い犬の数は、一九六〇年代から増加の一途をたどり、一九八〇年代になってふたたびその数は急増した。そしてバタシー・ホームの入口をくぐる犬の種類も、つねに変化していた。その当時、犬の飼い主たちのあいだで流行したせいで、ブルテリア、ドーベルマン、ロットワイラーの受け入れ数が急増していた。しかし、社会の価値観の転換のせいで根底から変化が起きた。それは一九六〇年代後半からずっと続いていた、しずかな変化だった。

スウィーニーの後任として所長となったトニー・ヘア大佐は、ナイトが一九六九年にやり残していた分野に取りかかり、捨てられる子犬の数が増加しているのは、根深い社会の沈滞、「使い捨て社会の徴候」のひとつだろうかと考えた。興味深いことに、ヘア所長がさらに気がかりだったのは、バタシー・ホームがこの状況に公的に貢献しているだろうかという点だった。ホームは、明るくて幸福だという世間体を繕いながら、責任の重い仕事をしているのだ、とヘアは語っている。

> いったいどれほどの世間の人びと、さらにはホームの会員が、スタッフが日常的に取りくむ虐待、餓死、飼育放棄といった不幸な状況を、ほんとうに知っているでしょうか？　バタシー・ホームが手際よく仕事をしているため、これらの問題は知られていません。真夜中、ロンドンじゅうの警察署が、ロンドン警視庁本部あてに〝ドッグ・レポート〟を作成し、毎朝六時になるとロンドン警視庁本部が、保護してもらいたい犬がいる警察署のリストをテレックス〔FAXの前身のような通信機器〕でバタシー・ホームに送っていることを、どれくらいのひとが知っているでしょう？　それから一時間以内に、搬送用車両が出発し、昼食時に車両が戻ってくると、バタシー・ホームには、三十〜五十匹の病気でおびえた生き物が増えるのです。

ヘア所長が年次報告書で表明したのは、バタシー・ホームにいつも、そしてこれから何年もつきまとってくる懸念だった。バタシー・ホームの仕事は、一般の人びとの役に立つことなのか、それとも一般の人びとに知識を与えることなのか。当然ながらその答えは、どちらとも、だった。

そしていつものように、受け入れ数の増加に対処するため、さらに新しい犬舎を建てる計画が持ちあがった。「ですが、もっと大きくて整った犬舎を建てれば問題が解決する、というわけではないでしょう。放置されたままの迷い犬は、もっと多くの迷い犬を生みますし、家で飼われているペットも同様です」。

一九八七年、ついに犬飼育許可証（the dog licence）が廃止となり、ヘア所長の不安はいっそう増していた。犬飼育許可証が段階的に廃止となった頃には、許可証をきちんと申請しているのは、犬の飼い主のわずか半数だと考えられていた。許可証の発行による収益（許可証一件につき三十七・五ペンス（現在の約一ポンド五ペンス））では、この法令を執行する十分な理由とならなかった。政治家は、犬の飼育に関して数多くの計画を立案していた。たとえば、公園や歩道で犬に糞《ふん》をさせた飼い主を処罰する環境保護に関する規定と、危険な犬種を管理する規定は、時間がかかったものの導入された。いっぽうヘア所長とバタシー・ホームは、全国規模の避妊・去勢計画と連携する、全国的な犬の登録制度を支持していた。「われわれは、年に一〇〇〇件近い避妊・去勢手術を行っていて、その事実に基づく成果が重要だと考えます」と、ヘア所長は語っている。ロンドン中心エリアの一五〇万匹の犬に対応するには、「四人の獣医師に、年に三六五日フルタイムで働いてもらう必要があります」。

ヘア所長の強い表現には、バタシー・ホームの仕事への取り組み方が、ほんの少し変わってきたことが反映されていた。近年においてはじめて、バタシー・ホームは、目の前の社会の変化に対して、ただじっと待っていることをやめた。クリスマス前、かつてないほど大量の犬猫が押しよせてきたとき、バタシー・ホームは嫌悪感を露わにした。「リードにつないだ犬をつれてやって来て、『この犬、そこで見つけました』と言うひとが大勢いるのは、たいへん驚くべきことです。そんなふうにやって来るひとの数は、この二週間で四倍に増えました」と、当時の広報係スティーヴン・ダノスは語っている。犬がホームに殺到した結果、これまでで一番、受け入れ能力の限界に近くなり、四六〇室の犬舎に七八〇匹の犬がつめこまれた。「もうスペースがありません。迷い犬の受け入れが続けられないのは、確かです」と、ダノスは言い添えている。

バタシー・ホームは、過去と同じように世間の批判の的になるつもりはなかった。ヘア所長は異例にも、犬の殺処分について語っている。「いま現在、ホームが受け入れている犬の数は、危機的な規模に近づきつつあり、〝人間の真の友〟だと笑顔で呼ぶ対象の幸福のため、冷たい無関心にただちに対処しなければなりません。これまで、病気の犬の健康をとり戻し、世話をするため、多くの時間と資金と場所を使ってきました。そしていま、自分たちに問いかけなければなりません。『この仕事は、やる価値があるのか？』」。当然ながらこれは、世間に向けたヘア所長なりのかけ引きだった。バタシー・ホームは、これまで一度も、そしてこれからも、病気の犬を助けることに価値があるかどうかなど、考えたこともなかった。しかしヘアの態度は、犬をきちんと飼う一般市民が減ることに対する、バタシー・ホームの自然な怒りを表明していたのである。

ヘア所長は、決まって「残酷で野蛮な時代だった」と言われるヴィクトリア朝と現代とを、するどく比較したのだ。ダノス広報係はつぎのように語っている。「ヴィクトリア朝では、現代よりずっと野良犬の数は少なかったのです。犬飼育許可証代の半クラウンが支払えなかった、ものすごい数の子どもが、十二月三十一日にバタシー・ホームへ犬をつれて来てくれたからです。でも現在では、妊娠していたり子犬を生ん

女性犬舎係が、到着した犬に、ベル・ミード・ホームの新しい犬舎を見せている。

みんなのホーム。あらゆる犬種の犬が、バタシー・ホームへやっとの思いでたどり着いていた。ボランティアたちが、ホームへやって来たグレーハウンドたちとポーズをとっている。

だりした犬が、ごみ箱や道端や、その近くに置き去りにされています」。

一九八四年、バタシー・ホームの受付があるビルの二階にある住居に、ふたりの新しい住人、ビルとルースのウォドマン・テイラー夫妻が引っ越してきた。ふたりは、いろいろな面で特異な存在だった。ふたりとも免許を持った獣医師で、初めてバタシー・ホーム敷地内に住みこんだプロの医療従事者となった。さらに重要なのは、ビル・ウォドマン・テイラー獣医師がホームのマネージャーも兼任したことである。獣医とマネージャーを兼任した人物は、ビルがはじめてだった。ふたりの着任は新時代がやって来たことを意味し、ホームを現代的にするため影響力をふるい、中心的役割を担うようになった。

バタシー・ホームに落ち着くと、ウォドマン・テイラー夫妻が予想していた以上のことが待ちかまえていた。ケンネルコフ〔犬伝染性気管気管支炎〕、ジステンパー、足の骨折など、さまざまな症状や病気を診察しなければならないのは予想通りだった。夫妻が担当を引き継いでからまもなく、「どんな犬も受け入れたので、毎日あらゆる病気が持ちこまれました」と、ビル獣医師はホームを訪問した記者に語っている。

ウォドマン・テイラー夫妻がまた同時に悟っていたのは、最初のうちは、ふつうの動物病院とはまったく異なる状況で働かなければならないだろうということだった。病気の犬は、個室、診療所、調剤室の備わったGブロックに入れられていた。バタシー・ホームには、外科手術室はまだなかったのである。

ビル獣医師は、つぎに増改築をするときには、現代的な設備をきちんと備えた手術室を優先して作るよう、委員会に強く働きかけだした。そのあいだにも、ビルとルースはさっそく新しい治療法や取り組みをつぎつぎと導入していった。「ルース獣医師は、犬用のホメオパシー療法〔ドイツで確立した代替医療のひとつ。十九世紀に広まったが、現在の研究ではほとんど効果はないとされる〕を前よりも取り入れました」と、犬舎係のジューン・ヘインズは語っている。

ウォドマン・テイラー夫妻のもっとも画期的な取り組みは、新式のより苦痛が少ない安楽死の方法を導入したことだった。ふたりはホーム着任後すぐ、病気、高齢、そして非常に危険とされる犬に、薬殺用の注射をするようになった。

だれもが、この変化を喜んだわけではない。「はじめて注射が導入されたとき、犬舎係は反対しました。ふざけた考えだと思ったんです」と、犬舎係ヘインズは話している。「もっといやだったのは、王立動物看護学校の看護師がその注射を打っていたことです。あの頃、看護師たちは治療をしたり、注射したりしに、よくホームへ来ていました。それまでは、一日二、三時間やって来る獣医師と、犬舎係が対応していたんです」。

バタシー・ホームの生活の様子を目にしたウォドマン・テイラー夫妻は、意外に思った。ビル獣医師は、彼が「バタシー・テリア」と呼んだ、遊び好きの賢い雑種犬ばかり、バタシー・ホームにいるのだと思いこんでいた。そのため、プードル、オールドイングリッシュ・シープドッグ、シーズー、スカイ・テリアといった、純血種の犬が大量にやって来るのに非常に驚いたのだ。

さらにビル医師は、バタシー・ホームを訪問する人びとの言動にあきれていた。一九八〇年代半ば、バタシー・ホームは年間八〇〇〇〇匹以上の犬猫を受け入れていた。ホーム史上、これまで一番多くの犬が譲渡されていたが、その理由は犬の値段にもあった。当時、バタシー・ホームの雑種犬は十五ポンド〔現在の約四十一ポンド〕、大型の純血種の犬は五十ポンド〔現在の約一三八ポンド〕というかなり安い値段で譲渡されていたのだ。するとどうしても、犬の供給を上回る需要が起こった。

週末になると、ウォドマン・テイラー夫妻は部屋の窓から外をながめ、一般公開される朝九時半の二時間前から、長い行列に並ぶ人びとを目にした。入口が開くと、バタシー・ホームで一週間以上過ごし、正式に売りに出される犬のいる犬舎に向かって小競り合いがよく起きていた。

バタシー・ホームにとって最大の悩みの種は、先に犬に目をつけたのはどちらかを争う家族だった。ビル獣医師は、何度も「つかみ合い」を目撃した。選んだ犬のケージのそばに家族のひとりを立たせておいて、そのあいだにほかの家族が世話係を探しに行くことがよくあった。ところがその家族が戻ってくる前に、犬に興味を持った別の家族を世話係がつれてやって来て、そちらのほうに優先権を与えてしまうことがあったのである。

ビル獣医師が「つかみ合い」よりずっと心配していたのは、犬を家へつれ帰る人びとの資質だった。そこで飼い主候補者に、より基準の厳しい「審査」の手続きを設けた。「とにかく慎重に審査したんです。繁殖用、番犬用、また転売目的の人物に犬を売らないようにしました」と、ビル獣医師は説明している。「そこでまず、犬の購入希望者には、長い申込書に記入してもらいました。それから、飼い主としての適性に少しでも疑問があると、ホームの査察官が家を訪問してもよいかと質問します。そうすれば査察官が、そこが犬にふさわしい家かどうかを見極めることができます」。

「わたしが広めたかったのは、責任あるペットの飼い主であることで、このことはだんだん理解してもらえています。みなさんに必死でお願いしているのは、犬を衝動買いしないこと、クリスマスに子どもに子犬をプレゼントしないことです」。

ウォドマン・テイラー夫妻は、たちまちバタシー・ホームで認められた。新しい手術室と居住施設の設営を強く押しすすめるだけでなく、つぎの新しいホームの支部を求める多くの声にも加わった。

一九八五年八月、ウォドマン・テイラー夫妻の着任から一年ほどで、すばらしい診療所が稼働した。検査室はもちろん、エアコン完備の手術室、レントゲン写真装置もあった。この新しい診療所は、バタシー・ホームを一変させた。やっと猫や犬が、バタシー・ホームから譲渡される前に、徹底した医療チェックを受けられるようになったのである。さらに重要だったのは、王立獣医師協会から認可を受け、バタシー・ホームが動物看護師のための訓練センターとなったことだった。

ウォドマン・テイラー夫妻は、すぐにふたりの訓練生を迎え入れ、手術の助手になってもらった。バタシー・ホームの歴史上はじめて、機能する動物病院が敷地内にできたのである。ウォドマン・テイラー夫妻が推進した現代化の動きは、飛躍的な前進として広く認められたが、その変化には費用もかかった。一九八五年の夏、当時のホームの会計係C・J・ジェイは、かなり悲観的なメモを残している。「ホームの運営費がかさみ、将来的に深刻な財政状況になる可能性についての懸念が強まっていることを、自分の責務として、委員会にお知らせします」。

一九八四年には、バタシー・ホームの支出は前年よりも十五パーセントも上昇し、七五八万六七六ポンドになっていた。一九八五年の一月から四月、さらに経費は上昇した。薬剤や消毒剤の費用、人件費がかかったし、ベル・ミードでの預かりの経費が一番増えていた。バタシー・ホーム創立一二五周年記念計画も、支出のもとになっていた。しかしなによりも、経費は増えるのに収益は減っていることが心配だった。一九八五年の四半期で遺贈された金額は一六七万一九一ポンドだったが、前年の同時期は二二三万八九〇ポンドだった。「この事実がすべてを物語っています」と、ジェイ会計係は語っている。「よって委員会は、近い将来、さらに支出が増大するのを念頭に置き、大いに注意すべきだと思います」。

ジェイ会計係は、スタッフ数の増加をいまは「絶対に最小限に」し、そのいっぽうでさらなる建設計画は「数年は保留にしておく」よう勧めた。さらに、ロンドン警視庁にも変革があり、それによりバタシー・ホームへやって来る犬の数が減るかもしれないことを心配していた。警察は、つれて来る犬一匹ごとに費用を支払っていたので、犬の数の減少はホームの収入の減少を意味していた。「まとめると、いまは整理期間が必要です。そうしてバタシー・ホームにこの三、四年で起きた変化にじっくり対応できるようにするのです」。

一九八五年十二月、ヴィクトリア女王が最初の寄付を申し出てからほぼ一〇〇年後、イギリス王室の紋章がついた一通の手紙が、バタシー・ホームに届いた。手紙には、エリザベス二世がオールド・ウィンザーにあるベル・ミードのことを知り、翌年の四月にウィンザー城に滞在する予定なので、ベル・ミード・ホームを四月二十八日に訪問できるだろうか、と書いてあった。

王室とは長い付き合いがあったが、在位中の君主が、バタシー・ホームやその他のホームを訪れたことは一度もなかった。バタシー・ホームは申し出を即座に受け入れ、それから数か月のあいだ続く、とんでもないパニック状態に陥った。

その五年前にベル・ミード・ホームを買い取っていたが、作業員は改装や拡張工事をゆっくりと進めていた。一番重要な増築作業は、二十四の最新式の個室型犬舎のある建物だった。赤外線床下暖房がそれぞれの居住空間に付けられる予定だったが、残念ながら十二月末の時点でできあがっていたのは、地面に空いたいくつかの穴だけだった。

四か月後に女王の訪問が決まり、建築請負業者は作業をスピードアップさせ、四月までに建物を完成するように指示されたが、それほど簡単ではなかった。

しかも、あいにく一九八六年のはじまりはその数年のなかでもっとも冷えこみ、作業ははかどらなかった。さらに運の悪いことに、三月と四月に土砂降りの雨が降り、建築業者は大きな問題を抱えることになった。コンクリートは固まらず、手押し一輪車は泥にはまって動かなくなってしまった。女王の訪問が近づくなか、ホームはますますパニックに陥っていた。

二月、工事を予定通りに終わらせるには、建築業者にもっと時間外労働をしてもらう必要があり、「結果的に費用はかさむ」と、委員会は報告を受けた。その前年の夏にジェイ会計係からわたされたメモは、委員会の記憶にまだ鮮明に残っていた。建築業者に追加で支払うのを快く思わない委員会メンバーもいて、「女王陛下は落成式のとき、犬舎が未完成でも気にされないだろう」と言いだした。しかしほかのメンバーは、「またとない機会なので、成功させるためにすべて完成させたい」と思っていた。こうして委員会は残業代の支払いに応じ、落成式の招待客を「可能な限り」減らして出費を抑えた。

四月二十六日、二十七日の週末までに作業を終わらせようと、あらゆる人材がかき集められた。日曜日の晩、画家のチームが懐中電灯で自分の作品を照らしながら、夜通しで作業にあたった。そして四月二十八日の夜明け、新しい建物は視察と公式な落成式の準備が整った。

バタシー・ホームから出発した、そろいのシンボルカラーのワゴン車は、その日のためにウィンザーまで運ばれ、中庭に列を作って並び、視察のときを待っていた。ベル・ミードの犬舎を見学するエリザベス二世を人びとがとり囲み、女王は時間をかけてベル・ミードにいる病気の犬、妊娠中の犬、長期滞在の犬といったすべてを見学した。それから女王は、まず女性犬舎係たちを紹介されてから、委員会メンバーや少数の招待客と会見した。招待客のひとりに、犬の絵が得意な動物画家ジュリー・ブレナン〔一九四八-二〇二〇、犬の絵が有名なイギリスの画家。王室メンバーの飼い犬の肖像画も描いている〕がいて、女王に犬の肖像画を贈呈した。

バタシー・ホームは、いつの時代も有名人が訪れる場所だった。最初の有力な支持者は、チャールズ・ディケンズ〔第3章〕だった。さらにエレン・テリー〔第8章〕、ヘイデン・コフィン〔第8章〕も貢献してくれたし、後の時代ではルピノ・レーン〔第12章〕やグレイシー・フィールズ〔第12章〕も力を貸してくれた。一九八〇年代になると、イギリスは新しい文化の時代に入り、有名人の影響力がこれまで以上に強くなっていた。バタシー・ホームには、いつも有名な支持者がついていて、そしていまでは、ホームにとって一番価値のある財産のひとつになっていた。

この時代に力を貸してくれた最初のひとりは、小説家ジリー・クーパー〔一九三七-、イギリスのジャーナリスト、作家。引退したレース犬のグレーハウンドを引きとる活動もしている。二〇一八年に文学とチャリティ活動に対して大英帝国勲章を受けた〕だった。一九八一年、クーパーはホームの年少会員向けの雑誌に、自分のもとにいる保護犬フォートナムのことを書いている。

フォートナムは、生まれてすぐひどい目に遭いました。残酷な少年たちが、野良の子犬を殺したらおもしろいだろうと思い、子犬の首にワイヤーを巻きつけ、木にぶら下げました。ありがたいことに、少年たちを見つけた親切な男性がワイヤーを切って、フォートナムの手当てをして命を助けました。それからフォートナムはある女性のもとへわたされましたが、彼女は犬があまり好きではありませんでした。それでフォートナムを家に何時間もひとりぼっちにしたまま、毎日仕事に出かけていました。とてもさみしかったので、フォートナムはよく遠吠えをしましたし、女性の持ち物をかじってしまったので、彼女はとても腹を立てました。とうとう女性は、バタシー・ドッグズ・ホームにフォートナムをつれて行き、別の飼い主を探してもらおうと決めました。そのおかげで、わたしはフォートナムに出会うことができました。

フォートナムは茶色の小型のテリアで、黒いふち取りのある悲しげな目をしています。すばらしい犬に成長しましたが、生まれてからつらいことばかりだったので、いまでもひどく不安になり、わたしが三十分でも外出すると遠吠えをします。わたしが戻ってこないかも、と思うのでしょう。

クーパーは保護犬を飼うことの楽しさ――そして苦しみ――を説明してくれた最初のひとりで、ほかの人びともその後に続いた。なかでもケイティー・ボイル〔一九二六－二〇一八〕ほど、ホームを支持してくれた人物はいなかった。元テレビ司会者で、『ユーロヴィジョン・ソング・コンテスト』〔一九五六年から毎年五月に開催される、音楽コンテストのテレビ番組〕の司会で有名だったボイルは、長年にわたって熱心な資金調達担当者で、ホームの委員会メンバーも務めていた。自分でもバタシー・ホームから犬を何匹も引きとり、ヴィクトリア朝の委員会メンバーの伝統を引き継いで、機会があればいつでも、何度でも、犬にまつわる話を楽しそうに語っていた。

ボイルは、一九八六年二月の「ひどく冷えこんだ」日、ロンドンの真ん中で一匹の犬、チャーリー・ガールを見つけた。「その日は日曜日で、わたしは友人といっしょに車に乗っていて、混んだ道を横切ろうと信号が変わるのを待っているところでした。すると突然、中央分離帯のある幹線道路の反対車線に、薄汚れた小さな犬がいるのに気づきました。そして、その犬が道路をわたろうとしているのを見て、ぎょっとしました」。

ボイルの同乗者は、車を止めるよう大声で叫び、ボイルは車を止めた。それからふたりは、行き交う車の間を縫って逃げ回るおびえた迷い犬を、道路の真ん中で追いかけはじめた。ついにふたりはうまく道路を通りぬけると、犬を見つけた。「その頃には、体をこわばらせていた小型犬は、わたしたちが自分の味方だと気づいたのでしょう。生垣のそばにうずくまり、わたしたちが抱き上げてもおとなしくしていました。汚れた首輪をつけていて、もちろん名札のタグはありませんでした。みなでどうにか車に戻り、わたしの四匹の小型犬が興味津津に見守るなか、その犬を後部座席の四匹のあいだに寝かせました」。

ボイルはその犬を警察署へつれて行き、犬は最終的にバタシー・ホームへやって来た。そしてその犬は、バタシー・ホームへ過去二回やって来ていたことがわかった。ボイルは、その犬がもうホームへ来なくてすむよう、引きとることにした。ボイルがチャーリー・ガールと名付けたその犬が、つらい日々を耐えてきたのは明らかだった。「この子はきっと、波乱万丈で、どうしたらよいかわからない日々を送ってきたんでしょう。どこかの時点で、むごいことに歯をやすりで削り取られていたので、うまくものを噛めなかったようです」。

ボイルは、前から飼っていたバタシー・ホーム出身の二匹の保護犬、ビジーとババの仲間としてチャーリー・ガールを迎えた。「まるで男の子みたいなので、チャーリーと名付けましたが、まちがいに気づいたのは、数日後にお風呂に入れていたときなんです！　でも、この子にこれ以上負担をかけたくなかったので、そのままチャーリー・ガールとなりました」と、ボイルは一九八七年の年少会員向けの雑誌の記事で語っている。

それから三年後、また別の有名人が、バタシー・ホームから保護犬を引きとった。歌手のエルトン・ジョン〔一九四七─〕は、その頃非常につらい時期にあり、バタシー・ホームから引きとった一匹目の犬トーマスが、困難を乗りこえる手助けになってくれたと率直に認めている。「わたしは保護犬がなにより好きです。犬たちは、自分が保護されたとよくわかっているから、飼い主にとてもなついてくれます。保護犬は多くのお返しをくれますし、犬たちに安全な終《つい》の棲家《すみか》をあたえることができるのは、うれしいことです」。エルトン・ジョンは、それからも何匹もの犬をバタシー・ホームから引きとっている。

第19章◆問題は増えるばかり

Chapter Nineteen

一九九〇年二月二日の晩、ロンドン中心部ストランド街にある〈クーツ銀行〉の本社に、バタシー・ホームの役職にあるスタッフが、招待客たちや大勢の記者といっしょに集まっていた。銀行というその集合場所から、その晩の集まりの見当がつく。マイケル・オブ・ケント王子とともに、経営委員会の委員長トム・フィールド゠フィッシャーが、バタシー・ホーム史上最大規模の寄付を募りたいと発表した。バタシー・ホームには二〇〇万ポンドが必要だったのだ。フィールド゠フィッシャーは、記者団に「ホームの居住施設は超満員なので、追加のスペースが絶対に必要なのです」と理由を語っている。

一九八〇年代後半から、遺贈や金銭的援助の額は期待を裏切り続けていた。あるとき、元自由党の上院議員エイヴリー卿からかなり奇妙な申し出があった。一九八七年一月、エイヴリー卿は自分の遺体がバタシー・ホームに引きわたされるように、遺書を変更しようとしているところだと発表した。「犬のホームは、わたしの遺体を押しつけられたくはないでしょう。ですから、遺体を犬に食べさせると約束してくれるなら、ホームには見返りとして遺産贈与をしたいと考えています」と、『イヴニング・ニューズ』紙に語っている。少し前に仏教徒に改宗していたエイヴリー卿は、自分の申し出は環境保護のためだと話している。「遺体を火葬にして、熱やエネルギーを無駄にしたくありません」。彼の要求は事務弁護士の反対にあい、遺言書は「美的、文化的」観点から変更されなかった。

スイスの匿名の寄付者が、その頃バタシー・ホームに寄付してくれた十四万ポンドを例外とすれば、ホームに遺贈される金額は減っていた。当時の年間運営費は一五〇〇万ポンド以上となり、ロンドン警視庁から受けとる決まった収入が年間二十五万ポンドだけだったので、ホームはどうしても広く世間にはたらきかけなければならなかった。

フィールド＝フィッシャー委員長とスタッフは、必要な二〇〇万ポンドを集めるには、知恵をしぼって資金調達をしなくてはならないとわかっていた。そして、バタシー・ホームの創設者をヒントに、すばらしいアイデアをひらめいた。メアリー・ティールビーがホームを設立したとき、五ポンドの寄付をすれば、ホームの役職につけるようにして、寄付者を集めていたのだ。それから一三〇年後、フィールド＝フィッシャー委員長とスタッフは、同じくらい独創的で寄付を集められる方法を思いついた。一〇〇〇〇ポンドの寄付をしたひとは、自分の名のついた犬舎を建ててもらえる、少額の一二五〇ポンドから五〇〇〇ポンドの寄付をすると、自分の名前を刻んだ記念プレートを作ってもらえる、といったものだった。

もっとも斬新な方法は、バタシー・ホームの支持者たちに新しい建物のレンガを買ってもらうというものだ。フィールド＝フィッシャー委員長は、三七〇〇〇個のレンガを全部、もしくはほとんど買ってもらえれば、この計画だけで一〇〇万ポンド近くを集められると考えていた。ありがたいことに、資金はすぐに集まりだし、正式な寄付の募集をはじめる前に、三七〇〇〇ポンドが集まった。

この計画は、二五〇匹の犬に十分なスペースを与えられる三階建てのビル建設のためだった。そのビルができれば、それぞれの犬が、手入れが簡単にすむ現代式の犬舎で過ごせるようになるのだ。犬舎はビルの上の二階にずらりと並ぶ予定となっていて、一階はワゴン車用のガレージ、一時預かり用の犬舎、死体安置場、火葬炉などを設置予定だった。〈デヴェロー・パートナーシップ社〉が設計したビルは、過去一二〇年でホーム敷地内に建てられたどの建物よりも(「ウィッティントン・ロッジ」の名前で知られている、クラフ・ウィリアムズ＝エリス作の猫舎は例外である〔第10章〕)、魅力的な外観をしていた。「ホームに、建築様式といったものを取り入れようとしたんです」と、ティム・マクギーは『タイムズ』紙に語っている。

『タイムズ』紙は、かつてはバタシー・ホームの天敵だったが、いまでは報道機関のなかで一番協力的な記事を載せるようになっていた。寄付に関する四ページの特集記事を組み、バタシー・ホームで進行中のビル建設について「人道主義と飼育放棄の永遠のシンボル」という見出しで表現した。

『タイムズ』紙のインタビュー記事で、フィールド＝フィッシャー委員長は、前任者たちが長年ずっと気にかけていたことをそのままくり返した。最新の統計によると、飼い主に引きとられる犬は十五パーセントだった。「これは誇れる数字ではありません。イギリスは犬好きの国だと信じたいひとからすれば、不愉快でしょうが、それでもこれが事実なのです」。

〈デヴェロー社〉の設計による建築計画のいくつかの面をめぐって、意見の衝突が起こった。ビル・ウォドマン・テイラー獣医師は、三階建てのビルは仕事がやりにくいと言って反対していた。しかしほとんどのひとは、バタシー・ホームの将来の発展を見こし、可能な限りの数の居住設備をびっしり建てておくべきだと感じていた。二階と三階にはできるだけ多くの犬舎を設置したいっぽう、将来的に一階に、さらに犬舎を作る計画もそのままだった。

一九八九年五月、委員会は契約締結のための会合を開催した。六社の建築会社が、二十三億七五〇〇万ポンドから二十一億四七〇〇万ポンドの入札額を提出した。委員会は、最低価格を提示し、さらに最短期間の五十週間で仕事を終えるという条件も付けた〈ネイルコット建設会社〉と契約した。

一九九一年二月二十七日、午後二時半頃。リムジンの行列がアルバート・ブリッジをわたり、バタシー・パークの入口を通り過ぎ、バタシー・パーク・ロードを進み、バタシー・ホームの門をくぐった。ホームのスタッフ全員が、正面中庭に集まっていた。そしてリムジンの行列が停車し、エリザベス二世が姿を現すと、招待された児童たちが歓声をあげて出迎える様子を見守った。

それは、バタシー・ホームの歴史のなかでも、すばらしい瞬間だった。テムズ川の南岸でバタシー・ホームが扉を開いてからおよそ一二〇年後、はじめて現君主が訪問したのである。バッキンガム宮殿は、一九九〇年十一月に訪問を承諾した手紙を送り、女王が、ホーム創設者の名にちなんだ新しい大がかりな建物、ティールビー・ビルのオープニングを宣言することになっていた。委員会はずっと、この訪問に向けて準備をしていた。

新しいビル建設の仕事は、ゆっくりと進んでいたので、ベル・ミード・ホームを女王が六年前に訪問したときのように、手紙を受けとってから数か月は時間との闘いとなった。十二月、委員会の上級メンバーは

「作業全体に非常に不満」であり、特に犬舎に問題があると報告した。ホームの広報係でPRコンサルタントのスティーヴン・ダノスは、「作業の進行が遅い理由を説明するよう、建築業者に圧力をかける」ように頼まれた。

年が明ける頃には、わずかだが以前より期待が持てる状況になっていた。一月末までには新しい犬舎をオープンできる「可能性がやや」あったが、「より可能性のある目標時期」は二月半ばだった。やがて建築業者とスタッフのあいだで責任のなすり合いがはじまり、特に業者は、あまりにも多くの「インフラ設備」の設置を頼んでいたウォドマン・テイラー夫妻を非難した。いっぽうウォドマン・テイラー夫妻は、それは「設計者に責任がある別の問題」のせいだと文句を言った。

女王の訪問が行われる予定の週に入ると、パニックは収まっていった。新しいビルの三階は、二月二十日には犬の受け入れ準備ができていた。犬舎は、一週間後に女王が見学をしたときは、犬でいっぱいになっていた。

女王はバタシー・ホームで一時間過ごすことを承知し、できるだけ多くの人びとと話をしたいと望んでいたため、ホームのすべての設備を見せてもらう前に、犬舎にいる犬の一部だけ見学することを依頼していた。ホームに長年勤めていた監督官フレッド・ハーンと、委員長トム・フィールド゠フィッシャーは、新しい建物や最高水準の犬の居住空間などへ女王を案内した。

女王はバタシー・ホームを見学して、なにも問題はないと思ったようである。その後、バッキンガム宮殿

歴史的な訪問者。1991年２月の小雨が降る日、エリザベス二世は、バタシー・ホームを訪れた初の君主となった。

は、女王は「見学されたものすべてに、たいへん感銘を受けられた」とホームに伝えた。ホームから女王の孫たちへニットのセーターを贈呈し、女王の訪問は締めくくられた。最後に手をふられ、歓声が一斉にあがるなか、女王はちょうど午後三時半に、アルバート・ブリッジをわたってバッキンガム宮殿へ戻っていった。

女王が帰ったあとも、ずっとお祝いムードは続いた。バタシー・ホームの歴史で最高の瞬間となり、記念のマグカップがスタッフ全員に配られた。そして二〇〇名が招待された訪問記念祝賀会に、スタッフも招待された。

女王の訪問は、バタシー・ホームにとって、忘れられない一年のはじまりになるはずだった。ところがこの年は、ホームのだれもが忘れたいと思うようなできごとが、その後つぎつぎと起きてしまったのである。エリザベス女王なら、バタシー・ホームの「アナス・ホリビリス」と呼んだかもしれない〔ラテン語で「恐怖の年」の意味。一九九二年の在位四十周年の記念スピーチで、女王が使って有名になった言葉。一九九二年に王室関連の問題が次々に起きた〕。その代わりにヘア所長はこの年を、簡潔に「苦しんだ」十二か月と呼んだ。

バタシー・ホームがすぐに解決しなければならない一番の問題は、スタッフについてだった。一九九〇年末、ウォドマン・テイラー夫妻が引退を申し出て、十八年間の勤務を終え、四月末にホーム内の部屋から引っ越すことになった。ふたりは、ホームでいくつもの役目を果たしていたので、その後任を探すのは簡単ではなかった。ニュージーランド出身のジョゼフィーン・ヘンダーソンが、ビル獣医師の後任としてマネージャーになったが、ホーム敷地内に住みたがらず、三十分以内で通勤できる場所にアパートを借りるための住宅手当を支給された。ルース獣医師の代わりとして、長時間働いてくれる獣医師を探すのは難しかった。そして候補にあがった獣医師たちもホーム敷地内に住むのをいやがったので、一時的な手段として、地元で活動している〈アーク獣医センター〉で、医療関係を引き受けてもらった。

そして別の問題のひとつは、なんとしても診療所を現代的にする必要があることだった。一九九一年五月、「診療所の設備のほとんど」は「旧式で、故障していて、老朽化し、危険」だと結論づけた報告書が出された。委員会は、「バタシー・ホームが、動物への看護の適切なレベルを維持し、動物看護師のための公認訓練センターとして存続するために」、「段階的に設備を交換する計画」が必要だと警告された。委員会メンバーは、麻酔器、滅菌装置、整形外科器具、最新の出術台などの新しい機材に対する、一二〇〇〇ポンドの支出をすぐに承諾した。

さらに新しいティールビー・ビルから、苦情が出ていた。まず犬舎の質に関する不満の声は、早くからあがっていた。犬舎係は、犬が吠えつづけ、あまりよく眠れていないことにすぐに気づいていた。犬舎からの定期報告のひとつには、獣医チームが「すべての犬が過活動状態」なのを心配しているとあった。五月になると、新しい犬舎のデザインが「犬たちにストレスを与えている」ようだと、マネージャーが報告した。

そこで外部の専門家を呼び、犬舎の配置や大きさについて調べてもらった。六月十二日、犬舎は「デザインを再設計するまで使用できない」との報告を受けると、委員会メンバーはみな不機嫌になり、そして六月二十六日からティールビー・ビルを一般公開しないことが決まった。委員会は、きちんとした立て直しを優先させ、「犬舎のデザインを変更するという結論にとびつく前に、慎重に幅広い助言を求める」よう提案してきた。

追い打ちをかけるように、さらなる暗雲がバタシー・ホームの将来にたちこめた。危険犬種の規制(Dangerous Dogs Act 1991)という、新しい法令である。バタシー・ホームは、飼い犬の流行が変わるたびに影響を受けていて、数年にわたって攻撃的な「闘犬種」が急に人気になっていると気づいていた。一九八五年、バタシー・ホームは合計十七頭のピット・ブル・テリアとロットワイラーを引きとった。一九九〇年には、同種の犬の引きとり数は三五〇頭以上となった。

闘犬種はとつぜん広く流行しはじめ、気がかりな影響をおよぼした。ピット・ブル・テリアやほかの闘犬種が、一般市民、特に子どもを襲ったり、重傷を負わせたり、さらに殺したりした、といったいくつもの事件が報道された。その結果、早々にまとめられた法案が一九九一年に施行されたのである。危険犬種の規制では、特定の犬種やその犬種の交雑種を飼ったりすることを、はじめて違法とした。具体的には、ピット・ブル・テリアとほかの特殊な純血種、日本の土佐犬、ドゴ・アルヘンティーノ〔アルゼンチン原産の大型の猟犬、闘犬〕、ブラジリアン・ガード・ドッグ〔ブラジル原産の大型の番犬、猟犬〕などが対象である。そして裁判所から特別に免除された場合のみ、このような犬を「特別管理犬」として飼えることになり、法的に許可された飼い主は、公衆の場では犬に口輪をつけ、リードにつないでおかなければならない。飼い主はさらに犬を「免除犬」のリストに登録し、犬に避妊・去勢手術を受けさせ、証明の印を犬の体に入れ墨し、マイクロチップを埋める義務があった。この法令では、これらの犬の繁殖、売買、交換もさらに禁止していた。

危険犬種の規制の影響はすぐに現れ、何百頭もの犬が押収されたり、飼い主が自分で犬の殺処分を望んで引きわたしたりした。過去に何度もあったように、バタシー・ホームはこの事態の対処に乗りだした。一九九一年の初期、ロンドン警視庁はバタシー・ホームと連絡をとり、「飼い主が殺処分を希望して警察署へ持ちこむ危険犬種（特にピット・ブル・テリア）の対応を手伝う」かどうかをたずねた。ホームは乗り気ではなかったものの、ロンドン警視庁は代表を送りこんできて、委員会にこの件を訴えた。ホームはつぎの特別な条件付きで了承した。ピット・ブル・テリアの迷い犬は、警察との合意に沿って通常通りの世話を受ける。しかし、刑法上の罪を犯して飼い主から持ちこまれた犬は引きとらない、としたのである。もっとも重要だったのは、バタシー・ホームが、「ホームの運転手が犬を移動させるとき、危険すぎると判断した犬の受け入れを拒否する権利を保持」しようとしたことだった。

その後も、バタシー・ホームは、飼い主がつれて来たピット・ブル・テリアの受け入れを承諾し、治安判事の殺処分命令に応じてすぐに安楽死させていた。しかし、いっぽうでホームは「特別管理犬飼育通知書」を所持している人物が警察の条件を満たせば、ピット・ブル・テリアを譲渡していたが、そのような例はきわめてまれだった。一九九一年七月の一か月間で、ホームは三十七頭のピット・ブル・テリアを引きとり、その多くは、Oブロックの隔離区画と、新しいティールビー・ビルの個室に入れられた。

バタシー・ホームの保険仲介業者は、新しい危険犬種の規制のもとでは、禁止された犬種を扱うスタッフは万が一起訴された場合、保険でカバーできないと知らせてきた。新しい法令によって、これまでより非常にコストがかかるようになり、ホームは危険犬種に対処する三名のスタッフを守るため、五〇〇ポンドする緊急警報機をさらに導入するはめになった。

　この法令には、スタッフも強い影響を受けた。テレビ司会者のケイティー・ボイル〔第18章〕は、長年バタシー・ホームの熱心な会員で、委員会メンバーでもあった。不屈のキャンペーン活動家で、ホームの助っ人だったボイルは、資金調達のためのイベントやファッション・ショーを企画したり、病気の感染を食い止めるために消毒殺菌したマットを導入する、といった具体的なアドバイスをしたりしていた。そのうえスタッフが不足していると、自らワゴン車の清掃を手伝っていた。これはボイルがホーム内のことに気をつけていたからであり、ほどなくして彼女はスタッフの不満に気づくようになった。そして、ホームで起きていることを心配しているといった、匿名の手紙のコピーも受けとった。

　いつものように夏になると犬が殺到するので、七月中は新しいティールビー・ビルの三階にある居住設備を使う必要があった。その七月、異例の大人数となる五人のスタッフがやめたのは、おそらく偶然ではないだろう。ふたたび獣医師は、ティールビー・ビルの犬の居住設備は非常に悪いので、新しい家に譲渡されたあとも、犬に「心理的ダメージの可能性」があると報告した。

　ティールビー・ビルの犬舎のデザインを新しく改良する作業は、可能な限り速く、順調に進んでいた。三つの報告書が検討され、それぞれの個室のサイズをかなり拡大するということで合意された。さらにそれぞれの個室の中で、寝る場所と運動スペースをわけ、サイズもさまざまになるはずだった。

温かな法の庇護。元ロンドン警視庁長官、ピーター・アンベール、バタシー・ドッグとともに。

バタシー・ホームの理事長、マイケル・オブ・ケント王子は、子犬と仲よしに。そして王子は、バタシー・ホーム製のネクタイのモデルでもある！

ついに、新しい犬舎のデザインは承認された。居住設備の変更費用は四十万ポンド、改築作業に一年以上かかる予定だった。こうして一九九二年の秋になって、新しく効率的で、快適な複合犬舎ビルがついに完成した。

バタシー・ホームには暗い話ばかりあったわけではなく、むしろ喜ばしい状況になっていた。ホームの財政状況は絶好調だった。一九九一年、ホームの投資先は一一〇〇万ポンドの価値があり、年に八十万ポンドの利益があり、それが年に一〇〇万ポンドまであがると期待されていた。そして、月に十五万から二十万ポンドの遺産贈与を受けとっていた。

同じく励みとなったのは、バタシー・ホームが引きとる犬の総数が十パーセント減っていたことである。一九九一年に引きとった犬の数は一六〇〇〇匹で、比較するとその前年は一八〇〇〇匹だった。「一般の人びとが、自分のペットの面倒をもっとみるようになったという証拠かもしれません」とフィールド＝フィッシャー委員長は述べている。もちろん、ずっとこの正しい流れを続けさせるような話が、バタシー・ホームにはたくさんそろっていた。

たとえば、小さくて勇敢な雑種犬（もしくは「交雑犬」〔cross-breed〕。現在は混血の犬を、交雑犬と呼ぶよう求められている）、キムの希望に満ちた話である。キムはバタシー・ホームを数年前に去り、ロンドンに住むクラーク夫人のところに落ち着いていた。一九九一年、イースターの時期のある晩、クラーク夫人が玄関のドアを開けると、そこにふたりの見知らぬ人物がいて、そのうちのひとりの女性が体調が悪いと言ってきた。そしてクラーク夫人が止めるまもなく、その女性は家のなかへかけこんで二階の浴室へ向かった。それと同時に連れの男性が押し入って、クラーク夫人を脅した。おびえる年金暮らしの女性に危害が加えられそうになったとき、キムが玄関ホールに現れた。そして男にうなり声をあげ、嚙みついてとびかかろうとした。犬を怖がったふたり組は、家から逃げだした。クラーク夫人は、女が二階で夫人の持ち物を物色していたのに気づいたが、なにも盗られていなかった。キムが自分を盗みと襲撃から守り、おそらく最悪の事態からも救ってくれた、と、つくづく感じたクラーク夫人は、キムをある賞に推薦した。それから数か月後にキムが〈年間ペット賞〉〔イギリスのペット保険会社〈ペットプラン〉が主催。動物福祉に関する各部門の賞がある〕を受賞したときと、その翌年に新しい〈ＰＲＯドッグ・金メダル賞〉〔詳細不明〕を受賞したとき、夫人も授賞式に出席していた。

　ハッピーエンドの話がいろいろあるいっぽうで、残酷な話はどうしてもなくならなかった。いまは一九九〇年代ではなく一八九〇年代なのではないか、と、スタッフが思わずにいられないときがあった。一九九二年十二月、意識がもうろうとした一匹のシーズーが、警官につれられてバタシー・ホームにやって来た。ロンドンの通りで発見されたとき、シーズーは「ふたりの若い酔っぱらい」に無理やりウイスキーを飲まされていて、酔っぱらいは「犬がふらつく様子を見て、騒いで笑いころげていた」。バタシー・ホームで診察した結果、シーズーは酔っていただけではなく、アルコール依存症であるとわかった。

　数週間にわたりじっくり見守り、シーズーが依存から抜けだせたとわかると、シーズーのブリーダー協会を通してよい家庭に譲渡することができた。そして、不幸な過去を笑いとばすジョークとして、シーズーは「ジョニーウォーカー〔有名なスコッチウイスキーのひとつ〕」と名付けられた。

そして同じ頃、もう一匹、こげ茶色と白色の交雑犬パールがバタシー・ホームにやって来た。パールは首に巻きつけられた細いワイヤーのせいで、もう少しで窒息するところだった。ひどくおびえ、獣医師が近づこうとするたびにテーブルの下に隠れていたので、何か月もかけ、慎重にやさしく接し、人間への信頼をとり戻させた。この頃にはホームに、それまでより高度な譲渡手続きのシステムが構築されていた。新しい家へ行けるようになるまで、パールの行動は新しくできた評価審査会によって見守られた。さらに新しい家では、パールにしつけ用首輪〔リードを引くと首がしまる首輪〕を絶対につけないよう、細心の注意を払って譲渡された。

一九九五年、バタシー・ホームの敷地内にブルドーザーが戻ってきた。今回は、築三十年となるボーフォート・ケネルの解体のためだった。バタシー・ホームの評判を多少気にするようになっていたホームは、最古参の犬舎係ジューン・ヘインズに、古いレンガ壁の解体を開始するブルドーザーのレバーを握ってもらうよう頼んだ。支援者たちから受けとる十分な資金のおかげで、バタシー・ホームは新たな千年紀に五年早く踏みだしていた。

やがてこれまでで一番豪華で現代的な建物が、バタシー・ホームについに姿を現した。六〇〇万ポンドの費用をかけ、ウィッティントン・ロッジの隣に立つそのビルは、おもに譲渡の準備ができた犬や猫のための建物で、六五〇匹の犬（ピーク時には八〇〇匹）を受け入れられる収容力があった。カーブを描く鉄のアーチ、ガラスとレンガでできたビルには、新しくて広い受付と面談用のエリアも備わっていた。

ティールビー・ビルで学んだことが生かされ、今回は入念な調査と計画のもとでビルはデザインされた。六社の設計会社に依頼し、明るく風通しがよく、できるだけ「お客様の立場を考えた」犬舎を含めたデザインを提出してもらった。ダンカン・グリーン所長は、犬用のトイレのデザインのある一点について、口をはさんだ。所長の希望は、犬の汚物を掃いて集めて下水管に流すと、そこから手際よく流せるような犬用トイレだった。

今回の作業では多くの問題が持ちあがった。およそ十八か月のあいだ、バタシー・ホームがトラック、巨大な建設用機械、作業員でいっぱいになるので、大多数のホームのスタッフと犬猫たちは別の場所へ移らなければならなかった。ショーン・オッパーマン獣医師のチームは、やむを得ず一時的な診療所をバタシー・パーク・ロードの近くに開設した。多くの犬はベル・ミード・ホームに移され、ステインズ・アポン・テムズ〔テムズ川の左岸、サリー州の町〕近くを走る環状道路M25の影の下にほぼ隠れている、ムーア通りのケンブリッジ・ケネルを追加で借りた。

作業が予定通りに進んでいるか確かめるための特別小委員会が結成され、二週間ごとに作業の進行を監視していた。特別小委員会は、きちんと仕事をした。ビル建設は、目標としていた一九九六年晩秋に、かなりのスピードで完成した。一九九六年十月、バタシー・ホームの理事長を務めていたマイケル・オブ・ケント王子にちなみ、ケント・ビルと名付けられた建物の新しい居住施設に、犬や猫が落ち着いた。今回は、ビルを使いはじめてもトラブルはほとんど起きなかった。

新しいビル建設に対応したバタシー・ホームのスタッフは、辛抱強さとプロ意識、そして経験の豊かさを証明してみせた。そして新しいビルは、なによりもイギリス国民がバタシー・ホームによせていた、時代を超えてもゆらぐことない、温かな思いの証《あかし》だった。ティールビー・ビルが建てられた一九九〇年とは異なり、今回バタシー・ホームは、その歴史上最大級のビル建設にあたり、一般の人びと向けに寄付を募る必要はなかった。ホームの財源のみで、資金が足りたのである。

一九九六年、バタシー・ホームに驚愕の四十五億六五〇〇万ポンドの遺産が贈与された。記録的な額であり、前年の二十八億六二〇〇万ポンドからの大幅な増額だった。これ以上、一般の人びとのあいだでバタシー・ホームの人気が高まることはないだろう、と思われていたようだが、そんなことはなかったのである……。

第20章◆すばらしいとき

Chapter Twenty

ケント・ビルのオープンで、バタシー・ホームの犬舎が過密になる問題は解決したように思えた。ところがオープンから一年半足らずで、ホームの犬の数はまたしても危険なレベルになっていた。犬舎には六七四匹の犬が押しこまれ、健康に害が出る数になっていたのである。

一九九六年四月、ショーン・オッパーマン獣医師は、犬が超満員のせいでケンネルコフの流行がひどくなるいっぽうだと、委員会に報告した。「この時点でバタシー・ホームにいる犬の数と、そして特にケンネルコフとその合併症といった感染性の病気の発症には、はっきりとした相関関係が見られます」。その理由は、犬同士が濃厚接触して生じる交差感染、ストレスによる抵抗力の低下、風通しの悪さ、長期滞在の犬と新しくやって来た犬をいっしょにした結果、といったものだった。

オッパーマン獣医師は、ホームの犬の数は五〇〇から五五〇匹が「最適」だと考えていた。そのため六〇〇匹となると、犬舎はぎゅうぎゅうづめになり、その結果として病気が増えていた。そして六五〇匹を超えると、「ケンネルコフを抑制し、封じこめるのは非常に難しく」なった。特にその年の受け入れ数は増加していたので、「ホームに治療用の専用犬舎」を設置する緊急の必要があると、獣医師は述べている。

一九九八年六月、ベル・ミード・ホームでの一般の預かりを七月一日から停止すると決め、預かりの予約をしていた犬は、頭数の増加に備えて準備していたチナー村〔オックスフォードシャー州の村〕のフォレスト・グレード・ケネルへ変更してもらうようにした。それによって空いたベル・ミード・ホームのスペースには、すべてバタシー・ホームの犬を入れることになった。

さらにホームは、ロンドンと環状道路M25の周辺にあって、「最終的には譲渡もできる、バタシー・ホームの支部」となるような、一〇〇匹の犬と猫を受け入れられる施設を探した。二十ほどのいろいろなケネルが検討され、最初にエンフィールド〔ロンドン最北端の自治区〕にあったケネルが候補にあがった。一九九八年十二月、バタシー・ホームはこの犬舎に、六十五万ポンドで買取を申し出たが、断られた。そこでチナー村、サリー州のブリンドリー・ヒース〔サリー州の共有地〕、ベッチワース〔サリー州の村・市民教区〕などが検討され、最終的にダンカン・グリーン所長が理想的な場所を見つけた。有名な〈ブランズ・ハッチ・レースサーキット〉〔一九五〇年開設、ケント州にある〕のすぐ近くにあったフォックスクロフト・ケネルは、引退した建築業者が、犬好きが高じて設立した場所だった。フォックスクロフト・ケネルは、バタシー・ホームの希望にかなり合うところだ、とグリーン所長は考えた。バタシー・ホームの犬舎の過密状態を考えたら、フォックスクロフト・ケネルを犬用居住施設に変える準備に三週間ほどしかからないですむ点が、一番の魅力だった。ただひとつ不満だったのは、「ケネルまでの道が曲がりくねっていること」だった。一九九九年五月、五十七万二五〇〇ポンドで買取を申し出ると、承諾された。

バタシー・ホームには、あいかわらず有名人が訪れていたが、なかには絶対に自分の正体がわからないようにしてやって来る人もいた。一九九〇年代後半、アカデミー賞を受賞している俳優ケヴィン・スペイシー〔一九五七―〕が、犬の譲渡のための聞き取り調査を受けようと、バタシー・ホームにはるばるやって来た。スペイシーは一般人と変わらず、譲渡担当のスタッフ、ジェイド・ホールは聞き取り調査をして、彼が職業を「俳優」と言っても気づかなかった。ホールが聞き取りをしてわかったのは、スペイシーがこれまでずっと犬を愛してきたこと、ペットの飼い主としてふさわしい考え方を持っていること、そして彼のマナーが着ていたスーツと同じくらい完璧だったこと、だった。

上級スタッフのひとり、メル・ウェアハムが、規定の申し込み用紙で彼の名前を見て、ようやくみなが正体に気づいた。スペイシーは、うれしげな黒の雑種犬をリードにつなぎ、ひそかに立ち去った。

しかし、ほかの有名な訪問者たちは、有名人であることを隠さなかった。テレビ番組『ビッグ・ブラザーズ』〔リアリティ番組、二〇〇〇‐一八放送〕の司会者ダヴィナ・マッコール〔一九六七‐〕は、週に何度もバタシー・ホームを訪れ、じっくり考えたすえに、ロージーという名のロットワイラーを選んだ。ジェリ・ハリウェル〔一九七二‐、女性アイドルグループ「スパイス・ガールズ」メンバー、歌手、女優〕は犬を選びにやって来たとき、ジョージ・マイケル〔一九六三‐二〇一六、イギリスのシンガー・ソングライター〕と撮影班をつれて、リアリティ番組を撮影した。ハリウェルは最終的に、ハリーという名の一匹のシーズーとめぐり会った。ハリーは、元「スパイス・ガールズ」といつもいっしょの、かなり甘やかされた相棒となった。このような犬の引きとりは派手な宣伝となり、バタシー・ホームは感謝していたが、その影響が続くのはほんの一瞬だった。

ところが一九九七年、バタシー・ホームとスタッフをずっと宣伝してくれるような企画を、ＢＢＣ〔イギリスの公共放送〕が提案してきた。ＢＢＣは独自に、バタシー・ホーム、個性豊かな犬や猫、スタッフのありのままの姿を撮りたかったのである。日々の様子を記録するドキュメンタリーを撮ろうと、まず番組制作者のボブ・ロングがホームに連絡をしてきた。ホームの広報係スティーヴン・ダノスは、このテレビシリーズは、ホームの自然な姿をとらえた二十五分の番組を三十回放送する、と提案された。

バタシー・ホームは、この提案に対して真っ二つに割れた。テレビ番組が放送されるのは、豪華なクルーズ客船や空港などが舞台である、いわゆる「ドキュメンタリーのように見せるドラマ」番組が放送される時間帯の予定だった。動物はドキュメンタリー分野では欠かせない素材で、『アニマルホスピタル』〔一九九四－二〇〇四、BBC1の番組〕、『ペットレスキュー』〔一九九七－二〇〇三、チャンネル4の番組〕などの番組が特に人気だった。ベル・ミード・ホームも、『ペットレスキュー』に短い時間ながら何度か登場していた。

BBCが提案したのは、このような番組よりさらに内容の濃い番組にするというアイデアだった。シリーズすべてをバタシー・ホームとベル・ミード・ホームで撮影し、ホームで行われている仕事がどういったものか、そのまま視聴者に見せようというのだ。この番組が大きな宣伝になるのはまちがいなかったが、委員会メンバーの何人かは、バタシー・ホームが有名な大手テレビ局のあつかう題材にふさわしいのか、と不安に思っていたし、また別のメンバーは、「三十分番組のシリーズをうめるだけのドラマが、ホームに十分に」あるだろうか、と心配していた。おそらくは「動物番組はすでにたくさんあるから、またひとつできてもつまらないだろうし、ホームの仕事に支障がでるだろう」という思いからだった。それになにより、テレビは、ホームの日々の「悪い」面ばかりを映すのではないかという不安があった。特に、「虐待、暴力、飼育放棄のように、スタッフが日常的に目にし、バタシーといえばこういう問題のあるところ、と思ってほしくないような」、バタシー・ホームが避けては通れない、犬を飼うことにまつわるネガティブな面である。

ボブ・ロングと、共同制作者スティーヴ・スクレアは、委員会で説明をするよう求められた。この頃には、ＢＢＣブックスから番組といっしょに本が出版されるという話も出ていた。ロングは、テレビで紹介するのはホームのポジティブな話になるだろうと委員会を説得した。「お昼の時間の番組です。ＢＢＣとしては、世話されている動物の話や、飼い主と再会したり、新しい家に引きとられたりする話がほしいのです」と、会合で述べた。

「お昼のテレビ番組を、ショッキングな内容にはできません」と、スクレアは述べている。「幼い子どもから、お年寄りまで、あらゆる世代が見ます。つまり、大事件は必要なくて、ホームがなにをしているのかを視聴者に伝えたいのです」。さらにＢＢＣは、バタシー・ホームの編集権を全面的に認めた。

ＢＢＣのロングとスクレアが去ったあと、話し合いが延々と続けられた。やがて採決をしたところ、委員会メンバー全員がこの話に賛成し、委員長のバカン伯爵だけが、判断を保留したのだった。

一九九八年三月、バタシー・ホームにＢＢＣのスタッフ数名の姿が見えるようになった。当時はアジリティー〔一九七〇年代後半にイギリスではじまった、犬の障害物競争〕の運動場になっていた、使われていない倉庫のなかの古い事務所が撮影スタッフ用の部屋になった。制作準備には二か月かかり、五月から六月にかけて撮影された。ホームのスタッフが着ているバタシー・ホームのロゴ付きの、目立つ青いシャツを身につけた撮影班は、ホームの生活にとけこんでいった。当然のなりゆきで、新しく来たＢＢＣ撮影班の数名は、撮影していた犬とつながりを深めて犬を引きとることになった。

ベル・ミード・ホームでも撮影は行われ、特にブランズ・ハッチの新しいホームが撮影された。フェンスが張られ、ドッグラン〔犬用運動場〕が設置され、自動ゲートが建てられ、本館につながる急なスロープにつながる新しい踏み段が作られる、といったバタシー・ホームの新しい支部がだんだん形になってゆく姿を、カメラはとらえた。

十月二十六日、バタシー・ホームのブランズ・ハッチ支部が正式にオープンし、地元で見つかった迷い猫をいきなり予想外に引きとることになったときも、ＢＢＣ撮影班はその場にいた。それから二週間でブランズ・ハッチは、初日にやって来た猫を含めた五十匹の猫と、一五〇匹の犬を新しい家に送りだした。

バタシー・ホームの三十分番組は、当初は平日用の番組で、十二月に初回が放送された。ＢＢＣは視聴率に満足したので、やがて番組は夜のゴールデンタイムで再放送されるようになった。ＢＢＣの会長によると、このような事態ははじめてのことだった。視聴率はとても高く、最高視聴者数は七〇〇万人に達した。

テレビ番組がとりあげたのは、言うまでもなく、およそ一四〇年間、バタシー・ホームでずっと続けられてきた仕事だった。しかし外部の人びとにとっては、ユーモアと感動に彩られた驚きの内容となっていたのだ。番組が力を入れたのは、世界的に有名な動物保護施設での日々の実際の様子を、きちんと説明することだった。その結果、ホームのスタッフ数名は有名人になった。

バタシー・ホームで一番長く働いているワゴン車の運転手、ポーリーン・マルティネッティは、あるエピソードに登場した。ロンドンと環状道路M25の周辺を何百キロも運転してまわり、警察署から犬を集める姿が映された。その当時、ホームに勤めて二十一年目だったポーリーンは、自分の仕事のこつはボディランゲージだと明かしている。「自分が犬だったら、と考えるようにしています。外国の牢屋《ろうや》に入れられ、相手がなにを言っているのかまったくわからないというとき、大きな棒を持ったなんだか怖そうなひとが寄ってきたらいやでしょう。でも、正しいボディランゲージをしてくれて、感じのよい態度で近づいてきて、信用できる口調で話しかけてきたとしたら、なにを言っているかまったくわからなくても、相手は親切なのだとわかりますし、自分も答えを返してみようと思うでしょう」。

ポーリーンはさらに、運転手として重大事件が起きた日——八匹の犬を載せていたワゴン車が盗まれたときのことを明かしている。それは土曜日の朝で、事件が起きたとき、ポーリーンはガソリンを入れているところだった。すると男が運転席に飛び乗り、ヴォクソール〔テムズ川南岸の地域〕方面へ走り去った。ポーリーンはそこにあった二人乗りのスポーツカーに飛び乗り、自分の身分を説明すると、運転手にワゴン車を追うよう指示した。「エンバンクメント〔テムズ川堤防の一部、それに沿った車道と歩道がある〕に沿って、ヴォクソールへ向かって、まるで『刑事スタスキー&ハッチ』〔一九七五－七九、アメリカのテレビドラマ〕のワンシーンみたいに車を走らせました」。ワゴン車がランベス・ブリッジのラウンドアバウト〔環状交差路、ロータリー〕を曲がろうとしたとき、運転手はワゴン車をコントロールできなくなった。ワゴン車が横倒しになったとき、ポーリーンはぞっとした。一匹のジャック・ラッセル・テリアがワゴン車からとび出し、二度と戻らなかったものの、残り七匹の犬はまだ車内で一か所に固まっていた。「犬たちにしてみれば、わたしが運転の責任者だったんです。ですから、みなでわたしを見つめ、こう言っているようでした。『こんなこと、ほんとうにやる必要があったの?』」

そして番組では、バタシー・ホームの譲渡部門のスタッフの仕事も放送された。やはり一般の人びとは、この比較的簡単に思える仕事に、ストレスや重圧、危険がよくあるなど、ほとんどわかっていなかった。ふらりと立ちよって、気さくな世話係の許可を得て、バタシー・ホームの犬をさっさとつれて帰ることができていた日々は、もう遠い昔になっていた。ホームの犬や猫を、飼い主として最適な家にだけ安全に送りだすバタシー・ホームのシステムは、年々厳しくなっていた。一九九〇年代後半には、飼い主候補者は、いろいろ聞かれる長い面接と、地方自治体や外部の機関の調査を受けなくてはならず、ときにはホームのスタッフが、犬や猫をつれて行く前に、候補者の家を訪ねることもあった。

ほとんどの飼い主候補者は、この方針を理解し協力したが、そうではない人びともいた。テレビ番組と連動して出された本では、譲渡部門のスタッフ数名が、バタシー・ホームの招かれざる訪問者とわたりあった悪夢のような体験を伝えている。「譲渡部門のスタッフになるための面接を受けたとき、とても強引だったり、怒鳴ったりするような人物の対応について話が出ました」と、ジェイド・ホールは思い出を語っている。「そういう人物に譲歩して、犬をわたすかと質問され、わたしはこう答えました。『絶対にそんなことはしません。だれも怖くなんかありません。そんなひとにうまくまるめこまれて、自分が悪いと思うことをやったりしません』。譲渡部門のスタッフとして働きだして数日後、大男の三人兄弟がやって来て、ジャーマン・シェパードが一頭欲しいと言いました。その三人は詳しいことを話さなかったので、どうもなにか隠しているなと思いました」。

兄弟から、もう一頭犬を飼っていることをようやく聞き出したジェイドは、新しい仲間となるその犬に会わせてもらえるかとたずねた。すると、その犬は兄弟の父親のガレージに鎖でつながれていて、そこにずっといるのだと、口を割った。

ジェイドは兄弟にホームの犬は引きわたせないと断り、「小柄なわたしが、立ちふさがって『いいえ、お宅に犬はわたせません』と言うと、三人はぎょっとしていました。するとそれ以上文句を言わず、わたしがドアを開けるとそのまま出て行きました」。

もうひとりの譲渡部門スタッフ、ポール・ウィルキンズは、ふたりの大男と対決したことがあった。犬を譲渡する前に家を訪問する必要があるとポールが言うと、男たちはいらつきだした。「ひとりがわたしの顔に向けてステッキを突き出し、わたしの頭を殴ってやると言ってきました」。ウィルキンズは面接室から逃げだし、警察へ通報することができた。「なにもかもが恐ろしかったです。正直言って、あの男たちがわたしを殴るのは、簡単だったと思います」。

メイ・ワモンドは、酔った女性がどれほど凶暴になるかを語った。「上着をつかんでわたしを持ち上げると、壁に押しつけたんです」。その女性は見失った飼い犬を探しに来ていて、しばらくすると落ち着いたが、ワモンドはホームじゅうを見せて回り、彼女の犬はここにはいないのだと信じるまでつきあわなくてはならなかった。「女性は、わたしが犬を隠したといって責めてきたので、納得するまで全部の犬舎を歩いて回ったじゃないかと強く言いました」。

譲渡の仕事は、一九九一年に危険犬種の規制(Dangerous Dogs Act)が施行されてから、ますます危険になっていった。ジャッキー・ドナヒーは、警察が押収し、バタシー・ホームに引きわたしたピット・ブル・テリアを引きとりにくるひとに、何度も対応しなければならなかったと語っている。「バタシー警察署から電話があり、ホームが預かっているピット・ブル・テリアの飼い主の男には、深刻な傷害容疑から放火まであらゆる犯罪歴があるという警告を受けました。警察は、その男は自分が犬を飼うのは違法だとわかっているから、ホームには来ないだろうと断言しました。でも、男はやって来ました。入れ墨を入れていて、傷跡もあり歯は欠けていました。そして、自分の犬を返せ、費用は絶対に払わない、返さないならホームに火をつける、と言ってきました」。

ドナヒーはずっと用心しながら対応していたが、「ほんとうに男のことが怖くて、泣きそうでした。警察に電話をしたら、警官が三人やって来ました。そのうちのひとりは防弾ジャケットを着ていました。男が立ち去ると、自分が信じられないくらい震えていたと気がつきました。ホームのスタッフ全員がとても心配し、男が実際にホームに放火した場合に備え、それから何日間か警察に警備してもらいました」。

予想通り、大勢の視聴者が一番強く反応したのは動物たちの姿だった。視聴者は、特に、アーチャーという名の一頭のラーチャー〔第3章、第11章〕に夢中になった。バタシー・ホームにずっといる犬の一頭で、一番譲渡の申し込みがなさそうな犬でも、新しい家を見つけられるという見本になったのである。アーチャーがバタシー・ホームにやって来たのは、一九八五年二月だった。がりがりにやせ、ノミと疥癬《かいせん》で皮膚は固くなっていた。アーチャーは、観光地にいるところを警察に発見されていた。そこそこお行儀のよい犬だったが、内気で、訪問者の注目を集めなかった。よくあることなのだが、ホームに長くいればいるほど、ほかの犬たちとうまくやるのがますます難しくなっていた。アーチャーはほかの犬に対してあまりに攻撃的になったので、譲渡には向かないとスタッフは判断していた。

それでもバタシー・ホームで十三か月過ごしたあと、スタッフのひとり、ミシェル・リッターのもとで世話をしてもらうため、ホームの外へ出すことが決まった。ミシェルは六か月かけて、アーチャーを外の世界へ慣らしていった。そのほとんどの期間、アーチャーはほかの犬に対して攻撃的だったので、外へ散歩に出るときはしっかりとリードを握っている必要があった。一九九二年のクリスマス直前、アーチャーはスタッフォードシャー・ブルテリアに攻撃され、身体的にも精神的にも傷を負い、癒えるまで長い時間がかかった。ホームに一番長くいる犬となったアーチャーはさらに心を閉ざし、スタッフはアーチャーを引きとってくれるひとがいるだろうかと、絶望的な気持ちになった。

『ペットレスキュー』から電話を受けたとき、アーチャーはバタシー・ホームで過ごして十八か月たっていた。番組では視聴者の心をとらえる犬を探していた。アーチャーは、ぴったりの候補かもしれないとテレビ側に提案され、そして番組に出演した。

すると驚異的な反響が起こり、番組放送後から数時間のうちに三五〇件もの引きとりの申し出があった。こうしてアーチャーは、コルチェスター〔イングランド南東部、エセックス州の町〕に住むジョーとジェーン・ベラスコ夫妻のもとで暮らすことになった。夫妻と、もう一頭のラーチャー、ベラとの生活に落ち着き、アーチャーはもう問題の多い犬ではなくなった。ＢＢＣの番組では、アーチャーが元気に暮らしている様子を放送した。

ＢＢＣの番組は、すぐにバタシー・ホームに劇的な影響をおよぼし、思ってもみなかったことも起きた。案の定、電話の問い合わせが急に増えた。毎回番組終了後に予想される、殺到する問い合わせの電話の対応にあたる特設のコールセンターが設置されると、すぐに役立った。番組が放送されたとたん、ときには五〇〇件の電話がかかってきたのだ。そのうえ、バタシー・ホームとベル・ミード・ホームへの訪問者数が大幅に増えた。一九九八年初期、週末の訪問者数は通常一五〇〇～二〇〇〇人だった。ＢＢＣの番組がはじまると同時に、訪問者は三〇〇〇人にはね上がった。それを予期してスタッフの数も増えたが、それでも犬が欲しいという要求には対応しきれなかった。すぐにスタッフは、週末には十時間、勤務しなくてはならなくなった。そのうちにバタシー・ホームは木曜日を休館日にして、事務処理の遅れをとり戻し、つぎの忙しい週末に向けて犬の準備をするはめになった。こういった対策はすべてやる価値はあった。ＢＢＣの番組が放送されたことで、より多くの犬が新しい家を見つけたし、一日で十九匹の犬と十匹の猫を譲渡できたこともあった。

さらに資金集めにおよぼした影響も驚くべきものだった。一九九八年十二月に集まった寄付金は、前年の十二月に集まった二四〇〇〇ポンドのほぼ倍、四三〇〇〇ポンドという記録的な額だった。テレビシリーズの視聴者がますます増えていた一九九九年一月から二月、バタシー・ホームは一〇〇万ポンド以上の遺産贈与を受けとった。財政部門の小委員会は、これを「途方もない額」と呼んだ。

テレビシリーズは、意外な分野にも影響を与えた。一般の人びとがバタシー・ホームへつれて来る迷い犬の数がおよそ一日に五匹に増え、警察と犬の監視員がつれて来る犬の数より、はじめて多くなったのである。

テレビシリーズがもたらしたもっとも有益な影響は、人びとの受けとめ方だったかもしれない。バタシー・ホームは、飼い主が見失った犬をかなりの確率で見つけることができる場所なのだと、人びとは理解しはじめた。さらに、七日間保護された後、機械的に犬が安楽死をさせられているわけではないことも、長い時間をかけてようやく信じてもらえたのである。こうしてバタシー・ホームにまつわる一番のデマは、ついに消えた。そのことだけでも、テレビカメラをホームに招き入れたかいがあった。

番組は大成功だったので、すぐに第二シーズンが検討された。ホームの委員長は、「バタシー・ホームにテレビシリーズを作る資金を提供してくれるような」ほかの企業に探りを入れるのはどうだろうかと提案した。そして「この行動が、分別がないと思われるとは考えていなかった」と語った。結局、第一シーズンが大成功だったので、ホームはＢＢＣと第二シーズンを制作することにした。一九九九年春、第二シーズン制作が承認され、夏に撮影がはじまることになった。

第二シーズンの制作をバタシー・ホームに受けてもらって気をよくしたBBCは、クリスマスパーティーの費用としてホームのスタッフに七〇〇ポンドをわたした。番組制作に協力して余分の仕事をし、その後の成功に導いてくれた感謝の気持ちとして、スタッフ全員が一〇〇ポンドのボーナスを受けとった。

一九九九年秋、バタシー・ホームは、ホームの新しい顔となる公式季刊紙にさらに資金を投入し、あらたに再始動して名前を『ポウズ』〔paw、「動物の足や手」の意味〕へと変更した。十年以上にわたり、ホームはさまざまな雑誌を発行してきた。一九八〇年代には、年少会員向けの年刊誌が若い会員全員に送られていた。一九九四年、スティーヴン・ダノスが、ホームの公式新聞第一号の発行を進めた。予算が少なかったので、この新聞はだいぶお粗末だった。質の悪い紙に印刷され、いくつかの情報記事といっしょに掲載されたのは、一八六〇年にキャノンベリー・スクエアで、サラ・メージャーとメアリー・ティールビーが、迷い犬と記念的な出会いをした話を「小説化」したものだった。その作者は新しいマネージャー、ダンカン・グリーンだった。

その新聞は、できはよくなかったものの、それ以上に商業的な可能性を秘めていた。新聞には、ドッグフード会社やそのほかの広告がたくさん載っていた。やがて、この新聞は、雑誌『ドッグズ・ホーム、バタシー』の前身となり、ついに『ポウズ』へと進化した。『ポウズ』は、上質のつやつやした紙に印刷された三十六ページの雑誌で、より専門的で完成された内容になっていた。最新の情報、インタビュー記事、アドバイス、最新の譲渡にまつわるエピソード、そしてバタシー・ホームで長く過ごし、新しい家を一番求めている犬や猫たちの姿などを取りあげていた。

『ポウズ』第一号には、ヴィヴァという犬の話が載った。黒とこげ茶色の雑種犬は、バタシー・ホームで三年以上過ごしてから新しい家へ譲渡されていった。第一号の表紙を飾ったのは、BBCのテレビシリーズで司会を務めたショーナ・ロウリー〔一九七〇－〕だった。さらに、役に立つヒントや、ホームのベテラン獣医師と動物行動学者からのアドバイスなどが載っていた。

『ポウズ』の発行は、バタシー・ホームが行っていたPR活動と、マーケティング活動の幅広さと巧妙さを表していた。その頃には、ホームは年に一度の同窓会を近所のバタシー・パークで開催し、ホームにいた何百匹もの保護犬や保護猫とその飼い主が集まり、お互いに経験を語り合っていた。情報交換の機会と、イベント管理スタッフの数が増えたことで、バタシー・ホームはさまざまなイベントでその存在感を増していた。たとえば、〈ロンドン市長就任披露パレード〉〔十一月の第二土曜日、ロンドン市長就任日に新市長が金色の馬車に乗ってロンドン市内で行うパレード〕、〈ゲイ・プライド・デイ〉〔六月の最終日曜日、LGBTQである事実を誇りをもって公表する考え方を祝う日〕、さらに動物関連の大きなイベントの〈クラフツ〉〔ケネル・クラブ主催、ドッグショー、イベント、競争などを行う〕や、〈ディスカヴァリング・ドッグズ〉〔ケネル・クラブ主催、ロンドンで最大級のドッグ・イベント・ショー〕などである。そしてバタシー・ホームは、〈マスターカード〉と提携してクレジットカードを発行し、利用者がカードを使うたびにホームへ寄付できるようにした。

ホームのテレビシリーズ視聴者が、ホームでの心温まるできごとに直接関わることはないかもしれない

カメラを見つめる雑種犬のドリーは、バタシー・ホームにいたあいだ、多くのひとを夢中にさせた。

が、そんな話はまだまだたくさんあった。バタシー・ホーム出身の犬は、作業犬としてつねに人気が高く、エアデール・テリアは伝統的にずっと軍に配属されていた。一九九三年くらいから、バタシー・ホームはレスターシャー州〔イングランド中部〕の町、メルトン・モーブレーにある〈防衛アニマル・センター〉〔現在は〈防衛動物訓練連隊〉、イギリス国防省管轄の施設で、軍用犬や軍用馬の訓練などを行う〕と親密な関係を築き、陸空海軍や、警備サービスなどに配属される犬を定期的に提供していた。

バタシー・ホーム出身の犬は、〈防衛アニマル・センター〉を卒業すると、北アイルランド、ボスニア、フォークランド諸島などで仕事についた。さらに、ヒースローやガトウィックなどの空港で、探知犬や警備犬としても働いていた。

犬によっては、〈防衛アニマル・センター〉へ行くことが命をつなぐこともあった。一九九九年、ジャーマン・シェパードのジェイクは、騒がしくて元気すぎる行動のせいで、バタシー・ホームのスタッフにとって頭痛の種だった。犬舎での生活には向かず、スタッフを強く噛んだり、ほかの犬とけんかしたりしていたので、ジェイクには暗い運命が待ち受けていた。しかし主任動物行動学者のジャッキー・ドナヒーが、〈防衛アニマル・センター〉につれて行ったことで、運命が変わった。ジェイクはそこで評価され、偵察犬として訓練されると、まもなくドイツに配属された。ドイツの軍隊での生活は、ジェイクにぴったりだった。

バタシー・ホームの猫は、犬と同じく大人気だった。一九九八年夏、バタシー・ホームは、テムズ川南岸、ホームから東へ数キロ先にある新しい〈グローブ座〉〔一九九七年に復元されたシェイクスピアゆかりの劇場〕から連絡を受けた。劇場の経営管理者たちは、ある朝劇場へ行き、木造のステージをネズミが走り回る様子を目撃した。〈グローブ座〉からの要請は、シンプルなものだった。バタシー・ホームには、この問題を鎮静化してくれそうな猫はいるだろうか？

二匹の猫、舞台に登場……二匹はシェイクスピア劇のスタッフから、ポーシャ〔シェイクスピアの劇『ヴェニスの商人』の登場人物〕とブルータス〔シェイクスピアの劇『ジュリアス・シーザー』の登場人物〕と名付けられ、あっというまに劇場の生活になじんだ。日中のリハーサルや夕方の公演のあいだは、あちこちで寝そべり、人間にかまわず過ごし、夜になると劇場をパトロールしていた。大喜びの経営管理者は、すぐに「任務達成」とホームに連絡してきた。ポーシャとブルータスは、〈グローブ座〉で長期にわたって役をもらったのだった。

その年に「ネズミ捕獲長」として雇われたバタシー・ホーム出身の猫は、この二匹だけではなかった。ゴフ・スクエア〔テムズ川北岸、シティー内〕にある博物館、〈ジョンソン博士の家〉も、ホームと契約を結んでネズミ退治をする猫を頼んだ。ジョンソン博士〔一七〇九－八四、イギリスの詩人、批評家、随筆家、事典編纂者〕はどうやら猫好きだったらしく、お気に入りの猫のホッジには牡蠣を食べさせていたらしい。バタシー・ホームからやって来た猫は、一七三八年にジョンソン博士が書き残したもう一匹のペットの名にちなみリリーと名付けられ、たちまち博物館の看板猫となった。リリーはネズミを寄せつけないだけではなく、博物館で結婚式をする花嫁に付き添い、大事な日の幸運の黒い猫として写真に収まっていた。

そしてインターネットの普及により、バタシー・ホームと、ホームからのメッセージを世界じゅうに発信できる可能性が出てきた。そのために必要だったのは、二〇〇四年にタイミングよく起きたようなできごとだった。

一八七一年にホームがバタシーの土地へ移転してからずっと、スタッフはここには幽霊が出るとうわさしていた。鉄道高架下や犬舎の通路を歩く、ヴィクトリア朝のドレスを着たぼんやりとした人影を見たことがあると、世話係、女性犬舎係ともに断言していた。それはメアリー・ティールビーの幽霊だと信じている者もいた。そういう話は、たいていい想像力たくましい妄想だとして片づけられていた。

ところが二〇〇四年秋、ある犬舎ブロックで毎晩繰り広げられる不思議なできごとには、幽霊よりほかに説明がつきそうもなかった。スタッフがいなくなったあと、九匹もの犬が、いったいどうやって、それぞれの個室からうまく抜け出し、犬舎ブロック内の台所に入りこみ、ごちそうを楽しんだのだろう？

この謎めいたできごとは、九月にはじめて起こった。毎朝犬舎ブロックにやって来るスタッフは、そこが爆撃を受けたようになっているのを発見した。あるスタッフによるとその様子は、「犬だらけ、食べ物まみれで、めちゃめちゃ」だった。そして毎回、数匹の犬が個室のケージから抜け出していて、そのうちの一頭がレッドという名のラーチャーだった。

なにが起きているのか解明しようとしたバタシー・ホームは、映像会社に依頼し、監視カメラを問題の犬舎ブロックに設置してもらった。数日後に、真犯人が判明した。メアリー・ティールビーではなく、レッドだった。

その年の六月、レッドはきょうだいのラッキーといっしょに、バタシー・ホームへつれて来られた。そのときは栄養不足とひどい飼われ方をしていたせいで、ほぼ毛皮と骨だけの姿だった。それでも数か月たつと、レッドは健康をとり戻し、ずばぬけてかしこい犬だとばれるのは時間の問題だった。監視カメラの映像をチェックしたスタッフは、目をまるくした。レッドは、過去数か月のあいだ、スタッフが自分の個室のドアについている強力なスプリング式の留め金を開け閉めする様子を、観察していたにちがいなかった。

その日、スタッフが犬舎からいなくなって十五分もたたないうちに、レッドは細長い鼻先をケージの柵のあいだにすべりこませ、縫い針のような歯をとがった道具として使い、スプリング式の留め金をひょいと開けていた。それで終わりではなかった。自由に外をぶらついたあと、レッドは通路を歩きまわり、特定の犬仲間のいる個室の留め金を同じように開けたのだ。たとえば、白色のジャーマン・シェパードのベアー、元レース犬のグレーハウンドのジョエル、そしてゴールデン・レトリーバーの血が入った雑種犬バーニーだった。

レッドの夜中の行動を制限しようとして、スタッフはすぐに追加の鍵をレッドの個室のドアにつけた。そしてスタッフは、レッドの機転の利く様子を映した映像を報道関係者に公開した。「ホームに来たときレッドはとてもやせていたので、食べ物がむしょうにほしかったんだと思います」と、バタシー・ホームの広報係のひとり、リズ・エメニーは説明した。「スタッフが夕方五時にいなくなってから、十五分以内にレッドは抜け出していますから、明らかに脱走がすごく得意なのでしょう」。

インターネット時代、犬が大脱走をたくらむ姿を映した不鮮明な映像は、たちまちネット上で注目を集め、BBCや後にはYouTubeといったサイトで大勢のひとが視聴した。それに加え、レッドも注目を集めたので、まもなくしてセント・オールバンズ〔イングランド南東部ハートフォードシャー州の市〕の新しい家へと譲渡された。

レッドはすぐに、ホームと同じいたずらをはじめた。レッドがやって来て二日後、新しい飼い主のクリスティーナは、ミルクをひと瓶買いに行くためにレッドを残して十分間だけ外出した。ところが帰宅すると、ドアには鍵がかかっていた。冷たく雨が降るなか、彼女は四時間我慢し、錠前屋がやって来て家に入れるのを待った。ドア・ハンドルにひっかき傷があるのに気づいたクリスティーナは、すぐにレッドを疑い、『デイリー・ミラー』紙の協力を得て監視カメラを設置した。案の定、レッドが彼女を閉めだすところが映っていたのだった。

飼い主が家を出て数分以内に、レッドは後ろ足で立ち上がり、ドア・ハンドルと同じ高さの留め金まで口をもってゆき、歯を使って留め金をくわえるとそれを押し下げた。「もっと頑丈な鍵にしないとだめでしょうね」とクリスティーナは語っている。「それでも、ぜんぜん怒っていません。レッドはとってもいたずら好きで、かなり個性的なんです。バタシー・ホームには、レッドを引きとりたいという問い合わせがたくさんあったので、レッドがうちの子になるとは思っていませんでした。だから、とても運がよいと思っています」。

第21章◆二十一世紀のバタシー・ホーム

Chapter Twenty-One

作家オールダス・ハクスリー（一八九四－一九六三、イギリスの小説家、評論家）は、犬好きとして知られていた。「犬にしてみれば、どんな人間もナポレオンである。よって、犬の人気は永遠なのである」と、かつてじつにうまく書き残している。それから歴史についても、かなり賢明なことを書いている。「歴史の魅力とその謎めいた教訓は、どれだけ時代がたってもなにも変わらず、そのくせすべてがまったくちがうものになっている、という事実にある」。

その原則は、まさしくバタシー・ホームにあてはまった。二十一世紀になっても、バタシー・ホームは新しさと古さ、慣れ親しんだものとそうでないものが、入り混じったままだった。高齢で体が弱った重病の犬の受け入れを続けているという点は、なにも変わってはいなかった。しかし動物診療所では、かなりの変化が起きていた。

バタシー・ホームの獣医師長ショーン・オッパーマンは、最初は臨時の獣医師として一九九一年にやって来て「二、三週間」程度いるつもりだった。そして二〇〇九年、彼はまだバタシー・ホームに在籍し、十八年前に働きはじめたときとまったく異なる医療設備や動物病院の業務を取りしきっていた。「ここに来たとき、診療所にはほんとうに最低限のものしかなく、正直な話、いくつかの部屋につながる廊下のような状態でした。たったひとつの手術室は約〇・五平方メートルで、掃除用具入れとそれほど変わらない広さでした」。さらにそこで働きはじめてみると、獣医師は彼だけで、手伝う看護師は八人だった。二〇〇九年には、獣医師は五人、看護師は二十五人在籍していた。

オッパーマン獣医師が対応しなければならない問題にほとんど変わりはなかったが、獣医師とそのチームにはいまでは病気を治し、予防する多くの方法があった。「獣医学は進化しています。われわれのもとにやって来る動物について、あまりにも情報が少ない場合、診断がとても大切です。それによって新しいペットについて、できるだけ多くの情報を飼い主に伝えることができます。たとえば、レントゲン写真や超音波検査といった技術を普段から使って、猫や犬の心臓の問題を明らかにしています。ここには週に二〇〇匹かそれ以上の多くの犬や猫がやって来ます。ときには、ベルトコンベアで動物が運ばれているように感じられます。バタシーとウィンザーでは毎日手術をしていて、一日に十五から二十件の外科手術を行います。もちろん、避妊・去勢手術が多いのですが、それとは別に数多くの内臓疾患系の手術と、軽症の整形外科手術、それに数えきれないほどの歯科手術をこなしています。ケンネルコフは特に対応が難しく、集中治療用室はたいていい満室です」。

もっともつらい仕事は、犬や猫を安楽死させるかを決めることで、これは一五〇年間ずっと変わっていない。「バタシー・ホームの名誉のために言っておきますと、バタシー・ホームは、扉から入ってきた動物を、たとえ、どんな状態であろうと受け入れてきました。動物に新しい家を見つけてやるため、つねに最善を尽くそうとしていますが、ときには選択肢がほとんどないときもあります。心臓病や重度の関節炎を患っている高齢の犬や、腎不全の猫がいる場合、その犬や猫に対して責任があるのです」と、オッパーマン獣医師は語っている。「バタシー・ホームがこれらの犬猫を受け入れなかったら、どうなるのでしょうか？　安楽死させることに慣れるということは絶対にありませんが、この仕事につきものの責任なのです」。

それでも、うれしい話もある。「わたしが、ここバタシー・ホームにいるあいだに明らかに変わったのは、いまは前より高齢の犬を譲渡できているという点です。おそらく、これは社会の姿を反映しています。現在の人びとの環境は、あまり安定しておらず、十年から十五年間もペットへの責任をとりたくないのかもしれません」と、オッパーマンは述べている。「わたし個人は、高齢の犬猫が好きです。ずっと個性豊かだと思えますから。それに、高齢の飼い主のなかには、自分より短い寿命の犬を飼うことに心ひかれるひともいるでしょう」。

言うまでもないが、病気の犬や猫は、いつも変わらずバタシー・ホームの風景の一部でしかない。迷ったり、捨てられたり、虐待されたり、家を失ったりした動物は、いまでもバタシー・ホームに週に何百匹もやって来て、そして何百匹も去ってゆく。現時点〔二〇一〇年〕で最大の変化のひとつは、五十年前や二十年前、さらに十年前と比べて、飼い主が見失ったペットと再会できる確率が、格段に上がったことである。バタシー・ホームが「行方不明の犬猫ホットライン」を最初に開設したのは二〇〇〇年七月十七日だった。この電話サービスは、ロンドン市内とその周辺エリアで迷い、保護されたときの犬猫の記録と、登録された動物の特徴を特別なデータベースで照合できていた。こうしてペットと再会できる確率は驚異的に上がった。二〇〇七年には、年に三〇〇〇匹の犬と猫が飼い主と再会し、バタシー・ホームの迷い犬・猫チームは、いまでも年間一八〇〇〇件以上の迷い犬・猫についての報告に絶え間なく対処している。

この電話サービス制度が、すばらしい能力を一番発揮したのは、二〇〇七年十一月のケースだった。ケン

終わりのない仕事。21世紀がはじまっても、バタシー・ホームには、たとえばこのケインのような犬猫がたくさん押しよせていた。

ト州で暮らしていたリン・オバーンは、二〇〇一年一月にラーチャーの愛犬リアと離れ離れになってしまった。その当時、獣医師をしていたリンの家へすきを狙って泥棒が入りこみ、犬をそっとつれ去って行ったのだ。リンは泥棒にあったせいでとても動揺し、リアを探そうと手を尽くしたものの、手がかりはなかった。

それでも、六年後にヨークシャー州の町、ブリーハウスに引っ越したとき、リンはマイクロチップに記録された情報をまじめに更新した。マイクロチップの全国的なデータベースには、すべての犬の飼い主の個人的な連絡先が記録されていた。その年の秋、リアがひょっこりとバタシー・ホームに姿を現したのだが、過去六年間どこにいたのかはまったく謎のままだった。すべての犬に対する規定の検査をしていたとき、スタッフのひとりが、リアの首に見つけたマイクロチップをスキャンした。それからリアは迷い犬・猫チームの手にゆだねられ、電話でこの情報を知らされた飼い主リンは自分の耳を疑った。リンとリアの再会は、バタシー・ホームが目にしてきた幸福な場面のひとつだった。

あたりまえだが、それほど好ましくない事態も、変わらず起きていた。二十一世紀になって最初の十年間、バタシー・ホームで起きたおそらく一番目を引く大きな変化は、受付デスクにやって来る犬の種類だった。ホームの犬舎へやって来る犬種はつねに変化していたが、一九九〇年代から、ホームではブルドッグ系の犬種と、いわゆる「ステータス犬」〔飼い主によって攻撃的な性質が故意に強められた犬。けんかに参加させたり、飼い主のタフな見た目のシンボルとして用いたりしている〕の数が急増するのを目のあたりにしていた。ホームができて一〇〇年間、そのかなりの期間、ホームにいる犬で一番多いのは「雑種犬」だった。一九七二年頃、受け入れた犬を犬種ごとにまずリスト化してみると、一番よく持ちこまれる犬種の上位十種は、「ジャーマン・シェパード、ラブラドール・レトリーバー、あらゆるコリー種、プードル、あらゆるジャック・ラッセル種、グレーハウンド、ビーグル、ボクサー、あらゆるスパニエル種、コーギー」となった。

それから二十年後の一九九三年、いまだにジャーマン・シェパードがリストの一位を占めていた。しかし三位となった犬は、二十年前のリストには載っていなかったスタッフォードシャー・ブルテリアで、その年に三三五匹持ちこまれていた。それから十年後のホームでは、スタッフォードシャー・ブルテリアが群を抜いて多くやって来る犬となり、二〇一〇年の段階では、ホームの犬舎の四十パーセントを占めるようになっていた。

スタッフォードシャー・ブルテリアには、立派な歴史がある。一八五〇年代、ブルドッグとホワイト・イングリッシュ・テリアが掛け合わされて、はじめて生まれた犬種である。ひとなつっこく、好奇心旺盛で、勇敢な性格のおかげで、大人気のペットになったが、その人気のために困った状況になってしまった。一九九〇年代、違法なブリーダーは、スタッフォードシャー・ブルテリアをどんな買い手にも売るようになり、その買い手の多くは、飼い主にふさわしくない者ばかりで、しばらくたつと犬を捨てていた。おまけにスタッフォードシャー・ブルテリアは、男っぽいイメージに魅力を感じた若者たちの「ステータス犬」となった。ここで悪循環が起きて、本来はひとなつっこくて社交的なスタッフォードシャー・ブルテリアが、問題行動を起こすようになってしまい、その結果として、しだいに捨てられるようになったのである。

これはバタシー・ホーム設立時の頃に起きていたことが、さまざまな意味でくり返されたと言えるだろう。「ディケンズの小説に出てくるビル・サイクス〔『オリヴァー・ツイスト』に登場する盗賊団の首領〕と、その飼い犬、ブルテリアの〝ブルズアイ〟といったイメージが浮かんできます。田舎の一部の地域では、ステータス犬や闘犬が、いまでもごく一般的だということを考えれば、社会はそれほど進歩していないのです」と、バタシー・ホームのカスタマー・サービス部門長を務めるスコット・クラドックは語っている。

なにも変わってはいないが、それでもすべてがまったくちがうものになっている。とりわけちがっているのは、社会が犬をステータス・シンボルとしてあつかい、気まぐれに捨てるのを、バタシー・ホームがこれ以上黙って見ていないという点である。かつてホームは、増加する犬の受け入れ数に対応するため、ひたすら犬舎を増設していただけだった。しかし、いまでは社会の考え方を変えたり、立ち向かったりすることを選んでいる。「わたしたちはつねに問題をきれいに片づけていて、まるでロンドンの犬猫のための〈A&Eサービス社〉〔イギリスの警備・清掃請負会社〕のようなものです。毎日、つらい選択をしなくてはなりません。責任重大ですが、やらないわけにはゆきません」と、カスタマー・サービス部門長のクラドックは言っている。「受け入れの要請はきりがないので、犬舎をずっと建てつづけようと思えばできます。しかし長い目で見ると、それでは解決になりませんし、きわめて重要なホームの仕事を続けてゆくつもりなら、問題の根本的な原因に取り組む必要があります」。

当然ながらバタシー・ホームにも、ジョン・コラムやベンジャミン・ナイトのように、率直に意見を言う人物がいつもいた。しかし彼らは組織の代表というより、個人として意見を述べることが多かった。バタシー・ホームは、ほかの組織よりも力があるわりに、動物福祉の世界ではいつまでも控えめで、むしろ消極的な組織のままで、自分の意見を言わないようにしてきた。そして二十一世紀になって十年が過ぎ、この姿勢はついに変わりはじめた。

その変化とは、二〇〇九年、バタシー・ホームが今後四年間の「長期計画」を立てると明らかにしたことからわかる。その時まで、バタシー・ホームは自分たちのことを、大規模な活動をする組織とは考えてこなかったので、報道機関とは控えめにつきあってきた。しかし、これからのバタシー・ホームは「もっと積極的になり、みずからの立場を活用して、方針について堂々と意見を発信して影響力をおよぼし、ホームに大きく関わる問題と、ホームが保護する動物について議論する」ことにしたのである。

この方針は二〇〇九年までにだいぶ明確なものになり、バタシー・ホームのスタッフは動物の問題についてもっと幅広く報道関係者に語るようになっていた。たとえば、スタッフォードシャー・ブルテリアや「ステータス犬」の受け入れ数の増加、正しいペットの飼い方の基本、保護犬や保護猫を譲渡することの有益性などについてである。その年、バタシー・ホームは三十以上のドッグショーと地元のイベントに参加し、ホームの教育部門は、学校や若者のグループに向けて一六〇を超える講演会や展示会を行った。ホームの情報を知りたいという要望は増えるいっぽうで、同時に期待のもてる成果もあがっていた。

たとえば、二〇〇九年時点でバタシー・ホームは、スタッフォードシャー・ブルテリアの譲渡数を順調にのばしていた。「スタッフォードシャー・ブルテリアは〝悪魔の犬〟だというレッテルに対して、戦いを挑んだんです」と、ホームの動物福祉部門長のローラ・ジェンキンズは話す。「そしていまのところ、人びとはわたしたちの話を聞いてくれます。人びとの反応や、保護犬についておおまかに知りたいという姿勢に、変化が起きているのがわかります。二〇〇八年には、譲渡した犬の数が二十一パーセント増えていて、それはつまり譲渡された犬の多くがスタッフォードシャー・ブルテリアだということです。そのうえ、二匹目の保護犬を引きとりたいというひとが、どんどん増えています。二匹目も、スタッフォードシャー・ブルテリアを引きとる気があるということになります」。

ところがあいかわらず、バタシー・ホームは社会と法律の変化を制御することはできなかった。一般的な犬の飼い主にとって、まちがいなく生活はずっと厳しくなり、しっかり制限されるようになった。二十一世紀はじめの十年で、２００６年動物福祉法(the Animal Welfare Act)は、ペットの飼い主に、より重い責任を負わせたし、清潔な近隣地域や環境に関する規定(Clean Neighbourhoods and Environmental Act 2008)〔二〇〇五年に最初に規定され、何度も改正されている〕が改正されると、地域の議会に権限を与え、犬の飼い主に公共の公園や広場の使用制限を設けた。その結果、犬よりも猫を飼う人びとの割合が増え——そういう理由から、二〇〇五年七月、バタシー・ホームは、正式名称を〈バタシー・ドッグズ＆キャッツ・ホーム〉に変更する決定をしたのだった。

ところで、バタシー・ホームにとってなによりも無視できなかった法令は、改正され二〇〇八年四月六日に施行された、清潔な近隣地域や環境に関する規定の内容だった。この法令では、警察が迷い犬を受け入れ

おなじみの犬たち。カメラに向かってお行儀よくポーズをとる5匹の犬。左からベンジー、ジョーナ、マイロ、ブルー、ロッキー。

バタシー・ホームの猫や犬は、ホームのために時間をとっているボランティアたちに、世話をしてもらうこともある。

る義務がなくなったので、これにより一〇〇年を超えるホームと警察との伝統が終わりを迎えた。

何年にもわたり、警察は、迷い犬の受け入れ業務から解放してほしいと強く主張していた。イギリスじゅうの警官たちは、やかましくときに攻撃的な犬を警察署に保護しておくのは時間と労力のむだだと、ずっと苦情を訴えていた。戦後に飼われる犬が増えると、迷い犬の受け入れという仕事は、とにかくたいへんな業務になり、面倒なお役所仕事をするのは並大抵のことではなかった。一九八七年、犬飼育許可証（the dog licence）の撤廃の準備期間に、全国的な犬の監視員システム（Dog Warden Service）を設置するかどうかという真剣な議論が行われたが、実現しなかった〔現在はイギリス各自治体による公営のシェルター（Dog Warden）がある〕。

警察のかわりに、迷い犬受け入れの責任は地方自治体に移された。一九九〇年、環境保護に関する規定（Environmental Protection Act 1990）によって、すべての地方自治体は迷い犬の対応をする職員をひとり任命し、「実行可能な場合は迷い犬を保護する」役目を与えた。いくつかの地方自治体では独自の犬の預かり部門を徐々に設置し、一九九三年には年間十三万匹の犬を受け入れていた。

こうして、毎朝バタシー・ホームが犬を受け取る仕事は、地方自治体の犬舎をいくつか回るだけですむようになり、以前は犬の受け入れ場所だった警察署を一〇〇か所以上も回る必要はなくなった。自治体によっては、新体制に対応できるだけの施設が、他より準備できていたところもあった。そのため、もしかしたら予想通りかもしれないが、清潔な近隣地域や環境に関する規定によって、バタシー・ホームにやって来る犬の数が急増した。それも法令が施行された最初の一年で、前年度より一〇〇〇匹も増えていた。

過去に何度もあったことなので、バタシー・ホームはこの法令によって起こる事態にすぐに対応できるよう準備を整えていた。皮肉なことに、大幅な景気後退の時代に、この事態に対応しなければならない状況になったため、ホームの歴史の中で、一番早いスピードでホームのサービスが現代化し、発展したのだった。技術革新や、新しい業務が、ほぼ毎日のように舞いこんできた。たとえば、猫のための新しい里親制度、オンラインでの譲渡申し込みシステム、オールド・ウィンザーの新しい猫舎、ブランズ・ハッチの猫と犬両方の新しい設備などである。そのうえ、ロンドン郊外にもうひとつホームを作り、「二〇一三年末までに」開業するという計画も持ちあがっていた。バタシー・ホームの入口付近にあった、見慣れた事務所のビルは解体され、もっと現代的で広々とした猫舎に生まれ変わった。それなのに寄付金や遺贈金の額が減っていたのは、ホームが、ほかの新しい動物福祉慈善団体と資金をとりあい、競っていたからだった。

二〇〇九年秋から暫定最高経営責任者となったハワード・ブリッジズは、運命に見放されていなかった。ホームの前財務部長だったブリッジズは、ホームが所有する三か所の地所の市場価値をだれよりもわかっていた。隣接するバタシー発電所を、数年以内に豪華な店舗と住宅に再開発するという計画があり、ロンドンのバタシー・ホームの地所の価値はさらに上がるだろうと考えられた。ブリッジズはつぎのように語っている。「もしもこの場所からホームがなくなったら？　もしもこの場所が、スーパーマーケットや、高級住宅になったら、ここにいる犬や猫たちはどうなるんでしょうか？　そんなことを、みなさんは考えたこともないでしょう。バタシー・ホームは、いましていること、過去一五〇年間やってきたことを、当然ながらそのまま続けるものだと期待されているのです」。

言うまでもなくブリッジズが語ったのは、一八七一年にテムズ川南岸にホームを移設してから、ずっとくり返し表明されてきた心情だった。新世紀がはじまった二〇〇〇年、実情をうまく説明したのは、当時の委員長のバカン伯爵だった。「動物を迎えるとき、なにが必要となるかを人びとが理解さえしていれば、迷ったり望まれなかったりして、ここにたどりつく犬や猫の数を減らせるでしょう。いつの日か、バタシー・ホームから電話が来て、施設が満杯ではなく空っぽになった、という知らせを受けたいものです。けれども、このホームの外に、犬や猫の飼い主になることの責任を自覚していない人びとがいるかぎり、そんなことはきっと起きないでしょう。

二十一世紀になっても、ホームは動物への虐待に対応していることが気がかりです。ホームがはじめて設立された頃、この国では牛いじめや、クマいじめ〔犬をけしかけて牛やクマを殺す見世物〕が行われていました。そしてロンドンの通りは、家のない犬や猫であふれていました。その頃から、わたしたちはまちがいなく進歩しているのでしょうか?」

その答えはもちろん、「進歩した」と「進歩していない」である。なにも変わってはいないが、それでもすべてがまったくちがうものになっているのである。

一八六〇年十月、ホリングワース・ストリートの暗くじめじめした馬屋にメアリー・ティールビーが開いた保護施設は、それから一五〇年たって、跡形もなくなっている。保護施設があった馬屋や通りまでも、もう残っていない。メアリーがかつて住んでいたヴィクトリア・ロード二十番の家も、ドイツ軍によるロンドン大空襲の爆撃で破壊され、そこにはもうない。〈迷い犬&飢えに苦しむ犬のためのホーム〉が最初に建てられた場所は、現代ではイズリントンの自然環境保全区域の中央にある土地となり、そこはいま、かなりいい感じの、シティー・ファームになっている。

しかし、もしもメアリー・ティールビーの亡霊がほんとうに戻ってきて、テムズ川から数キロ南に行ったバタシー地区に建つ現代のホームの中庭や、鉄道高架下や、建物内の通路を歩いたとしたら、ほとんどのものが変わっていても、見慣れたものがそこにはたくさんあると気づくだろう。

そして現代のホームが行っている業務の複雑さとその規模に、メアリーの亡霊はきっと目をみはるだろう。ホームの施設がひとつではなく三つもあり、大勢のスタッフと、三〇〇人を超える献身的なボランティアに支えられ、約一三〇〇万ポンドの年間予算は、いまでも大部分が一般の寄付金であることに。さらに、ホームの獣医師と動物行動学者のチームが、根気よく動物の元気を取り戻し、ずっと住める新しい家を見つけるために最良の方法を考えるその仕事ぶりにも、感嘆するだろう。メアリーといっしょに働いた最初の世話係、ジェームズ・パヴィットと同じような気づかいと思いやりをもって、ホームにやって来る動物それぞれの対応にあたる現代のスタッフの様子に、メアリーは満足げにうなずくだろう。そして、毎年五〇

○○匹以上の犬や猫が問題なく譲渡されている事実と、犬や猫たちの暮らしが、バタシー・ホームのスタッフやボランティアの人びとから受ける支援や世話によってよくなったことを、きっと誇らしく思うだろう。

しかし同時に、いまでも変わらずに大事にしてもらえずに虐待されている犬や、そして現代では猫に対して、飼い主が悲しくなるような恐ろしい仕打ちをしていることに、メアリーは信じがたい思いと怒りで、首を横にふるだろう。そしてバタシー・ホームが、以前と同じようにほぼ定員ぎりぎりいっぱいになっていることに、まずまちがいなくいらだつだろう。

それでも、メアリーは一番に気がつくだろう。メアリー、弟エドワード・ベイツ、サラ・メージャー、そして最初の委員会メンバーのみなが一八六〇年秋に集まり、正式に記録したものと同じ単純明快な原則に沿って、バタシー・ホームが現在も力を尽くしていることに。ホームの基本方針は、いまでも変わらない。「助けを必要とする犬や猫を、なにがあっても絶対に見捨てない」。

メアリーがはじめた取り組みは、ずっと続いている。〈バタシー・ドッグズ&キャッツ・ホーム〉のすばらしい物語が続いてゆくように……。

謝辞

情報収集をして本書を執筆するのは、とても楽しい経験だった。まずは、バタシー・ホームのスタッフに感謝を捧げたいと思う。ほぼ二年間、ホームの記録保管所を占めている、仕分けされた箱、書籍、会計台帳、新聞の切り抜きコレクション、議事録、ファイルなどをひっかきまわした。ホームの管理体制が変わる時期にあたったが、少しも変わることなく、温かく出迎えてもらい、手助けをしてもらった。

特に感謝したいのは、ホームの情報部門の元部門長ヘレン・デクスターと、現部門長のクレア・フィルビー。ふたりは本書にとって一番親切なサポーターだった。そして、現最高経営責任者ハワード・ブリッジズ、彼の前任者ジャン・バーロウからの励ましと情報提供にも感謝したい。執筆作業中に数多くのスタッフから助けてもらったが、つぎのかたたちに特に感謝の意を表したい——ヘレン・ミルコ、シャーロット・フィアンダー、シヴォーン・ウェイクリー、クレア・パルマー、アリソン・ラッセル、レイチェル・トゥービー、ケイト・ウォード、エイミー・ワトソン、スコット・クラドック、ローラ・ジェンキンズ、ミッキー・スウィフト、ショーン・オッパーマン、カースティー・ウォーカー、ルシンダ・ライティング、ジューン・ヘインズ。失念した方がいたとしたら、お詫び申し上げる。

わたしの出版社、トランスワールド社も、本書のアイデアが生まれた頃から原稿が完成するまでの過程で、何度か変化があった。まず、わたしに最初にこの仕事を依頼してくれた前編集長のフランチェスカ・リヴァシッジに感謝したい。フランチェスカがトランスワールド社を退職したときは悲しかったが、わたしはサリー・ガミナーラという評判通りに、最後のゴールを迎えるために必要なサポートと励ましを与えられた。彼女は優秀な編集者であるという評判通りに、最後のゴールを迎えるために必要なサポートと励ましを与えてくれた。ケイト・トーリーは同じく編集作業ですばらしい役割をはたし、とりわけ大量のバタシー・ホーム関連の写真や視覚資料を整理する作業を手伝ってもらった。原稿整理編集のヘイゼル・オーマのすばらしい仕事ぶりと、装幀家ボビー・バーチオールにも感謝したい。さらに、いつも変わらぬ感謝の気持ちを、わたしのエージェントのメアリー・パハノス、そして妻シレネと、子どもたちガブリエラとトーマスに。

謎に満ちたメアリー・ティールビーの人生を、家系図をたどって調査したアントワネット・サットンに、深く感謝したい。ヴィクトリア朝に活躍した女性のなかで、バタシー・ホームの創設者が評価されていないのは、まったく不当な仕打ちである。メアリーがいなければ、バタシー・ホームは存在しなかったのだ。アントワネットによる、一貫して想像力に富んだ探偵のような研究がなければ、本書はもっと底が浅い内容になっていただろう。

本書にふさわしく、バタシー・ホームのオフィスにいつも控えていた犬のアンガスに、最後に感謝をささげたい。かなり高齢のコリーのアンガスとは、ホームを訪問して知り合った。ホームでのわたしの定番の隠れ家となっていたオフィスに腰を据えると、アンガスはそっと入ってきて、わたしの足元で寝そべっていた。そしてそのままそこで無防備に、幸せそうにうたた寝し――ときにいびきをかき――日々が過ぎていった。机から離れるとき、くったりとしたアンガスの体をまたぐことが、何度もあった。

　二十一世紀においても、バタシー・ホームがこのように重要な役目をはたし、ほかに類を見ない組織になった理由が、たまにわからなくなることがあると、アンガスが思い出させてくれた。

　バタシー・ホームが一八六〇年にはじめてその扉を開いたときから、この場所は多くの弱く傷つきやすい犬と猫のわが家になった。まちがいなくすばらしい施設であるバタシー・ホームは、イギリス国民の敬愛と、世界じゅうの動物好きからの、変わらぬ支援を受けるべき場所なのである。

訳者あとがき

本書は、イギリスの動物保護施設〈バタシー・ドッグズ&キャッツ・ホーム〉(二〇一八年より〈バタシー〉に改名し、現在に至る)の歴史を語った一冊で、二〇一〇年に「創立一五〇周年」となったのを記念して出版されました。現在二〇二二年の時点で創立一六二年となり、イギリスで一番古いだけではなく、世界最古の動物保護施設でもある〈バタシー・ホーム〉(以下、このように記します)は、野良犬や野良猫を保護し、迷い犬や迷い猫(飼い主とはぐれて迷った犬猫で、〈バタシー・ホーム〉にやって来るおよそ八割を占める)を受け入れ、元の飼い主や新しい飼い主を探しています。さらに、さまざまな事情で飼い主と暮らせなくなった犬猫をすべて受け入れ、新しい飼い主を見つけるといった活動を行っています。ふたつの世界大戦をはさみながら、途切れることなく、ずっとこのような活動を続けてきた保護施設です。

〈バタシー・ホーム〉に代表されるような動物福祉事業に、世界で最初にのりだしたイギリスでも、その道のりが平坦ではなく、現在まで活動を続けながら、同時にあらゆる「戦い」を繰り広げてきたことも、本書は明らかにしています。一般の人びとに動物福祉の精神を理解してもらう、生体実験反対の運動を普及させる、狂犬病を予防して対策を講じる、安楽死と犬猫保護施設に対するまちがった思いこみに対応する、といった難問が、設立した頃から〈バタシー・ホーム〉に絶えず降りかかってきました。さらに、ロンドン大空襲で施設が破壊されることもありましたし、女性の運動家や従業員への偏見と反発は、二十世紀になっても続きました。これらの「戦い」が語られると同時に、つねに〈バタシー・ホーム〉の力になってくれる人びとの、やさしさと献身的な姿も描かれています。弱い立場の生き物たちへの思いやりには、時代や国を超えて共感できるのではないでしょうか。そして、ホームに保護されて新しい居場所を得た（リホーム）犬や猫たちの、心温まる感動的なエピソードなども、数多く紹介されています。

ホーム創設時からずっと変わらない基本方針は、「助けを必要とする犬や猫を、なにがあっても絶対に見捨てない」です。この理念を一六二年かかげる〈バタシー・ホーム〉のすべてのはじまりは、ヴィクトリア朝のロンドンで暮らすひとりの一般女性が、悲惨な犬たちの状況を見過ごすことができず、立ち上がったことでした。ホームの創設者、メアリー・ティールビーは、女性がさまざまな分野において社会で活躍しはじめた十九世紀後半、個人で犬の保護施設を開設し、動物福祉の活動にその後の人生を捧げました。メアリーの業績は、同時代に華々しく評価された女性たち（たとえば、近代看護学を確立したナイチンゲールなど）と比較すると、これまでまったく無視されてきたと言っても過言ではないでしょう。いまでは世界的に有名になったこの施設の創設者メアリーの写真は「一枚も残っていない」と、施設紹介の動画で〈バタシー・ホーム〉のスタッフが語っていました。それでも、メアリーが遺した「助けを必要とする犬や猫を、なにがあっても絶対に見捨てない」という思いは、ロンドンの街中でいまでも生きつづけ、〈バタシー・ホーム〉は世界の動物愛好家の憧れの場所のひとつになりました。

ホーム創設から二〇一〇年あたりまで、一五〇年間の歴史は本書に詳しく書いてありますが、それから現在（二〇二二年）に至るまでどんなことがあったのか、〈バタシー・ホーム〉のホームページを参考にし、いくつかご紹介したいと思います。

二〇一〇年、ホーム創設一五〇周年を記念し、建設費が五〇〇万ポンドかかった猫舎が、ロンドンのセンターに建てられました。そのオープニングを宣言したのは、エリザベス二世から後援者の座を引き継ぎ、〈バタシー・ホーム〉から二匹のジャック・ラッセル・テリアを引きとっている、コーンウォール公爵夫人カミラでした。

二〇一二年、ITVフィルム（イギリスの放送局IBA（独立放送会社）が行うテレビ放送）が制作した、〈バタシー・ホーム〉を舞台にした三十分のドキュメンタリー番組、『ポール・オグレイディ　大好きな犬のために（Paul O'Grady: For the Love of Dogs）』が放送開始となりました。司会のポール・オグレイディ〔一九五五－〕は多才な人物で、イギリスで俳優、コメディアン、作家、テレビやラジオの司会者などをしています。各シーズン七話で構成され、人気を博したこのシリーズは、二〇二二年までに九シーズン制作されているようです。

二〇一三年、創設当初からボランティアの力を借りてきたホームは、記念すべき一〇〇〇人目のボランティアを採用したことを発表しました。

二〇一五年、メアリー・ティールビーの名が付けられた犬舎が新たに建てられ、エリザベス二世によってオープンが宣言されました。

二〇一六年、動物病院が新たに開設されました。

二〇一八年、これまでの〈バタシー・ドッグズ&キャッツ・ホーム〉という名称から、〈バタシー〉へと変更し、ロゴのデザインが新しくなりました。そこには、ホームのかかげる理念である「すべての犬と猫のため、ここにある(to be here for every dog and cat)」ということばが、いっしょに表示されていました。さらに犬猫の新しい家探し(リホーミング)のキャンペーンも展開しました。

二〇一九年、世界じゅうを襲った新型コロナウイルスによる危機に、〈バタシー・ホーム〉も直面しました。コロナ危機によって、飼えなくなった犬猫を〈バタシー・ホーム〉へ持ちこむ理由が変化しました。理由のひとつは、経済的理由により飼い主が失職したり、家を失ったりしたことでした。そしてもうひとつの理由は、ペットの問題行動でした。散歩にも行けず、閉じこめられた犬が起こす問題は、特に緊急を要するものが多くなりました。そのうえ、ロックダウン中に買い求めた子犬に問題がある、という事例が増えました。不適切な違法ブリーダーや売り手から買った子犬の多くには、生まれつき病気がある場合が多く、それが理由で持ちこまれることが増えたのです。

言うまでもありませんが、コロナ危機中に犬や猫を家族として迎えいれて、幸せに暮らしているケースも数多くあるはずです。それでも〈バタシー・ホーム〉は、コロナ危機の後も、犬の持ちこみが増える可能性について懸念しています。その理由は、ロックダウンや行動制限のため、子犬が成長過程で必要な、ほかの人間や犬との接触が断たれてしまったことで大切な学びの段階を逃してしまい、問題行動につながりやすくなるからです。さらに、これまでつねに在宅してそばにいた飼い主が、ふたたび仕事などで外出時間が多くなると、犬は分離不安から問題行動を起こしてしまう可能性があると指摘しています。〈バタシー・ホーム〉では、たとえどんな理由であろうと〈犬猫の問題行動や病気、飼い主の生活の変化というものから、「大きすぎる」という理由まで〉、つれて来られた犬猫を必ず受け入れてきました。そのため、手に負えなくなった飼い主が犬を手放すことになり、ホームへ持ちこまれる犬の数が増えるかもしれない、と心配しているようです。

いっぽうでホームページには、心配なことばかりではなく、すばらしい成果も報告されています。

二〇二〇年、〈バタシー・ホーム〉はさまざまなメディアを使って「保護された動物が一番好き〈Rescue is Our Favourite Breed〉」キャンペーンを大々的に実施し、「ペットは商品ではない」ことを強く訴えました。その結果、キャンペーンを知ったひとの七割以上が「保護動物についてもっと知りたい」と思うようになり、人びとの保護動物への意識の変化を促すことに成功したようです。

二〇二一年四月二十八日、イギリスで新たなペット関連の法律が施行され、動物虐待に対する刑罰が、これまでの禁固六か月から禁固五年になり厳罰化されました。この罰則の厳罰化に向けて、〈バタシー・ホーム〉も参加して二〇一七年からさまざまなキャンペーンや、政治家への働きかけが行われました。そしてコロナ危機によっていろいろな制限があるなかで、国会で法案が通りました。このような成果をあげるには、動物福祉先進国イギリスでも四年が必要だったことから、動物をめぐる状況を変える難しさがうかがわれます。そのほかのうれしい二〇二一年のニュースとしては、六月にハイドロセラピー（水治療法）専用の施設がオープンしたことが報告されています。そして十一月には、動物保護活動にあたって重要な、２００６年動物福祉法（Animal Welfare Act 2006）が制定されて十五年になることをあらためて強調しています。

コロナ危機に襲われた日本でも、ペットを安易に求めてすぐに飼育放棄するといった事件が、残念ながら多発していたようです。犬は約一〇〇〇〇年以上前から、猫は約六〇〇〇年前から、人間が家畜化した動物だと言われています。長い長い時間をかけ、人間が自分たちといるように仕向け、そしてホーム創設者のひとりサラ・メージャーの言葉を借りると「人間の愛情と世話がなければ生きられない」犬や猫に対して人びとが関心を高めているいまこそ、彼らに手を差しのべ、共生できる社会を実現する機会になるはずです。個人でこういう活動をされてきた方は数多くいらっしゃいますし、自治体によっては取り組みを進めているところもありますが、日本社会全体において意識を変えるときではないでしょうか。その流れのひとつとして、二〇一九年に大幅改正された動物愛護法では、「マイクロチップの義務化」、「五十六日齢以下の犬猫の販売制限」、「動物殺傷罪の厳罰化」が実現されました。動物福祉の基本原則として定着している「５つの自由」（飢え・渇きからの自由、不快からの自由、痛み・負傷・病気からの自由、恐怖・抑圧からの自由、本来の行動がとれる自由）が、すべて反映されている「健全な」社会になるよう、さらなる議論が必要となるでしょう。

〈バタシー・ホーム〉が創設された一八六〇年以降、イギリスでは児童文学の名作が生まれる時代に入り、いまでもよく読まれている動物物語が数多く書かれました。擬人化した動物キャラクターが登場する「動物ファンタジー物語」と、動物本来の姿を描いた「写実的動物物語」があり、イギリスのA・A・ミルン（一八八二-一九五六）の『クマのプーさん』（一九二六）は動物ファンタジーの代表例のひとつでしょう。写実的動物物語は、たとえばカナダの博物学者アーネスト・T・シートン（一八六〇-一九四六）の『わたしが知っている野生動物』（一八九八）がよく知られていますが、シートンより以前にリアルな動物の姿を描き、近代動物文学のはじまりとされているのが、「動物虐待」を主題にしたイギリスのアンナ・シューエル（一八二〇-七八）の『黒馬物語』（一八七七）です。主人公の黒馬が、馬に理解のある主人のもとでの生活から一転し、無慈悲な主人たちに痛めつけられ、死ぬまで働かされる辻馬車屋での厳しく苛酷な生活を送ったあと、最後にふたたび幸せな日々を過ごすまでの、自伝形式の物語です。黒馬は、止め手綱（馬の頭を下げさせないようにした馬具）を付けて走らされるのが、どれほどつらいかを語っています。馬車馬の苦境に注意を向けさせたいという、シューエルの動物福祉の精神に満ちた作品は、発表後にイギリスでの止め手綱の廃止や、動物一般の扱いの改善へとつながりました。

シューエルが「動物虐待」をテーマにした作品を描いた時代、社会のさまざまな弱者への共感と同情が生まれていました。大英帝国として栄華を誇っていたヴィクトリア朝のイギリス(一八三七－一九〇一)は、経済成長や人口の増加にともなって発展をつづけるいっぽうで、その裏には子どもの貧困、労働、犯罪などが社会問題となっていました。虐げられた人びとへの正義感にあふれた作品を発表していた作家のディケンズは、本書の第3章に登場し、愛犬家としての一面を見せてくれます。そして同じく虐げられていたロンドンの犬たちに目を向け、犬たちがホームで愛情をもって保護されている様子を、自分の発行する雑誌で広く訴えました。ディケンズがホームについて書いてくれたことが、〈バタシー・ホーム〉が待ち望んでいた、有名人からの後押しの第一弾となります。

第7章では、さらに影響力がある愛犬家、ヴィクトリア女王が公式の後援者となり、王室との関係はホームの大きな財産となります。「チャリティ団体は寄付者市場にも敏感に対応した。受け手にとって有益なだけでなく、当該団体を支援する人たちにとっても価値がなければいけなかったからである」(『チャリティの帝国──もうひとつのイギリス近現代史』、金澤周作、岩波新書、二〇二一)とあるように、女王が後援者になったという付加価値のおかげで、ロンドンじゅうの上流階級の人びとがホームに関心を向けるようになりました。

第8章冒頭では、エレン・テリーなど当時の人気女優やさまざまな有名人が、ホームを支援した様子が紹介されています。現在でも〈バタシー・ホーム〉はさまざまな有名人が訪れる場所になっているようですが、

図1

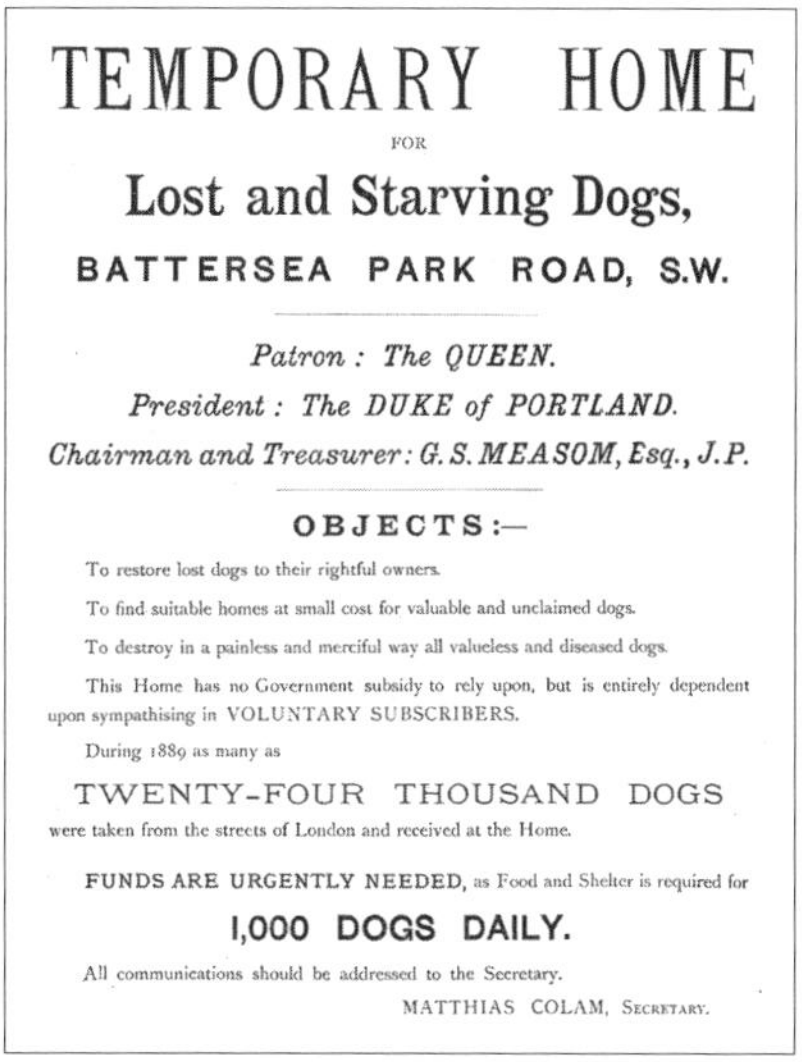

TEMPORARY HOME
FOR
Lost and Starving Dogs,
BATTERSEA PARK ROAD, S.W.

Patron : The QUEEN.
President : The DUKE of PORTLAND.
Chairman and Treasurer: G. S. MEASOM, Esq., J.P.

OBJECTS :—

To restore lost dogs to their rightful owners.

To find suitable homes at small cost for valuable and unclaimed dogs.

To destroy in a painless and merciful way all valueless and diseased dogs.

This Home has no Government subsidy to rely upon, but is entirely dependent upon sympathising in VOLUNTARY SUBSCRIBERS.

During 1889 as many as

TWENTY-FOUR THOUSAND DOGS

were taken from the streets of London and received at the Home.

FUNDS ARE URGENTLY NEEDED, as Food and Shelter is required for

1,000 DOGS DAILY.

All communications should be addressed to the Secretary.

MATTHIAS COLAM, SECRETARY.

図2

その「流れ」が十九世紀末にはじまっていることがわかります。

　同じく第8章で言及されていた、当時人気のあった動物画家ジェームズ・イェイツ・キャリントンについて調べていると、愛犬トイフェルとの出会いから死別までを『テリアのトイフェル——画家の犬の日々と冒険』（*Teufel the Terrier; or The Life and Adventures of an Artist's Dog*, 1890）という読み物にしているとわかりました（図1）。内容だけでしたら電子書籍で読めますが、初版の小冊子が古本で入手できそうだったので注文してみると、一三〇年前の『トイフェル』初版は、いろいろと興味深いことを教えてくれました。たとえば冊子の裏表紙には、『外来患者』という題のキャリントンの絵のコピーと、その絵が描かれた経緯が説明された、一八八八年三月三十一日付の『ペルメル・

ガゼット』紙の記事が転載されていました。それによると、一八八七年八月一日の早朝、病院のポーターが犬の吠え声がするので入口のドアを開けると、そこには二匹のフォックステリアと、一匹の怪我をしたコリーがいました。ポーターが顔を出したとたん、フォックステリアは傷ついた仲間を置いてその場を離れ、コリーは医学生に処置をしてもらって数時間休んだあと、病院を立ち去りました。この話を新聞で知ったキャリントンは急いで病院で話を聞き、犬たちの調査をはじめます。その後、三匹の犬がそれぞれ別の飼い主に飼われていて(テリア二匹はきょうだい)、病院の近所に住む遊び仲間であり、コリーが怪我をすると、いつも外来患者が出入りしているドアを知っていたテリアがそこへ案内したことも突きとめました。仲間を思いやる犬の姿に心を打たれたキャリントンは、三匹の犬を飼い主たちから借りてモデルにし、このできごとを描いてロイヤル・アカデミーで展示したとのことでした。

そして『トイフェル』の表紙裏の宣伝ページ(図2)には、"TEMPORARY HOME FOR Lost and Starving Dogs, BATTERSEA PARK ROAD, S. W." と大きく書かれていて、そのすぐ下には「後援者・女王陛下、長官・ポートランド公爵、委員長・会計・G・S・ミーザム氏」、さらに責任者として最後にあがっている「マティアス・コラム」のように、7章や8章に出てきた人びとの名前が列挙されていました。また隣の宣伝ページには、同じく第8章に出てくる「〈スプラッツ社〉製の犬用ビスケット」の広告が出されていて、「バタシーのドッグズ・ホームに提供しています」と宣伝されています。さらにページをめくると、第1章から登場し、ホーム創設時に力を貸してくれた動物保護団体、〈動物虐待防止協会(RSPCA)〉の宣伝が載っていました。これらを目にしたとき、本書に登場する人びとが、一〇〇年以上前に犬猫のためにほんとうに力を尽くしていたのだと、改めて感じとることができました。

本書の舞台となる〈バタシー・ホーム〉のことを知ったのは、いまから二十年ほど前です。二〇〇〇年代はじめに一年間イギリス留学をした時点で、なぜか〈バタシー・ホーム〉のことは頭にしっかり刻まれていたので、それより以前にどこかで知ったのだと思います。留学中、本書の第20章で紹介されている『ペットレスキュー』などはお気に入りの番組で、いつもかかさず見ていたのを思い出します。その後も、こういう場所が日本にもあってほしいという思いから、このホームのことは頭から消えることはありませんでした。

〈バタシー・ホーム〉との意外な再会は、インターネットの記事を通してでした。猫好きの友人から『ほぼ日刊イトイ新聞』というサイトを教えてもらい見るようになっていたあるとき、掲載されていた記事が「犬と猫と人間のはなし。ＡＲＫさんに行ってきました」（二〇一一年三月十五日、十六日）でした。動物保護団体のＡＲＫ（Animal Refuge Kansai）は知っていたので、興味をひかれて読みすすめると、主催者のエリザベス・オリバーさんが「いま読んでいる本」として、本書のことを紹介されていました。それからすぐにネット書店で買い求めて読んだ印象は、この施設のことを多くのひとが知れば、動物福祉についても考えてもらうきっかけになるのでは、というものでした。

本書のことを知ってから十年以上がたったいま、若い世代を中心として、動物や自然環境に対する意識が、さまざまな角度から変化しつつあると感じています。創設者メアリー・ティールビーが抱いた「苦しんでいる犬を見捨てておけない」という思いからはじまったバタシー・ホームの理念に少しでも共感し、犬猫をめぐるあらゆる問題に関心を寄せ、温かい思いを抱いてくれるひとがひとりでも増えてくれればと、願わずにはいられません。

作者のギャリー・ジェンキンスは、野良猫とホームレスの青年の友情物語『ボブという名のストリート・キャット』（日本語訳は辰巳出版、二〇一四年）と、その続編の共執筆者として有名です。この本は二〇一六年に『ボブという名の猫　幸せのハイタッチ』として映画化もされ、その続編映画『ボブという名の猫2　幸せのギフト』（二〇二〇年）の脚本は、ジェンキンスが担当しています。ホームページによると、ジェンキンスは、三十五年以上のキャリアがあるロンドン在住の作家、ジャーナリスト、脚本家で、『タイムズ』紙などをはじめとする有名な新聞や雑誌に、定期的に寄稿しているようです。動物関連のノンフィクション作品をいくつか手がけているので、〈バタシー・ホーム〉の歴史についての執筆も担当するようになったのではと考えられます。子ども時代を田舎で過ごし、親戚に農場経営をするおじさんがいたおかげで、野生動物をふくめさまざまな動物に触れあう機会がたくさんあったことや、コロナ危機に見舞われたいま、気持ちを和ませ、明るくしてくれる、飼い猫の存在に感謝していることなどを、ホームページで紹介しています。

翻訳にあたっては、二〇一〇年にバンタム・プレス社から出されたハードカバー版、『*A Home of Their Own*――*The Heart-Warming 150-Year History of Battersea Dogs & Cats Home*』と二〇一一年のペーパーバック版を底本に用いました。本書の写真やイラストについているキャプションは、原著に掲載されているものを翻訳しました。掲載されている図版は、ペーパーバック版に基づき選定し、ハードカバー版のレイアウトに合わせて掲載しています。

本書を読み進めるうえで参考になると思われる場合、当時のイギリス・ポンドを現在のおおよそのイギリス・ポンドに換算したものを適宜併記しています。各時代の貨幣価値を換算するにあたり、イギリスの国立公文書館（The National Archives（TNA）、イギリス政府の公文書類と、一〇〇〇年の歴史的価値のある資料を保存する独立機関）が公開している、「Currency Conveter: 1270–2017」を用いました。そして距離や長さ、面積の単位は、メートル法で表記しています。

また本書には、動物福祉とかかわるイギリスの法令がいくつか登場します。定着した日本語訳がないと思われるそれらの法令の表記につきましては、『平成29年度動物愛護管理法に関する調査検討業務　報告書（抜粋）』（平成30年3月一般財団法人　自然環境研究センター）での表記を参考にし、「訳語のあとに原語表記をカッコで併記する」かたちを採用しました。本書では読みやすさを優先しましたので、前記のような訳語の表記は、基本的に一章につき一か所としています。

国書刊行会の佐藤純子さんには、資料を送っていただくなど今回もいろいろ助けていただき、たいへんお世話になりました。そして動物への思いを共有してくださり、数々のご助言をしていただいたことに、心より感謝申し上げます。

二〇二二年八月

永島憲江

索引

あ

か

さ

た

な

は

ま

や・ら・わ

著者

ギャリー・ジェンキンス

Garry Jenkins

ロンドン在住の作家、ジャーナリスト、脚本家。動物関連のノンフィクション作品を数多く手がけている。35年以上のキャリアがあり、『タイムズ』紙をはじめとする有名な新聞や雑誌に、定期的に寄稿している。野良猫とホームレスの青年の友情物語『ボブという名のストリート・キャット』と、その続編の共同執筆者である。ボブの物語は2016年に映画化され、その続編映画『ボブという名の猫２　幸せのギフト』（2020年制作、イギリス、日本公開2022年）では脚本を担当している。

ジェンキンスの最新作は、ライターとして参加し、世界的な評価を得て『サンデー・タイムズ』紙のベストセラー・リストにも入った、ディーン・ニコルソン『ナラの世界へ　子猫とふたり旅 自転車で世界一周』（2020年、日本語訳はK&Bパブリッシャーズ、2021年）である。

訳者

永島憲江

ながしま・のりえ

1977年生まれ。国際基督教大学にて学士号・修士号取得後、英レディング大学大学院にて修士号取得、白百合女子大学大学院にて博士号取得。白百合女子大学児童文化研究センター研究員。訳書に、シェパード『思い出のスケッチブック――『クマのプーさん』挿絵画家が描くヴィクトリア朝ロンドン』（国書刊行会）。共訳書に、ネズビット『アーデン城の宝物』、『ディッキーの幸運』（東京創元社）。執筆参加に『子どもの本と〈食〉物語の新しい食べ方』（玉川大学出版部）、『英語圏諸国の児童文学Ｉ（改訂版）物語ジャンルと歴史』（ミネルヴァ書房）、『世界少年少女文学（ファンタジー編、リアリズム編）』（自由国民社）。

装幀・造本　金子歩未（TAUPES）

カバー装画　霜田有沙

ずっとのおうちを探《さが》して
世界《せかい》で一番古《いちばんふる》い動物保護施設《どうぶつほごしせつ》〈バタシー〉の物語《ものがたり》
ISBN978-4-336-07394-5

2022年9月20日　初版第１刷　発行

著　者　ギャリー・ジェンキンス
訳　者　永島憲江

発行者　佐藤今朝夫
〒174-0056　東京都板橋区志村1-13-15
発行所　株式会社　国書刊行会
電話 03(5970)7421　FAX 03(5970)7427
https://www.kokusho.co.jp

印刷　創栄図書印刷株式会社
製本　株式会社ブックアート